动物安详 Dongwu Anxiang
时代出版传媒股份有限公司
安徽文艺出版社

序

贾平凹

安徽文艺出版社编辑了这套散文，我看了一下目录，一半是三十多岁时写的，一半是近二十年来写的。我没想到竟还写了这么多。如果说散文最能体现作家自身的真实，那几十年里，███████████████在这样的时代里，在这样的土地上，我经历了什么，思想了什么，我苦或快乐，放荡或隐忍，是逃不出这全在里边，是了我的历史。

现在经常有人问道：你认为哪一时期的散文好呢？这我难以回答，说：都好吧。或说：都不好。当年轻的时候，年轻就是要狂，一切都饱盛，写作的欲望如爱天云云，稍一响动，它就滂雨，又讲究已经承转合，名锤句炼字，名优美，名灵动，企望着别人读了说：哇，有才气呀！还可能在笔记本上摘录那几几句。而年岁慢之老起来，激情是少了，又是在写完这一部长篇后和又写另一部长篇前，一闲下来有许多想写成散文的东西了，磕磕碰碰觉口意思不大又不想了，而反写就写自己在生活中█████████所点疑不住悟，你好便有，不苦就短，似乎再没什么凤尾豹尾，

圆圆圆的，纽扣了只果，有词有韵口回答都好嫩而柔软，它的回答者都不古土瘠水硕果呢?!

我尚年回你说，我谈生命在这讲写好我谈诚的，真情

①

贾平凹
散文典藏大系（文墨本）
动物安详
Jia Pingwa Sanwen Diancang Daxi
(Wenmo Ben)
Dongwu Anxiang

贾平凹　著

时代出版传媒股份有限公司
安徽文艺出版社

图书在版编目(CIP)数据

动物安详/贾平凹著. —合肥:安徽文艺出版社,2013.4(2017.3重印)
(贾平凹散文典藏大系)
ISBN 978-7-5396-4404-2

Ⅰ. ①动… Ⅱ. ①贾… Ⅲ. ①散文集-中国-当代 Ⅳ. ①I267

中国版本图书馆 CIP 数据核字(2013)第 057691 号

总策划:朱寒冬 刘景琳　　　　出版统筹:韦 亚
责任编辑:刘姗姗　　　　　　　装帧设计:丁 明

出版发行　时代出版传媒股份有限公司　www.press-mart.com
　　　　　安徽文艺出版社　www.awpub.com
地　　址　合肥市翡翠路1118号　邮政编码:230071
营 销 部　(0551) 63533889
印　　制　安徽新华印刷股份有限公司　(0551) 65859128

开本:880×1230　1/32　印张:9.25　字数:250千字　插页:10
版次:2013年4月第1版　2017年3月第2次印刷
定价:560.00元(全七册,精装)

(如发现印装质量问题,影响阅读,请与出版社联系调换)

版权所有,侵权必究

动物安详

每日奔波忙碌之后,回到家中,看看这个,瞧瞧那个,龙虎狮豹,牛羊猪狗,鱼虫鹰狐,就给了我力量,给了我欢愉,劳累和烦恼随之消失。

序

贾平凹

安徽文艺出版社编辑了这套散文,我看了一下目录,一半是三十多岁写的,一半是近二十年来写的。我没想到竟还写了这么多。如果说散文最能体现作家本身的真实,那么六十年里,在这样的时代里,在这样的土地上,我经历了什么,思想了什么,悲苦或快乐,放荡或隐忍,足迹和心迹全在里边,是了我的历史。

现在经常有人问道:你认为哪一时期的散文好呢?这我难以回答,说:都好吧。或说:都不好。当年轻的时候,年轻就是梦想,一切都敏感,写作的欲望如夏天的云,稍一响动,它就落雨,又讲究要起承转合,要锤句炼字,要优美,要灵动,企望着别人读了说:哇,有才气呀!还可能在笔记本上摘录那么几句。而年龄慢慢老起来,激情是少了,又多是在写完这一部长篇后和又写另一部长篇前的间隙里,有许多想写成散文的东西了,琢磨琢磨觉得意思不大又不想了,而要写就写自己在生活中那点真正的体悟,能长便长,不长就短,似乎再没什么凤头豹尾,囫囵的,一锅煮。写作也真有趣,年轻时是花,年纪大了是果,年轻时是清秀,年纪大了是浑沌,年轻时是有词有韵的朗颂,年纪大了是一满家常着唠叨。我之所以回答都好,因为它们都是我写的,一棵树么,开春枝条嫩而柔软,入冬枝条苍而僵硬,可它却是一棵树。之所以回答都不好,又因为这棵树就是这么个品种,它生长的土瘠水少,又多风多雨,能开了什么艳花能结了什么硕果呢?!

我前年回老家为父母修坟的时候,没有让我的孩子们去,我说:一辈人尽一辈人的责任。文学也是这样,我的生命在这块土地上经历着这个时代,既然是写作的,就写好我该写的文章,笔是第三只手,人和文尽力合一,忠诚的,真情的,几十年写过来了,再继续写下去。

2013 年 3 月 22 日

目录

好女不戴金 / 1

饮者 / 4

美食家 / 7

小楚 / 13

招牌 / 15

手术 / 17

十一篇书信 / 20

答人问奖 / 26

《美文》三年 / 27

涂鸦 / 31

走进塔里木 / 32

圐山 / 38

二胡 / 42

缘分 / 46

夏河的早晨 / 51

江浙日记 / 54

拓片闲记 / 154

茶杯 / 155

吃烟 / 157

治病救人 / 159

壁画 / 162

陶俑 / 165

朋友 / 170

秃顶 / 174

天马 / 177

进山东 / 181

记五块藏石 / 187

龙柏树 / 189

敲门 / 191

动物安详 / 194

说《天狗》/ 197

一封荒唐信 / 199

答《文学家》编辑部问 / 204

致友人 / 227

观看二〇〇二年世界杯足球赛 / 229

观看二〇〇六年世界杯足球赛 / 259

好女不戴金

以前很少见过金子，总觉得那是世上最宝贵的东西，不怕火，能发光。现在是看到了，能做些生意的人，身上差不多都有地方戴金。沉不沉，我不知道，但在太阳下没有灿烂，似乎还易生垢，这使我大失敬畏。曾经认识一位少妇，少妇原本是女人最漂亮期，而她胖了，身材五短，胳膊就不贴体，开步走便划动空气。这样的女人是福相，果然很有钱，十个指头上戴有六枚金戒，而且是好笨重的那一种，腕子上还有手镯，还有项链、耳环。人有了钱就在吃上穿上讲究，她吃得好这能看出来，穿的却并不好看，可能是时装店的衣服都穿不成。有好身材的往往没钱，有钱的又往往没好身材，这少妇就拿金子作打扮。遗憾的是她没这么着戴金的时候谁也不注意她，因为关注他人的丑是不道德，也没必要，她这么着戴金，众人就审视了："嗬，丑人多作怪！"没有谁去研究金的成色，倒发现了丑，而且丑还在作怪！害得我们一帮男人也不敢与她同行，怕牵涉出我们的丑样。

我就想啦，人为什么要把金子往身上戴？河北满城出土过一件金缕衣，那是裹尸体的呀，尤二姐吞过金子，那是要自尽的呀，有一样可以戴的，是手铐，手铐为金属制品，也含一个金字，可那是罪犯戴的嘛。字典上有"金口难开"成语，金口是什么样儿，没见过，恐怕金口真的开合不了。补金牙的我小时候倒见过,那是"文革"期间,一次武斗杀了许多人,横七竖八地摆在河滩,一伙人就去撬每一个死者的嘴,看有没有补牙的金,结果发现了一位,都去抢啊,脑袋便被石头砸开。字典里还有"金屋藏娇"一词,想那金屋住着一定难受如牢狱,是娇也藏得发霉。金子并不能给人带来好处,历史上有过端着金碗讨饭的故事,我见过的那位少妇,除了众人发现其丑外,热爱她的是那些强盗,后来她真的遭了抢,强盗夺金戒金镯没有成功,拿快刀剁了胳膊跑了。唉,连那些像金子的,如金丝猴、金丝鸟,也不是死在猎手的枪下就是死于动物园的铁笼里。

土有清浊二气,清气凝聚生于竹,所以竹可以做笛做箫,生金占浊气,金只能做钱币,虽然钱离不得,但常常是钱泯灭了许多善良、正直和道义。金除了易生垢的毛病外,它如有病人吃猪头肉能引发病情严重一样,可以扩张人的贪婪,而往往它一旦作为人的装饰品,就俗人的品格。我见过许多暴发了的人家,买了很现代式样的写字台,偏要用金叶包了桌沿儿,那穿衣镜上用金粉新画了龙凤,高档的沙发床上,硬是做一个帐架,帐帘儿是金丝绣花,帐钩儿是金做的凤头,让人立即想到了过去的土地主。土地主之所以是土地主,是他有钱而钱并不巨多,真正巨富的人,从未在身上戴金挂银的显排。什么事物都有个境界,即从必然王国未进入自由王国之前,是人没了主体性,就要有许多村相露出来。

在我们生活的周围,总有一些认识的或不认识的女性戴金,稍作观察了,就会发现,要么是先前穷过,老怕人嫌穷低看,要么是容貌丑些,要寻些悦己。这戴金原来同有狐臭的要涂浓烈香水,有蝴蝶斑的要抹增白蜜一样,是避短遮丑的行为呀,这一来却正好暴露了谁个有短谁个有丑!自个对自个没有了信心,岂不也类同了时下"穷到只剩下钱了"的说法?这里还有一个规律,女性在未婚前是少有戴金的,一是没能力去添置,二是美丽不需戴金,但少女自古到今都称"千金",千金的是她的青春。一旦结婚,如果说家是有人在等待而为家,那么结婚就是有人给花钱的含义,这就要戴金了,金是人家的,这又如同战马臀上的烙印,出厂货品上的商标。而女到中年戴金最多之期,恰是青春和美丽褪去之时。可见一些女性在比戴金的轻重,实际上在比衰老和丑陋。更严重的是,金戴在身上,产生在人的心理上是一种坏的信息,这如同一些职业:当官当久了就装腔作势,当警察当久了就生噌冷倔,小偷鬼祟,娼妇轻薄,太监若狗,谋士近妖,有金在身了,自以为人人会尊她敬她亲她近她,而得不到尊敬亲近,或者骂他人有眼无珠,或者咒他人是酸葡萄,将自己弄得不伦不类、神神经经起来。昨日有朋友来家,说起某某身上的金银,朋友很痛心,那么好个女人,怎么就戴金了?!于是我悄悄地对我的一位女友说:你记着,这话也不要对别人讲,城里有了金银首饰店,街上就流行丑女子;贾宝玉说女子是水做的,而五行论里讲水有金而寒,所以你要做好女就不戴金。

1995 年

饮　　者

古汉语中对"者"字运用很雅:奉使命办事的叫使者,未剃度的出家人叫行者,有节奏地扭动身体的叫舞者。饮者,为喝酒的人,可能是古时除了一般的喝喝,还有专门陪别人喝酒的,成一种职业。风是元明一路遗下来,悠悠,现在有在家宴请某某人了,要请几个伴席劝酒的,有什么领导去出席宴会,秘书要一旁保护,出来代酒的。在乡下,农民喝酒通宵达旦,媳妇们常要来照顾自己的丈夫,但不能入席,只坐在门首聊天,待到屋里的喊一声××!××就进去把丈夫已不能喝下的酒喝下,然后又坐回门首。饮者多不富有,两袖清风,一肚酒精,鼻子和耳垂子总是红红的。他们在街巷走,微风里立即能闻出前边有了一家酒馆,开坛的是清香型呢还是酱香型。

喝酒的理由很多,来贵客了要喝,没有贵客来一帮赖朋友也要喝,心情高兴了要喝,心情不高兴了也要喝,天气好了要喝,天气不好也要喝。喝酒也就没有了理由。——没有理由也是个理由嘛,喝!于是买一壶来,有菜就下菜,没菜干喝。北方人没见过大海,凡是大一点的都称海,这是一场海喝。令拳当然要划的,赢了的不饮输了的饮,真正的饮者,其实都是想办法少喝的人。在四川我见过一对逃犯,或许他们是饮者,正饮着酒,公安干警来抓了,他们沿着江边的小路一边跑,一边还挥着手划拳——输赢是要见分晓的。

人体的各个器官,都需要一种刺激,酒是水,性却是火,这水火的煎熬,使酒成了口舌的体育运动。球迷的最狂热分子到球场,他并不在乎球怎么踢,九十分钟里竟一直在看台上跑动,呐喊,或面对着观众指挥叫号。饮者又都善于吹嘘——吹嘘是不犯法的——李白的诗与其说浪漫,不如说是将喝酒的吹嘘毛病引进了写诗里,他的诗有了名,他却说"唯有饮者留其名",这就又是吹嘘。

饮者一般都彬彬有礼,酒席上差不多经历三个境界,先轻声细语,再高声粗语,最后无声无语。酒毕竟是浊物,即使高人逸士,饮酒享受的都不是清福。现实中饮者会给人许多难堪,如酒后失态,如呕吐狼藉,如啰唆不已,但古今所有的文学作品中饮者都是些可敬可叹可爱之人。这或许是文人差不多都能喝酒的缘故。西安城里有一个饮者,文是高手,酒是海量,人称瘦马快刀型。他每日都喝酒,喝酒的时候屋梁上的老鼠就聚在那里闻酒香,久而久之,老鼠也有了酒瘾。一次出差七天,老鼠酒瘾发作,在屋梁上乱跑乱叫,一个个从梁上跌下来死了。

如果让饮者论说酒的好处,那是能写一本书的。姑且认同酒和英雄是分不开的,那么英雄和美女又是分不开的,典型的如项羽。人的灵魂是存寄于身子之中的——伟大的灵魂存寄的身子或许很丑陋,伟岸的身子或许存寄着很卑微的灵魂——平时是两者难以分离。风中的竹,竹在动着,你看不见风,但有风了竹才有动态,竹的动态也就是风之形。酒和美女的作用是人的灵魂受醉,所以饮和性与身子无关。大街上我们看见饮者打着饱嗝儿醺醺而过,饮者在与分离开的灵魂飘然自在,那身子只是一个"走酒"。十年前我喝酒的时候,一次是醉了,走出巷口遇见一只狗来咬,我明明白白地感受到我的灵魂在身子之前三米远的地方,瞧见了狗用嘴咬住了我身子的左腿,还觉得好玩,说:"疼不?疼不?"

酒有时为他人而喝,酒更多的是为自己喝。阳光和空气是大家共同的,酒是用不着培养和维系的朋友,可以当歌。除了自饮,对饮却要双方酒量相当,与酒量太小的人喝着无趣,与酒量大但不醉的人喝也无趣,有的女人酒到喉咙就变成水了,那也对饮不得,她糟蹋了酒。

人醉酒,也醉茶醉饭,醉他人,也醉自己。社会总是新的,饮者依然古老。

1995年11月21日

美 食 家

　　同事者见了我,总是劝我吃好,而且说,你又不是吃不起!这么一说,我倒像是个守财奴、吝啬鬼,或者偏要做个苦行僧似的,刻意儿吃坏食物。其实我也知道吃是人最重要的工作,鸟为食亡,革命也常是人为食而起。既然同样生有一条能尝味的舌头,又不至于穷到身无一文,我当然喜欢吃好,不乐意有好的不吃去吃坏的。劝我吃好,怎么个吃好呢?身边大大小小的美食家的经验,首先是能好吃,胃大,做一个饭袋;再是吃得好,譬如味、色、形。我们这一般的人,并不知道皇帝在吃什么,我们只是有萝卜就不吃酸菜,有了豆腐就不吃萝卜,豆腐是命,见了肉便又不要命了,所以,大而化之,我所见到的美食家无非是在鸡呀鱼呀牛羊猪狗肉上吃出来的美食家。做个美食家,似乎不屈了活人,自己得意,旁人看了也羡慕,尤其是在年老人和生了病的人眼里。我的一位舅舅患过食道癌,严重的时候,我去看望他,饭后烧了肉一家人围着桌子吃,几个表兄吃得满嘴流油,舅舅也馋了,夹一片在口里,嚼了半天却咽不下去,最后站起来吐在后墙根,脸上是万般的无奈和苦楚,我实在不忍心看这场面,让表兄们端碗到屋外去吃,并且叮咛以后吃饭再不要当着舅舅的面吃。从那以后,我是非常痛恨能吃的人,或者夸耀自己能吃的人,甚至想上去搋一掌那差不多都是油乎乎的嘴脸。

于是生疑美食家这个词儿,怎么把能吃叫做美呢,把会吃叫做美呢?吃原本是维持生命的一项工作,口味是上帝造人时害怕没人做维持工作而设置的一种诱骗。试想假如没有口味,牛不也能吃,又是吃百样草吗?人病了吃药也不是挺能变着法儿吗?怎么有了口味,一个肯为维持生命而努力工作的,最容易上上帝当的,其实是占小便宜吃了大亏的人就是美食家呢?!依美食家的理论,能吃也要能拉的,吃不攒粪的东西不算是吃,比如,按医生的对于生命的需求标准,只每日往口里送七片八片维生素C呀,半瓶一瓶高蛋白呀,那还叫做吃吗?他们把美食法建立在吃鸡鱼猪羊之类的肉的基础上,不能不使我想到腐烂的肉上咕涌的那些蛆蚜子来,甚至想,蛆子的身子不停地蠕动,肠胃功能一定很好。

有一年夏天,上海《文学报》的总编郦国义先生来西安,我邀他在大麦市街的小吃店里吃八宝稀粥,一边吃一边议论我们的食量。旁边坐有一个男人陪着一个年轻的女人也在吃粥。这男人很瘦,脸上有三个水泡,是用激光取了痣后未愈的水泡,他殷勤地给那女人服务,却不停地拿眼睛鄙视我们,终于训道:"你们不要说食量好不好?人称饭量,牲畜才称食量,不会用词就不要用词儿,让我们怎么吃下去?!"我和郦先生吓了一惊,原本要对他说食量一词运用得正确,且从古至今的一贯正确,但一见到那女人,知道他在谈恋爱,要在女人面前做文雅,我们便维护了他的体面,不再揭穿他的假文雅。这个人的行径以后常常使我想到一些美食家。可这个人的文雅,只是假而假,美食家的文雅地食却是极残酷的。

我见过吃"醉虾",见过吃过的活烧鲤鱼,下半身被挑剔殆尽只剩鱼骨了,鱼嘴仍然张吸嚅动。见过有人吃一种小白鼠类的活物,筷子一夹,吱儿叫一声,蘸一下醋,又吱儿叫一声,送往口里一咬,最后再吱儿一声就咽下肚去了。虽没有见过吃猴脑,吃猴脑的人却给我讲过详细的吃法,讲得从容,讲得镇静。我十三岁那年,在家乡县城的河滩里枪毙人,那时想着杀人好看,枪一响就卷在人群里往杀场跑,跑在我前边的是邻村一个姓巩的人,他大我七岁,是个羊痫疯子,跑得一只鞋也掉了。被杀者窝在一个小沙坑里,脑盖被打开了,像剖开的葫芦瓢,但一边连着,没有彻底分开,一摊脑浆就流出来。我一下子恶心得倒在地上,疯子却从怀里掏出一个蒸馍,掰开了,就势在那脑壳里一偎,夹了一堆白花花的东西,死者的家属收尸,忙扑来索要,疯子已拔脚就逃,一边逃一边咬了那馍吃,这么追了四百米远,疯子把馍已经吃完了,就不再跑,立定那里用舌头舔了嘴唇在笑。后来才听说人脑是可以治羊痫风病的,那巩疯子是被人唆使了早早准备了这一天来吃药的。姓巩的疯子最后有没有治好疯病,我离开了故乡不可得知,但现在"吃啥补啥"的说法很流行,尤其这些年里,中国人的温饱已经解决,食品发展到保健型,恐怕是吃猴脑为的是补人脑吧,吃猪心为的是补人心吧。中国人在吃上最富于想象力,由吃啥补啥的理论进而到一种象征的地步,如吃鸡不吃腿,要吃翅,腿是"跪"的含义,翅膀则是可以"飞"到高枝儿上去的。以至于市场上整块整吊的肉并不紧张,抢手的是猪牛羊的肝、心、胃、肠。我老是想,吃啥补啥,莫非人的五脏六腑都坏了?街上来来往往的人,谁是被补过了的,难道已长着的是牛心猪胃狗肺鸡肠吗?那么,人吃兽有了兽性,兽吃了人兽也有了人味？那么,吃"口条"(给猪的舌头起了多好的名)可以助于说论语,谈恋爱善于去接吻,吃鸡目却为的是补人目呢还是补人脚上的"鸡眼"？缺少爱情的男人是不是去吃女人,而缺少一口袋钱呢,缺少一个官位如处长厅长省长呢？

有一位美食家给我说过他的一次美食,是他出差到一个地方,见店主将一头活驴拴于店堂中央,以木架固定,吃客进来,于驴身上任选一处自己嗜好的地方,店主便当下从驴身上割下烹制,其肉味鲜嫩无比。他去的时候,驴身上几乎只剩下一个驴头和骨架,驴却未死。他要的是驴的那条生殖器,吃了一顿"钱钱肉"的。这位美食家对我说的时候,他的两个儿子打架,老二竟打得老大鼻腔出血,他就大骂老二,是"狼吃的"、"狗嚼的",骂得很狠。人的咒语之所以有"狼吃"、"狗嚼",为的是让该骂的人死得残酷,可人被别的动物吃了是残酷,人吃别的动物却认为是美食,这太不公。所以,我从不与文文雅雅残酷的美食家为友,我害怕,他看见长腿的就吃,吃了我家的凳子,甚至有一日他突然看中了我身上的某个部位。

数年来,美食家们多谈的是山珍海味,如今吃出层次了,普遍希望吃活的,满街的饭店橱窗上都写了"生猛",用词令人恐惧。但生猛之物不是所有美食家都有钱去吃得的,更多的人,或平常所吃的多是去肉食店买了,不管如何变了花样烹饪,其实是吃一种动物尸体。吃尸体的,样子都很凶狠和丑陋,这可以秃鹰为证。目下世上的和尚、道士很少——和尚、道士似乎古时人的残留,通过他们使我们能与古时接近——一般人是不拒绝吃肉的,但主食还是五谷,各种蔬菜是一种培育的草,五谷是草的籽,草生叶开花,散发香气,所以人类才有菩萨的和善,才有"和平"这个词的运用。我不是个和尚或道士,偶然也吃点肉,但绝对不多,因此,我至今不能做美食家,也不是纯粹的完人善人。同事者劝我吃好,主要是认为我吃素食为多。我到一个朋友家去吃饭,吃不惯他们什么菜里都放虾米,干脆只吃一碗米饭,炒一盘青菜和辣子,那家的小保姆以后就特别喜欢我去做食客,认为我去吃饭最省钱。我到街上饭馆吃饺子,进馆总要先去操作室看看饺子馅,问:肉多不多?回答没有不是:肉多!我只好说:肉多了我就不吃了。这样,一些人就错觉我吃食简单粗糙,是富人的命穷人的肚。这便全错了。只有和我生活在一起的妻子说:他最好招待,又最难伺候。她到底知我。我吃大米,不吃小米。吃粥里煮的黄豆,不吃煮的云豆。青菜要青,能直接下锅最好。是韭菜不吃、菜花菜不吃,总感觉菜花菜是肿瘤模样。吃芹菜不吃秆,吃叶。不吃冬瓜吃南瓜。吃面条不吃条子面,切出的形状要四指长的,筷头宽的,能喝下过两次面条后的汤。坚决拒绝吃熏醋,要吃白醋。不吃味精,一直认为味精是骨头研磨的粉。豆腐要冷吃着好,锅盔比蒸馍好。鸡爪子不吃嫌有脚气,猪耳不吃,老想到耳屎,我属龙,不吃蛇,鳝段如蛇也不吃。青蛙肉不吃,蛙与凹同音,自己不吃自己等等等等的讲究。这讲究不是故意要讲究,是身子需要,心性的需要,也是感觉的需要。所以每遇到宴会,我总吃不饱。但是我是一顿也不能凑合着吃食的人,没按自己心性来吃,情绪就很坏,因此在家或出门在外,常常有脾气焦躁的时候,外人还以为我对什么有了意见,闹出许多尴尬来,了解我的妻子知道问题出在哪里,便要说:"噢,这也不怪,那也不怪的,是他没吃好!"去重新给我做一碗饭来。别人看着我满头大汗地把一碗他们认为太廉价的饭菜吃得津津有味,就讥笑我,挖苦我,还要编出许多我如何吝啬的故事来的。好的吃食就一定是贵价的吗?廉价的吃食必然就不好吗?水和空气重要而重要吧,水和空气却是世上最不值钱的东西。

　　中国人的毛病或许很多,之一是不是就因有了美食家?查查字典,什么词儿里没有个吃字,什么事情不以吃义衡量,什么时候不在说吃?就连在厕所里见了熟人,也要行"吃了没"的礼节性问候。聪明才智都用在吃上了,如果原子弹是个能吃的东西,发明者绝不会是外国佬的。吃就吃吧,谁长嘴都要吃的,只是现在的美食家太多,又都是什么都想吃,什么都会吃(听说已经要研究对苍蝇的吃法了),口太粗,低劣而凶恶。龙与凤之所以高贵圣洁、美无伦比,是龙凤满宇宙寻着只吃甘露灵芝,可现在哪儿还有龙与凤呢?我感激同事者对我劝告的一份好心,而我生之俱来实在不是个美食家,我自信我的吃食不粗,我的错误却在于吃食未精,因此我做人不高尚而还淡泊,模样丑陋而还良善。但是,在由菜食转化为肉食的美食家越来越多的环境里,我的心性和行为逐渐不能适应,竭力想在不适之中求适终于不能适,想在无为中有所为毕竟归至于无为,这是我做人的悲哀处,这悲哀又是多么的活该呀。

平日
壺
己丑

李白畫一天茗茶莊

小　楚

小楚是一只狗,走狗。它被买到圈圈家之前,圈圈是饲着一只猫的,猫很漂亮,有些狐相,圈圈的老婆就把猫装在纸盒里扔到垃圾车上去了。圈圈和老婆再去宠物市场,老婆却一定要买了小楚回来。小楚是哈巴族的,短短的腿,嘴脸可笑,老婆偏说她爱嘛。

圈圈家的饭是圈圈做的,他上班回来得再晚,老婆也要坐在沙发上等他,还要说:饿死我了,饿死我了!但小楚却顿顿定时有猪肝吃,是老婆亲自上街买的。老婆有买时装的嗜好,圈圈最怕的就是逛商店,但不能不陪了去。现在,老婆在街上走,左边厮跟的是小楚,右边厮跟的是圈圈,小楚和圈圈都戴着墨镜。

小楚眼长腿短,有时会直起上身来朝床上看,趔趔趄趄地要上去,老婆就嚼泡泡糖逗小楚,叭,叭,泡儿吹得很大了,沾在了鼻尖上。圈圈顿时没了兴趣,翻身坐在了床沿上恨小楚,说:你狗东西,狗东西!小楚也恨他,说:汪!

圈圈在洗衣服的时候,有时就发脾气,将老婆的内衣扔出盆子,老婆说:别人想洗还不让呢!圈圈想想,也是,就高兴了。洗好的衣服晾在凉台上,圈圈偏把内衣挂得高,每当老婆唤小楚去收了内衣来穿,小楚在衣绳下一跳一跳地抓不着,他就得意的,而且装着什么也不知道,坐到厅里去看报纸。小楚最能效力的是替老婆叼鞋子,它看不见老婆梳了什么发型,穿了什么上衣,目光唯一看到的是鞋子,所以一有空就把有高跟的鞋子全叼在沙发上玩。

一次圈圈又陪老婆上街,当然还有小楚。街上的人很多,圈圈发现后边有一个也穿着同老婆一样鞋子的女人,就故意缓下步来,待和那女人一起了,他突然亲昵地把老婆抱起来,指点一家商店橱窗里的时装,两人就在橱窗前站住。小楚竟不知,跟着那个女人的鞋只往前走了。两人看了一会儿衣服,老婆唤:小楚小楚。没有回应,扭头张望,小楚已跟着那个女人,欢碎着步儿正穿过马路,一辆车就急驶而来,女人一跃身闪过了,小楚腿短,也一跃,却正好跃在车轮下,便被轧死了。

在郊外掘坑埋小楚的时候,圈圈的老婆把自己的那双鞋也埋进去,圈圈没反对,只是想:狗到底不如人,只会跟鞋走。

1995年4月11日下午

招　　牌

在西安,但凡大的公司,甚或小小的一间店铺,都讲究字号匾牌的——字一定是名家所写,写着又必须是精美的书法——这是最起码的事了,如冬天出门就戴上帽子一样。这种作风已经使我们熟视无睹,似乎并不觉得有什么了不起。等去了一趟南方,走过那几个经济相当发达的城市,满城很难见得一家二家有书法意味的匾牌,才感觉到西安的文化味来。若论起城市的规模、繁华、整洁和新潮,西安人常常丧气,但西安对文化的崇尚,却使这个城市别有了一番气质。它之所以是文化古城,不仅表现在古代,也不仅表现在现当代产生过一批杰出的文化人物,一种深厚的文化积淀是渗透到每一个市民的显意识和潜意识中去的,以致使它散发出古朴、大方的气息,在当今的城市里卓尔不群,让我们对其发展前景有了按捺不住的自豪之情。

去年的夏天,我的朋友约我去他们的公司,他的事业已经相当大,开办了一个分公司。为了这个分公司,他高价让几个书法家写了风格不一的匾牌,一时拿不定主意用哪个更合适,让我去参谋。从公司返回,天下了大雨,街上行人纷纷逃散着避雨,城门洞里拥满了人,我刚刚避进去,便见一老头蹬着一辆三轮车也挤过来。这是一个卖镜糕的小贩,三轮车上安装着镜糕柜,人已经淋得落汤鸡一般。一进来,老头一边甩着头上雨水,一边却从怀里掏出个塑料袋来,正要骂天,却啊嚏地打了个喷嚏。旁边人说:"你有这塑料袋,怎不戴在头上,这么大的年纪能受得雨淋?"老头诡秘地笑笑,却从塑料袋里取出个小木板来,原来怕小木板淋着,用塑料袋装了揣在怀里的,大家倒乐了,不明白这小木板是什么宝贝。老头把小木板翻过来,上面却是用墨笔写了两个字:镜糕。老头说:"知道这是谁的字吗?于右任的。"我看了看,字体是于右任的,但是于右任几十年前亲手写的呢,还是现在哪个书法家仿于体写的,不可得知。问老头,老头偏不说,只是得意地向人排说这字写得多好,怎么能让雨淋呢?大家都没有再取笑老头,将那字牌儿传来传去地看,都说:写得好!

后来,雨住了,城门洞避雨的人开始走散,老头就去收拾三轮车,我瞧见他把小木字牌又挂在架子上,一边慢慢地蹬着走去,一边长声短调地吆喝:"镜——糕!镜儿——糕!"望着老头远去的身影,我突然觉得西安的可爱,我庆幸我生活在这个城市,它是大有希望的城,永远也不会消失的城。

1995 年 5 月 11 日

手　术

　　害了十多年的病,没有挨过刀子,只说病是病,我是我,谁也奈何不了谁,可大话说过不久,刀子就动在肛门上了。有痔疮的日子已久,从未提到议事日程上来——原本是大粪世家嘛,怕什么不卫生?五月初复发的病,用镜子照,(第一回委屈了镜子)樱桃般的,感觉里却有核桃大,躺了两天不好,听人说南利亚大夫研制了"一针灵",就让他看看。他一看便满脸做变:得动手术!我说能不能不割,人体是有风水的。南大夫说,要是"资本主义尾巴"倒不用割的,可现在已成血栓,若再发展,极可能就形成瘘管。瘘管我是见过别人的,痛苦不知道,恶心人却是领教过的。于是便蜷身在手术台上,类如马虾的那种。我说,我不怕的,不怕!可说着,大夫的手摸到哪儿,哪儿的肌肉就颤动。麻醉针扎下去,啊的一声,气都要闭过去了,终于明白这个"醉"字起得并不好,麻醉和酒醉绝对不是一回事……我开始听到刀子的划动声,剪子的铰动声,我咬着牙硬不吭,因为护士是一位年轻漂亮的小姐,又爱好文学,我已经失去了好的形象,不能丢人太深,脑子里就想着赤膊刮骨的关公,想着战场上的勇士,肚子打破了,拖着一地的肠子还往前冲……护士说:"别紧张,现在还疼吗?"放松了一下,其实什么也不疼了,真正是头还活着,屁股是"死"了。于是又想,人一上手术台,医生视人就是一头猪了,一堆肉了,文学上讲的看山是山看水是水,看山不是山看水不是水,恐怕是一样的境界。还在作想,大夫说:"完了!"我猛地以为说我是完了。他拍拍我的屁股要我站起来,原来手术结束了!十分钟的手术彻底结束了。我看见他眼镜上溅着鲜血,手里拿着黄豆大的淤血块儿一颗,绿豆大的淤血块儿五颗,还笑着说:"这是你的,你收留不?"如果是蚌里的珍珠我要的,那玩意儿就丢进垃圾桶,而且极度的羞耻感上了脸:那个部位,几十年里,我看不到,别人也未看过,现在大夫知道了,护士也知道,甚至还拍了照片。南大夫是痔瘘病专家,他的诊室四壁,贴满了人的屁股,他取笑着说:"把你的是不是也贴上去?你是著名作家,这也是著名屁股嘛!"我当然把照片收藏了,但悲哀我再没有什么隐私了。

对于手术过后,我不能说不疼,疼,而且很疼。这是医学上现在还不能够解决的事。我趴在床上,想人活在世上真有意思,凡是身上的东西没有一处不是重要的。俗话说,人活脸,树活皮,平日把脸看得那么贵重,其实屁股才需要最善待。在它没有病的时候,我们几乎忘记了它的功能,一有了病,才知道做任何事情,比如拿东西、笑、怒、咳嗽,它都在用力。人身上的神经如果是网兜,它就是网兜口。我们习惯了一种思维,总是把世上的事分为高贵和低贱,也习惯了以这种思维对待身上的部位。现在,名呀利呀,声色犬马,一切都不想了,只求得不疼痛,不疼痛就是世上最幸福的人。我生来多病,每生一次病,就如读一本哲学书,在手术疼痛的日子里,我鼓励我的是,长疼不如短疼吧,疼过这正常的疼,我就有一个好的屁股了。甚至还有一种感觉,多年来坎坎坷坷,总是做一件事要带出许多后患,是不是未留后路或不注意疏通后路,入水不想出水,如今疏通了出处,往后一切都要顺当了吧?

人从动物衍变成人的好处是通过劳动而创造了世界,人从动物衍变成人的唯一坏处是人直立了,能坐了,生出痔疮来(走兽是从未有害痔疮的)。但人有痔疮,使人清醒了人生(就像强壮的俊男美女害有痔疮)常常是尴尬和有难言之苦。所以,我倒珍视起了我这次疼痛。以前我写过一篇文章《坐佛》的,这回不能坐了,就卧着吧,不知能不能卧出个佛来。

1995年5月29日于西安

十一篇书信

一

盛夏人皮是破竹篓,出汗淋漓如漏。老母坐不住家,一日数次下楼去寻老太太们闲聊,倒不嫌热。我也以写书避暑(坐桌前以唾液沾双乳上,便有凉风通体。此秘诀你可试试,不要与玩麻将者说)。写书宜写闲情书。能闲聊是真知己,闲情书易成美文。但母亲没喝水习惯,怕她上火,劝多喝水,她说口里不要,肚里也不要。我和妹妹都是能喝水的,来家的那些朋友,也无一不能喝。今早忽然醒悟,蹲机关的人上了班都是一支烟,一杯水,一张报的,母亲则是从来没有工作过!

来时不必带土产,有便车捎些西瓜给母亲即可。切切。

二

我倒不信你能江郎才尽,瞧照片上,腰又大了一圈,那里边装什么?文坛上有人是晨鸡暮犬,他们出于职责,当可闻鸡而起,听吠安睡,有人则是老鼠磨牙,咬你的箱子磨他的牙罢了。前年你写那部书一成功,我就知道你要坏了人缘的,现在果然是,但麻将桌上连坐五庄,必然要得罪人,输家是有资格发脾气,也可以欠账,也可以骂人唔。只担心你那口疮,治得如何?口要善待才是,除了吃饭,除了在领导面前说"是"外,将来那些人还要请你去谈创作经验啊!

三

因养了一盆郁金香,会开到一半我就溜了,听说×××颇有微词?我这屁股坐惯了书桌前的椅子,坐主席台上的椅子不自在。你几时来看花?美人不说话就是花,花一说话就是美人。

四

我当主编,忙的却是你们,几次想卸了这帽子,但卸不了,这也是不理事当不了官,能当大官不要理事。天这么热,办公室又没空调,不知买没买仁丹丸?我赶了半天写下这期《读稿人语》,让小施捎去,再让捎去一盘五色冰淇淋。六块,一人三块。吃罢将盘子一定还我。

五

儿女小时可以打,如拍打衣服上土,稍大了就是皮球,越打越蹦得高。我大学毕了业,先父还踢我一脚,待到后来一日,他吸烟,也递我一支,我才知道我从此不挨打了。但有人说父子如兄弟,如同志,那倒又过分,因为儿女的秉性是永远不崇拜父母的。我女儿看三流电视剧也伤心落泪,读我的书却总认为是她看着我写的,不是真的。让他去吧,龙种或许生跳蚤,丑猪或许养麒麟,只需叮咛"吃喝嫖赌不能抽(大烟),坑蒙拐骗不能偷(东西)"就罢了。窑炉只管烧瓷罐,瓷罐到社会上去,你能管得着去做油罐还是尿罐?老江说组织一次南山游的,又不见了动静,如果南山去不成,三月十五日午时去豪门菜馆吃海鲜,我做东。

六

空气装在皮圈里即为轮胎,我如果能手一抓就一把风,掷去砸人,先砸倒那姓曹的!盛世的皇帝寿命都高,因为他为国人谋福利。损人利己者则如通缉的逃犯,惶惶不可终日,岂能身体安康?发不义之财,若不做慈善业消耗,如人只吃饭而不长肛门,终有一日自己把自己憋死。

那只鳖不能让山兄去放生,他会放生到他的肚腹去。

七

不要嫌老婆脸黑,黑是黑,是本色,将来生子,还能卖好价钱的面粉。那日到×校开会,去了那么多作家,主持人要我站起来让学生们看看,我站起来躬腰点头,掌声雷动,主持人又说:同学们这么欢迎你,你站起来么!我说我是站起来的呀!主持人说:噢,你个子低。掌声更是雷动。我不嫌我个头矮,人不是白菜,大了好卖。做人不要心存自己是女人或是男人,也不必心存自己丑或自己美,一存心就坏了事。以貌取人者是奴才,与小奴才什么计较?

八

我要闭门写作呀,有事三十天后见。若有人寻到你打问我的行踪,只说我自杀了。记住,是安乐死,不是上吊,上吊吐舌头形象不佳。

九

能让别人利用,也是好事。研究《红楼梦》可以当博士,画钟馗可以逼鬼,给当官的当秘书可以自己当官。藤蔓多正因着你是乔木。无山不起云,起云山显得更高,若你周围没那些营营之辈,你又会是何等面目?朋友都是走了的好。今夜月光满地,刚才开窗我还以为巷口的下水道又堵塞,是水漫淹,就想你若踏水来访多好!我可教你作曲解烦。作曲并不难,"言之不尽歌咏之",曲就是把说不尽的话从心里起便放慢音节哼出来,记下便可了,如记不下,旁边放录音机来录。学那钢琴就非是一月半月能操作,且十个指头,怎能按得住一百零八个键呢?

十

买书不要买豪华本,豪华本的书那是卖给不读书的人的。读书也不必只读纸做的书,山水可以读,云雨可以读,官场可以读,商界可以读。赌徒和妓女也都是书。只在家读书本,读了书还是读书,无异于整日喝酒、打牌和吸烟土,于社会、家人有什么好处?

得空来吃茶,我前日得明前茶一罐。

十一

六月十六日粤菜馆的饭局我就不去了。在座的有那么多领导和大款,我虽也是局级,但文联主席是穷官、闲官,别人不装在眼里,我也不把我瞧得上,哪里敢称作同僚?他们知道我而没见过我,我没有见过人家也不知道人家具体职务,若去了,他们西装革履我一身休闲,他们坐小车我骑自行车,他们提手机我背个挎包,于我觉得寒酸,于人家又觉得我不群,这饭就吃得不自在了。要吃饭和熟人吃着香,爱吃的多吃,不爱吃的少吃,可以打嗝儿,可以放屁,可以说趣话骂娘,和生人能这样吗?和领导能这样吗?知道的能原谅我是懒散惯了,不知道的还以为我对人家不恭,为吃一顿饭惹出许多事情来,这就犯不着了。酒席上谁是上座,谁是次座,那是不能乱了秩序的,且常常上座的领导到得最迟,菜端上来得他到来方能开席,我是半年未吃了海鲜之类,见那龙虾海蟹就急不可耐,若不自觉筷先伸了过去如何是好?即便开席,你知道我向来吃速快,吃相难看,只顾闷头吃下去,若顺我意,让满座难堪,也丢了文人的斯文,若强制自己,为吃一顿饭强制自己,这又是为什么来着?席间敬酒,先敬谁,后敬谁,顺序不能乱,谁也不得漏,我又怎么记得住哪一位是政府人,哪一位是党里人?而且又要说敬酒词,我生来口讷,说的得体我不会,说不得体又落个傲慢。敬领导要起立,一人敬全席起立,我腿有疾,几十次起来坐下又起来我难以支持。我又不善笑,你知道,从来照相都不笑的,在席上当然要笑,那笑就易于皮笑肉不笑,就要冷落席上的气氛。更为难的是我自患病后已戒了酒,若领导让我喝,我不喝拂他的兴,喝了又得伤我身子,即使是你事先在我杯中盛白水,一旦发现,那就全没了意思。官场的事我不懂,写文章又常惹领导不满,席间人家若指导起文学上的事,我该不该掏了笔来记录?该不该和他辩论?说是不是,说不是也不是,我这般年纪了,在外随便惯了,在家也充大惯了,让我一副奴相去逢迎,百般殷勤做妓态,一时半会儿难以学会。而你设一局饭,花销几千,忙活数日,图的是皆大欢喜,若让我去尴尬了人家,这饭局就白设了,我怎么对得住朋友?而让我难堪,这你又于心不忍,所以,还是放我过去,免了吧。几时我来做东,回报你的心意,咱坐小饭馆,一壶酒,两个人,三碗饭,四盘菜,五六十分钟吃一顿!如果领导知道了要请我而我未去,你就说我突然病了,病得很重,这虽然对我不吉利,但我宁愿重病,也免得我去坏了你的饭局而让我长久心中愧疚啊。

答 人 问 奖

获奖是好事,也不一定是好事,不获奖是坏事,也不一定是坏事。写作为的是心中垒块发泄,不是要摸彩票。天生人生物,也生文章,男女构精是人欲不能自禁,阴阳鼓荡所致,不期然而然生子,而一交接只为了要传宗接代,却十有九者不孕,若为获奖去写作,写作必成了苦事,硬着头皮去写,哪里还能获奖?写作如地生草芽,该什么时候长叶就长叶,该怎么开花就开花,如流水,行所不得不行,止所不得不止,一任自在。待心中垒块发泄,是好文章,必然就有了责任,也必然可能获奖,是坏文章,想要什么责任和获奖那也枉然。那么,获奖有什么可追求的?获不上奖又有甚沮丧的?加上如今设奖的人都有功利性,他以自己的功利心来要求作品,获了奖就一定能流传后世吗?那就更不必失意的了。

《美文》三年
——在编辑部会上的讲话

我们办一份刊物,不仅是要让这份刊物立身活命于国内刊物之林中,更重要的,还要为当代文学作出我们的贡献。《美文》创刊时,我们明确说出这种野心。三年以来,我们努力实践着,企图使我们的话不落空。现在看来,我们做到了一些,但成绩还是不够。这一点,请大家一定得清醒。

大家都是写散文的,又办《美文》三年,聚在一起这是缘分。《美文》使我们成为真正的同志。"大散文"这个词,是我们的共识,也是办刊的宗旨。实践证明,这个概念没有错,且积极意义越来越明显。它似乎很简单,实际上在散文日趋沉沦的八十年代末、九十年代初,从某种意义上说是一种"革命"。它不是个名称上的雅不雅、俗不俗,或者精确不精确的问题,是对当代散文的认识和观念上的大事。我们人微言轻,刊物是小刊,又地处西北,这对于这场"革命"不利,步履艰辛。但我们不"革命",总会有人来"革命"的,我们应该为我们的勇敢而欢呼,在艰难中树立一份自信。现在,"大散文"的观点引起国内散文界普遍关注,招来争论,这是好事,不管支持的还是反对的,我们要一视同仁,进一步完善我们,丰富我们。我们的目的,不在于自身的利害得失,要目光远大,一直盯着中国散文的"永恒和没有永恒的局面"。今天我们开会研讨目前的散文局势和《美文》今后的方针任务，一句话，继续坚持我们刊物的宗旨。这方面的意见我在《创刊词》里和许多文章里都谈了相当多的话，现在再强调几层意思，供大家参考。

一、"大散文"一词的提出，大家都明白，不是一时心血来潮或要标新立异，它是有其背景的。三年前，筹办刊物时，散文在国内并不走红，明知办散文刊物日子要难过，但偏要办散文刊物而不是别的综合性刊物，就是因为大家都是搞散文的，对散文有创作上的深切体会，对散文遭到冷落的局面有一种反省和检讨，不约而同地有着振兴的愿望，于此，办刊物有了机会，我们就走到一起来了。那时候，我们针对的是国内散文界的浮靡甜腻之风。不了解这个大背景，如果仅从"大散文"三字字面上看，就难以理解我们的用心。刊物一出来，宗旨亮牌，我们得到相当多的支持，尤其是一些散文作者和读者，这反映了对于散文路子越来越窄、格局越来越小的现象的普遍厌烦和不满。三年来，我们建立了广大的作者队伍和读者队伍，刊物获得国内外文学界的较好的影响和赞誉。三年后的今天，情况又怎么样呢？国内散文有了新的起色，甚至出现一种热闹现象，但仍严重存在着一种虚浮，琐碎的造作的甜腻的作品到处都是，于是，《美文》还得疾呼，还得坚持在内容上求大气，求清正，求时代、社会、人生的意味，还得在形式上求大而化之。

二、"大散文"是一种思维，一个观念，不能简单说成这样写就是大散文，那样写了就是小散文，或别的不大不小的散文。编完一期刊物，我们不能说：这里的文章就是大散文！如果那样，有人就要说，让我瞧瞧，这些就算是大散文呀?！应该是，"大散文"的意识笼罩这个刊物,刊物是连续性的,以整体来体现我们的观点,建构我们的体系,以至数年过去或更长的时间,就可以看出我们的"大散文"到底是什么形象,而这种形象又是如何影响了散文创作。但是,我们虽然强调刊物的连续性、整体性的风格和实质,我们在审稿编稿中又必须明白我们最欢迎的是什么稿件,集中推出的是什么稿件,什么稿件要为我们所舍弃。

三、《美文》不需插图,不具体设栏目,目的在于形式上也不要琐碎和花哨,这也基于我们对目前文学界一些做法的反对。现在有一种风气,喜欢把什么都分得巨细,如作品要以题材分,要以行业分,要以流派分,分得莫名其妙。把食物分得太细,那是胃口不好的表现。多栽一棵树,把根上的土洗得干干净净,卫生是卫生,但树难以成活。在散文被总体上的靡丽柔软之风污染和要沉沦之时,需要的是有一股苍茫劲力,而不宜于什么"清理门户",寻纯而又纯的东西,那只会使散文更加穷途末路。我们理解散文的宽泛,在于拓宽路子,我们没办法也没兴趣去说散文是什么、小品文是什么、随笔是什么、杂文是什么,再分出的哲理散文、旅游散文、抒情散文、知识散文到底各自的区别又在哪里?创作要从实际出发,还没有哪个作家在要写一篇文章时脑子里得把这些区别想得清清楚楚。我们读中国历来的散文选本,似乎觉得柳宗元啊、张岱呀等等都是写得那么有抒情性,可翻开他们的文集,这类文章仅占他的全部散文的十分之一还不到。那么,我们能否认他十分之九的散文就不是散文吗?所谓的大家,就是在每一个时期于内容上或形式上有突破的人,开的是一代之风,而这样的大家愈到后期其散文愈贯通天地,参透人生,文笔又十分平和随意,类如杂文。(当然不是现在流行的杂文:从古书上选一点典故,然后列一些当今社会现象,再说几句很激愤的话。)传世的那些精美的抒情性散文,只能是他们在这种基础上,根据具体素材的一种发挥。若不看到冰山在水下的三分之二部分,只盯水上三分之一露出的部分,误导人以为冰山就是那么一点,只能使所写的散文得真正散文之皮毛,造就华丽和浅薄。所以,"大散文"的提出是为了造就散文大家的气氛和土壤,《美文》呼唤散文大家,要发现这样的作家和文章,重点地支持,作品集中推出。"大散文"的观点与"文以载道"不同,也更不是那种为政治服务的东西。一个时代的文风强与弱自然与这个时代有关,我们仍要尽我们的力量去做,即使将来不能开风立源或为开风立源人物摇旗呐喊,但我们扎扎实实工作,锲而不舍工作,毕竟不愧于我们都是写散文的,也不愧于我们办了这几年《美文》。望大家自重、自强。

1995年9月29日

涂　　鸦

忽来案上翻墨汁，

涂抹诗书如老鸦。

有时读唐人这诗，我就笑我，但我却不同意"涂抹诗书"一语。以我的体会，诗书就是诗书，字画就是字画，它们各自独立，不能代替。我涂的那些鸦，只是生活有点感悟，心中有些闷郁，用文章又无法做出，便来写字画画了。我也明白，字画有它的基本技法，我是一概不知，真正的字画家往往浸淫技法太久，又破技法，而我实在想把一只虎画得像虎，但画出来却是猫了。我的好处是我还能以水墨倾诉自己，如唱，如哭，如撒泼骂街。

云岗是我的朋友，硬从我家墙上拍了这几张来发表，这使我的许多隐私都没有了。我说：云岗啊，人见老鸦可是要吐唾沫的！云岗说：那你再写一段文字。我遵命写到这里掷笔又笑了，嘻，文字也如猪的，猪还嘲笑老鸦黑哩。

1995年10月18日

走进塔里木

八月里走塔里木,为的是看油田大会战。沿着那条震惊了世界的沙漠公路深入,知道了塔克拉玛干为什么称作死亡之海,知道了中国人向大漠要油的决心有多大。那日的太阳极好,红得眼睛也难以睁开,喉咙冒烟,嘴唇干裂,浑身的皮也明显地觉得发紧。车上的司机告诉说,地表温度最高时是七十度,那才叫个烤呀!公路未修的时候,车队载着人和物资从库尔勒出发,沿着塔里木盆地边沿走,经过阿克苏,经过喀什,再到和田,这是多么漫长的道路,然后沙漠车才能进入塔克拉玛干腹地。这么一趟回来,人干巴巴的,完全都失了形!司机的话使我们看重了车上带着的那几瓶矿泉水,并且相互恶作剧,拧对方的肉,问:熟了没?喉咙也就疼得咽不下唾沫,将手巾弄湿捂在口鼻上。在热气里闷蒸了两个小时,突然间却起风了,先是柏油路上沙流如蛇,如烟,再就看见路边有人骑毛驴,人同毛驴全歪得四十度斜角地走,倏忽飘起,像剪纸一般落在远处的沙梁上。天开始黑暗,太阳不知坠到哪里去了,前边一直有四辆装载着木箱的卡车在疾驶,一辆已经在风中掀翻了,另外的三辆停在那里用绳索拉扯,仍摇晃如船。我们的小车是不敢停的,停下来就有可能打滚,但开得快又有御风起空的危险。司机说,这毕竟还不是大沙暴,在修这条公路和钻井的时候,大沙暴卷走了许多器械,单是推土机就有十多台没踪影了。我们紧张得脸都煞白了,幸好大的沙暴并没有发生,而沉甸甸的雾和沙尘,使车灯打开也难见路。艰艰难难地赶到塔中,风沙大得车门推不开,迎接我们的工人已都穿着棉大衣,谁也不敢张嘴,张嘴一口沙。

接待我们的是副调度长王兆霖,人称沙漠王的,他笑着说:中央领导每次来,天气总是好的,你们一来就坏了?我们也笑了,说这正是老天想让我们好好体验体验这里的生活嘛!

我们走进了大漠腹地,大漠让我们在一天之内看到了它多种面目,我们不是为浪漫而来,也不是为觅寻海市蜃楼和孤烟直长的诗句。塔里木大到一个法国的面积,号称第二个中东,它的石油储量最为丰富,地面自然条件又最为恶劣,地下地质结构又最为复杂,国家石油开发战略转移,二十一世纪中国石油的命运在此所系,那么,这里演动着的是一场什么样的故事,这里的人如何为着自己的生存和为着壮丽的理想在奋斗呢?我们在塔中始终未逢到好天气,风沙依旧肆虐,所带的衣服全然穿在身上,仍冻得嘴脸乌青。沙漠王是典型的石油人性格,高声快语,又诙谐有趣,领我们去看第一口千吨井,讲这里的过去,讲这里的将来,去英雄的沙漠车队,介绍每一个司机的故事,去看用铁板铺成跑道的飞机场,去亲自坐上沙漠车在沙梁间奔驶,领受颠簸的滋味,去看各处的活动房,去看工人床头上都放的什么书。在过去有关大庆油田的影视中,我们了解了石油人生活的简陋,而眼前的塔里木,自然条件的恶劣更甚于大庆,但生活区的活动房里却也很现代化了,有电视录像看,有空调机和淋浴器,吃的喝的全都从库尔勒运进,竟也节约下水办起了绿色试验园,绿草簇簇,花在风沙弥漫的黄昏里明亮。艰苦奋斗永远是石油人生活的主旋律,但石油人并不是只会做苦行僧,他们在用着干打垒的精神摧毁着干打垒,这里仍是改革的前沿阵地。不论是筑路、钻井、修房和运输,生产体制已经与世界接轨,机械和工艺是世界一流,效益当然也是高效益,新的时代,新的石油人,在荒凉的大漠里,为国家铸造着新的辉煌。

我们在沙漠腹地的日子并不长,嘴里的沙子总是刷不净,忽冷忽热的气候难以适应,我就感冒了,又开始拉肚子,但我们太喜欢那红色的信号服和安全帽,喜欢去井位,在飓风中爬井台,虽然到底弄不明白那里的生产程序和机械名称,却还要喋喋不休地问这问那。新疆是中国最大气的地方,过去的年月里容纳了多少逃难的人,逃婚的人,甚至逃罪的人,而今的塔里木油田上,为了一个共同的目标,五湖四海的人走到一起。塔里木改变了他们的人生观,培养了他们特有的性格和行为方式。他们是那样好客,给你说,给你唱,却极少提到这里的艰苦,也不抱怨这恶劣的气候,说许多趣话,甚至那些带彩的段子,使你感受到生命的蓬勃和饱满。我们采访了那些在石油战线上奋斗了一生的老大学生,更多地采访了那些才从大学毕业分配来的大学生,问他们为什么没有留在大城市,没有去东南沿海地区。他们对这些似乎毫无兴趣,只是互相戏谑:谁谁在这里举行婚礼的那天,竟自己喝醉了酒,沉睡得一夜不起。谁谁去出车,车在半途坏了,爬了两天两夜,又饥又渴昏倒在沙梁上,幸亏派飞机搜索才救回来,去修那辆车时,才发现车座下面还有着一瓶矿泉水的,真是笨得要死。谁谁的媳妇千里迢迢到库尔勒,指挥部派专车将人送到工地,说好明日再送回库尔勒,可活该倒霉,这一夜却起了特大沙暴,甭说亲热,连睁大眼睛端详一下媳妇都不可能。这些年轻人给我们留下了极深的印象,从沙漠回来后,当我们在繁华的城市坐着小车,就每每想起了他们。世上有许多东西我们一时一刻离不了,但我们却常常忽略,如太阳如空气,我们每日坐车,就忘了车的行走需要的是石油!现在的小孩子,肚子饥了要馍馍吃,馍馍是哪儿来的,孩子们只知道馍馍是从厨房来的。我们也作过一次小小的调查,问过十三个坐车的人:车没油了怎么办?回答都是:去加油站啊!谁又知道发生在沙漠中的这些极普通又极普遍的故事呢?

接触了不同岗位不同层次的石油人,临走时,我们见到了塔指的三个领导。邱中建,这是石油战线上无人不晓的一个名字,他的一生几乎与中国所有的大油田的历史连在一起,如今已经六十多岁的人,祖国需要他到塔里木来,需要他来指挥这一场新体制新工艺高水平高效益的石油大会战,他离开了北京和家人,一人就长年待在塔里木。钟树德呢,这位塔指的大功臣,为了中国的石油事业,他献出了自己的一只眼睛。他自始至终在塔指,大漠中的每一口井台上都流过他的血汗。当我们见到他的时候,他才从塔中回到库尔勒不久,而那只完全失明的眼睛,因失去了功能,沙子落进去,摩擦得还是血红血红。梁狄刚更是个传奇人物,他的母亲居住在香港,年纪大了,一直希望他也能定居香港,但他虽是大孝子,可忠孝难两全,当中央电视台的记者采访他时,他没有什么华丽的辞藻,只说了一句,我不能丢弃我的专业。与这些领导交谈,你如坐在一张世界地图前,坐在一张中国地图前,他们的襟怀和视角是那么大,绝口不提自己的事,只强调这一生就是要为中国找石油。塔里木油田可能是他们人生最后要找的一个大油田了,党和人民让他们来,这就是他们一生最大的幸福。但他们压力很大,因为中央领导一个接一个来塔里木,历史的重任使他们不敢懈怠,如何尽快地发现大的场面,使他们只有日日夜夜超负荷地工作着。

  我们去塔里木,我们是几个普通得不能再普通的人,又行色匆匆,但石油人却是那样的热情!所到之处,工人们让签字。签什么字呀,一个作家浪得再有虚名,即就是写出的书到处有人读,而比起石油人是多么微不足道啊!他们一有机会就让我写毛笔字,我写惯了那些唐诗宋词,我依旧要这么写时,工人们却自己想词,他们想出的词几乎全是豪言壮语。这些豪言壮语在别的地方已经消失了,或者有,只是领导的鼓动词,而这里的工人却已经将这些语言渗进了自己的生活,他们实实在在,没有丁点虚伪和矫饰,他们就是这样干的,信仰和力量就来自这里。于是,我遵嘱写下的差不多都是"笑傲沙海"、"生命在大漠"、"我为祖国献石油"等等。写毕字,晚上躺下,眼前总还是这些石油人的一张张黑红的面孔,想,这里真是一块别种意义的净土啊,这就是涌动在石油战线上的清正之气,这也是支持一个民族的浩然之气啊!回到库尔勒,我们应邀在那里作报告。我们是作家,却并没有讲什么文学和文学写作的技巧,只是讲几天来我们的感受。是的,如何把恶劣的自然环境转化为生存的欢乐,如何把国家的重托和期望转化为工作的能量,如何把人性的种种欲求转化为特有的性格和语言,使我们进一步了解了石油人。如今社会,有些人在扮演着贪污腐化的角色,有些人在扮演着醉生梦死的角色,有些人在扮演着浮躁轻薄的角色,有些人在扮演着萎靡不振的角色,而石油人在扮演着自己的英雄角色。石油人的今生担当着的是找石油的事,人间的一股英雄气便驰骋纵横!

从沙漠腹地归来,经过了塔克拉玛干边沿的塔里木河,河道的旧址上是一眼望不到头的胡杨林。这些胡杨林证明着历史上海洋的存在,但现在它们全死了,成了之所以称为死亡之海的依据。这些枯死的胡杨粗大无比,树皮全无,枝条如铁如骨僵硬地撑在黄沙之上。据说,它们是千年不死,死了千年不倒,倒了千年不烂。去沙漠腹地时,我们路过这里,拍摄了无数的照片。胡杨林如一个远古战场的遗迹,悲壮得使我们要哭。返回再经过这里,我们又是停下来去拍摄。那里修公路时所堆起的松沙,扑扑腾腾涌到膝盖,我们大喊大叫。为什么呐喊,为谁呐喊,大家谁也没说,但心里又都明白,塔里木油田过去现在是没有个雕塑馆的,但有这个胡杨林,我们进入大漠腹地看到了当今的石油人,这些树就是石油人的形象,一树一个雕塑,一片林子就是一群英雄!我们狂热地在那里奔跑呐喊之后,就全跪倒在沙梁上,每人将矿泉水喝干,捧着沙子装了进去带走。这些沙子现在存放在我们各自的书房,我们不可能去当石油人,也不可能长时间生活在那里,而那个八月长留在记忆中,将要成为往后人生长途上要永嚼的一份干粮了。

1996 年 10 月

圌　　山

八月为圌山来蜀，先在江油一望，东北半空黛色，一山独立，只显得天低云白。江油自古称孤城，孤城对独山，山是好山，城也是好城。

午后去登临，一路往高处走，上了山山还在山上。收割后的稻田已不存水，稻草一拢一拢却支立在那里，层层递进，遍野密布，圌山主峰逶迤如城堡，稻草拢俨然列阵，已是兵临城下了。顺主峰下一道斜梁再走，走出三里地，才发现梁势为 S 形。梁左右成洼，聚水成湖，恰夕阳西照，一湖白亮，一湖主峰遮阴为黑。山中自有太极图，难怪山又称灵山，唐人窦子明在此羽化成仙！

以为窥得堪舆机理，便急不择路往主峰狂奔，到了峰下，岩陡如墙，仰脖则面壁，已不见峰头古柏。手扯壁上藤蔓，能摇动不能引上，野鸽腾飞，鸟粪哗哗下落。好不容易冲开兵阵近来，却"城下叩关门不开"。吆喝了数声，无有应和，绕了壁底往右觅路，发觉不对，又往左，行百十丈后又觉不对，回头再往右，慌张约一里地，忽清光一线，峰开小口，忙入其内，便见一片平场，两间茶园，歪歪斜斜数顶滑竿之中，几人正玩牌作乐。还未问路，人已围住，牵衣扯膊让坐滑竿。坐吧，从江油到峰下半天已过，精疲力竭，望峰顶还在云端，天又开始落雨。坐上了，却又想，半天已过，又已到了峰下,何必留个不是走上去的遗憾?遂摆手疾走,一边听那伙人在身后恶声作骂,一边沿一条道路深入。

行不多时,仰头看刀截一般的崖头有人影说话,嗡嗡一团,不辨其语。忽一石从上跌下,忙收脚站定,那石跌到地面时倏忽一滑,无声停落在一棵树上,看清方知是鸟。路高下曲折,需不停撩拨树枝才能前行,五步之外就不知出没,如雾里开车。雨似乎比先前还大,却看不见雨脚。古树尽都没有柔枝,梢林又全藤蔓挂须,大小叶片光亮明灭不定。路两旁长满板兰,兰气弥漫,染路面也染人,身上白衫眼见着越来越不白。行了半会,怀疑起路的方向,事到如今,也只能随着路走。再深入半会儿,脑子就恍惚起来,感觉迷糊,不敢喊也不敢跑,缩骨耸背人已如雨中鸡。终恐惧不过,拔脚一跑,一跑就收不住,树枝挂破几处衣裤,一跤倒卧在那里。卧着头不敢抬,静听了半时没有声息,睁开眼来,竟是境界大变:树遁天开,面前赫然矗起一座山门,上书"云岩寺"。一时不知是梦里,抑或神鬼使幻?发呆了半晌,也分辨了半晌,才醒悟自己走的是一条后路,已由峰下盘旋到了峰上前路处。错中得福,倒嘿嘿发笑这寺藏得好,这山门造的好所在。

便要记得这山门,细细读起门上的雕饰,便闻得一股奇香,回身四顾,一株龙柏后,一僧人在焚柏籽。僧人一定见得我刚才的模样,若悄然离开,太丢体面,遂近去问僧:"寺建于何年?"僧说:"唐乾符。"又问:"山前有太极图,怎么是寺?"僧说:"东禅林西道观。"转身而去。心平常下来,拾级而上,楼宇参杂,果然是文武殿、护法殿、超然亭、飞天藏,佛道既都耐得清凉,一山也容得两教了。殿与殿依山建筑,随势赋形,拐弯衔接之处窄窄斜斜却是茶园、饭馆、旅社、客堂,整个山上倒如一座园林庭院。这一切自与别处寺院景致略同,总不明白窦子明怎么在此修炼,虽能观山前太极图,可识得此机就会成仙?坐在一殿门口歇气,一回头却见殿内上接梁下着地悬一巨型木塔,八棱八方四层四界,上刻天宫星月山水人物。知道这是星辰车,兴趣顿起,进去伏地看了塔柱下边的藏针,依风俗推动三匝,停止后查看面对自己的神像为男为女。竟然是女!不知是喜是忧,也不知往后运势好坏,要寻人问询,殿内无客无僧,墙上有古人诗句:"推出星辰空里转,移来日月阁上悬,通天妙智缘针窍,一法明时万法全。"好诗好诗,窦子明能将乾坤视为掌中之物,运转日月星辰又以一针之悬,通天贯地的玄理原来是如此的细微啊!

因在星辰车处流连太久,登上峰高处已是黄昏,雨虽停歇,但风云往来。高处并不阔,涧断三柱,西柱有东岳殿,南柱有窦真殿,北柱有鲁班殿。三柱以铁绳连系,殿皆沉浮云海之中。站在东岳殿外,脚下似有摇晃之感,头也晕眩,但还是去崖头看清人诗碑:"人间尽有坦平路,谁向灵山顶上来?"我来了!我千里而来,因我"生无长房缩地术,不能摄取此山长在目,手无秦皇驱山鞭,不能安置此山西湖边",我只有千里而来;我来并不羡仙,我自知我"亦有陶令兰舆谢公屐,役役奔走风尘只名利",来了就是来访孤,来问独,来"愁坐正书空"。我捡起一片小石,宁愿落个爱刻爱画的恶名,还是悄悄在崖头写了"平凹来此"四个小字。

写毕,转游了西柱头所有能站立之地,却不能到对面的北柱头的鲁班殿。那殿坐满柱头,柱头正好一殿,墙角齐边齐沿,檐角凌空,不知当初如何建造?殿门紧闭,唯两窗洞开,天色灰暗看不清里边结构。为桥的一线铁绳发着冷光,萧然无声。传说里,山上的和尚可渡此桥,每日自在来去焚香清磬,但并不是每个和尚能够,每代只产生一人有此技。当今自然有能渡者,便求小僧请出那人,小僧却说渡者不巧下山去了。不能被领携过渡,也不能见过渡人的风姿,心知自己缘分还浅,却心中默默许愿:来一鸟代我前去索隐吧?念头刚起,果见一鸟飞落绳桥,羽毛翻乱,几乎要坠去,遂一声嘶叫,终于飞进殿去。我怔了半天,两拳为鸟加劲竟攥出汗来,继而欢呼不已,感念这鸟了。鸟是不是进山时见到的那只鸟?但我认作就是,我称它是青鸟,竟躬身致礼。此时天已黑,风硬如拳,殿旁古松枝叶噩噩,一轮明月涌出,我第一回见得月大如鼓。

摸黑下山,仍宿于江油,一夜学琴不睡。翌日清晨离开孤城,再望圌山,白云已封。

二　　胡

　　越是到了空旷地方,天地似乎有剥离不开的混沌,我越是感受了人的英雄。八月那日去××,携得两狐——一张银狐的皮,一张白狐的皮——回来,一路急行,瘦马快刀地穿过×××峡谷,沿××××草原又是半晌,一道河就从日落处流下来了。雕鹫啸啸,水色如铜呵!翻身下马,从怀里掏出馕"日"地扔到上游,宽衣洗脸,才洗罢,馕已顺流到了跟前,捞起来,分明是软和了,咬一口馕,喝一口水,是将单手掬了水,高扬着,从手腕的窝槽处喝,我便忽然唤起二狐,一个是冰妃,一个是雪姬了!

　　我无意真要做皇帝,但真愿把二狐,不,二胡,当作美女善待呢。西域有格达慕峰,世称冰山之父,有库什拉卡湖,二胡就出生在那里。那样的环境,只能以狐的形象生存啊。灵魂与躯体原本就是两回事,圣洁的灵魂或许寄存于非人的躯体,人的躯体或许寄存的是野蛮灵魂。我之所以称二狐是美女,也是它们死亡了狐的生命来与我相见的——

　　那时候,它们却并不相识,维吾尔人的村镇集市上,冰妃是在北口的葡萄架上挂着,雪姬又在东南角的一家帐篷货店里,这中间是一排一溜的木板搭成的货摊,咕咕涌涌堆集着地毯、毛线团、花帽、纱巾和各式各样的刀具和巴达木。强烈的阳光,奇异的色彩,热腾腾的膻味,我们满头大汗地在那里拥挤,一抬头,我瞧见葡萄架下的冰妃了!相见是那样的骤然,我几乎不敢相信这是现实。那是悬挂着的七八张狐皮和雪豹皮,但冰妃脱颖而出,雪白的绒上一层蓝灰的毛,其实并不是蓝灰的毛,白绒的毛尖上一点点的蓝灰,这就如雪地上均匀而稀落的狗尾子干草,立即使其成白纯若冰色的晶莹。它小小的脸,长目尖嘴,尾大如帚。我近去将冰妃卸下来揽在怀里,不忍心这么被吊在那里,即使被吊着在展示一种美丽,我也不情愿美丽泛滥给每一个集市上的人。我说:这狐我要买了!似乎这话是对银狐说的,是信誓旦旦的承诺。同伴忙制止我,悄声说,你这么个急切劲,卖主就会漫天要价的,越是想买,越是装作可买可不买的样子最好,进疆以来,我一直听同伴安排的,他的话或许正确,我将冰妃重新挂在了架上,但我却再不愿离开那里。年前,我居住的古城剿灭无证养狗,城南的广场上枪杀了上百条,轮到了一条栗色的,美丽非凡,竟使所有执法者都慈悲起来,不约而同地决定放生,就让一个郊区的农民牵走了。一百条狗中幸存下一条,这狗一定是什么神灵或魔鬼变的。我四处打问那个收留狗的郊区的农民,但终无音讯。如今我立在葡萄架下,在斑斑驳驳的阴影里,我与冰妃对视传情,那俊俏的脸有突然吃惊的神色,没有妖气而显一派幼稚和纯真。同伴在呼喊着谁是卖主,大胡子的卖主却去做祈祷了,在远处的砖台前的太阳白光下,他和七八个人垂头在念叨着什么,一会儿匍匐在地,一会儿又站起——好久好久的时间了,才走过来,与同伴在说维语。双方似乎都说得不高兴起来,同伴过来拉了我就走,我不想离开,但我还是被强行拖走了。

在拐弯处,同伴说人家要一千五,他给八百,无法成交,咱们去别处看看,说不定会有比这张更好的狐皮的。我们就往集市的南头走,又往东走和西走,果然就在东南角的一家帐篷里遇见雪姬了。雪姬也是极美艳的尤物,通体雪白,没一点杂色,我感觉里这一定是冰妃的姊妹。年轻的卖主很随和,他开价也是一千二,我们压价到八百,终以九百元买下,皆大欢喜。我把雪姬盘作一盘抱在怀里,我的口对着它的口,我意识到我是吃过蒜的,便偏过头去。依然要经过北口,偏要给冰妃的卖主瞧瞧。卖主说:多少钱呀?同伴说:同你的那条一个样吧,八百元!卖主并不生气,说,一样?你比比吧!把冰妃从架上取下来,两狐就在这一时间认识了。它们真是姊妹的缘分,长短不差,粗细难分,但一个呈雪色,一个则是青白,冰妃果然是比雪姬颜色要好的。这不免有些尴尬,似乎对不住了冰妃。但已经买了雪姬,就不能生出嫌弃心,我们就往外走,但我却一步一回头地看冰妃,甚至感到它在葡萄架下哭泣。太阳斜在了头后,自己踩着自己的影子,我真恨我;雪姬和冰妃都是在这里的,难道这姊妹就从此分离吗?为一千元就可以失去它吗?那年在南方的某城,目睹过夜街上三三两两企盼着能被人选中的年轻妓女,曾感叹过自己若有巨资一定赎了她们发放回去,而如此纯美的尤物,竟要因一千元而失却恻隐心,让它孤零零悬挂在人市上吗?我终于停下步,说:"我还要买它!"同伴吃惊地说:"还要买?!"我说:"买!"语气坚决。我们就又返回来,再次交涉,以一千元得到了冰妃。我递过钱了,卖主把冰妃从葡萄架上卸下来,我先拎着它的脖子,又托在膊弯,一下一下抚摩茸茸的毛,一举一动非常稳实,

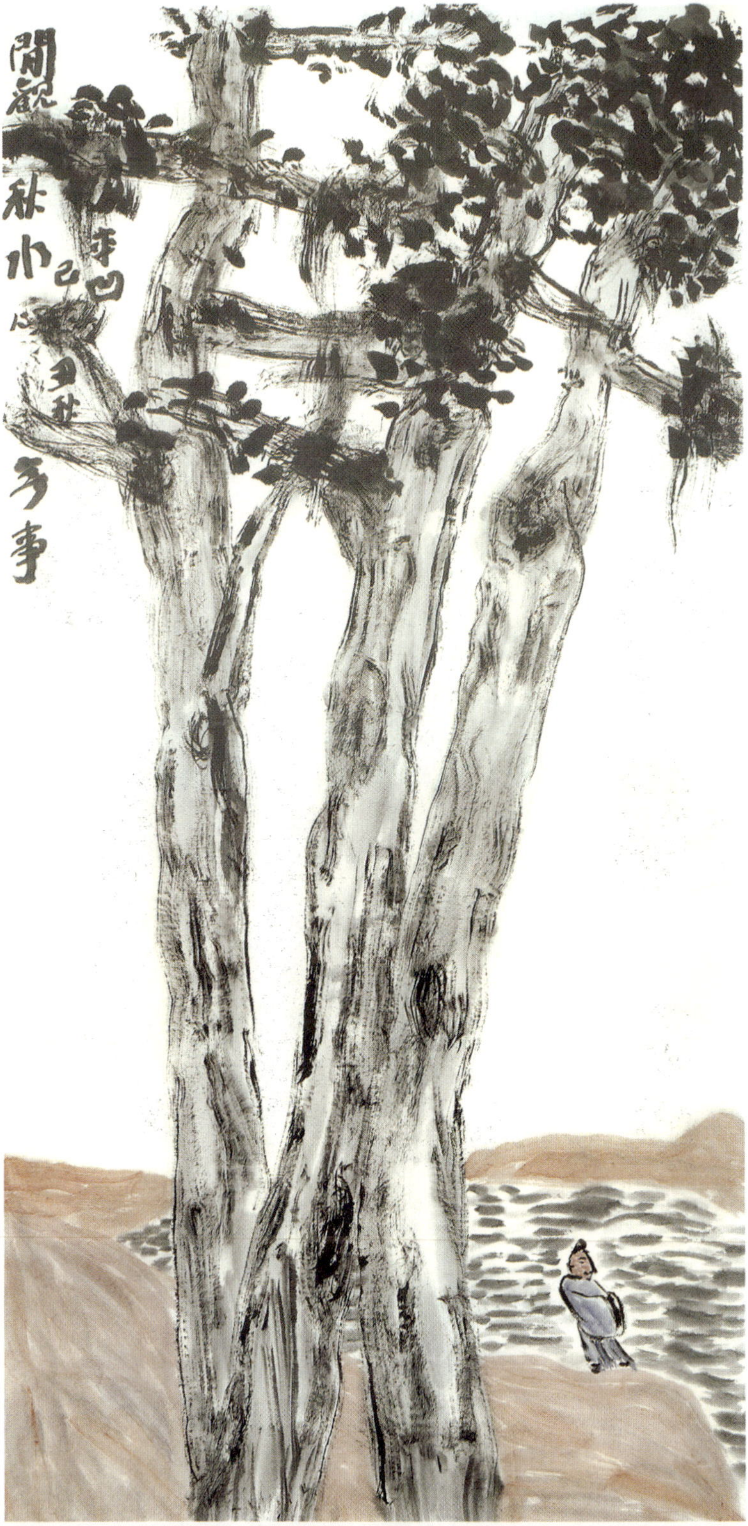
閒觀秋水

药王行医

夏末的阳光与树上的蝉声有着一种远意。

　　狐易于成妖,一般人都这么认为,当二狐随我来到西安,安置在床头的衣架上,朋友们皆惊羡着它们的美丽,却对于藏之卧室有恨恨声。人际间的怀疑、猜忌、争斗太多了,怎么看狐也是这般目光?它们姊妹是从西域来的,西域有佛,玄奘也去那里取经的,即使它们无佛意,一身的野性和率真,在这卑微而琐碎的都市里自有风流骚韵。我从此改它们姓为胡,二胡,依然称作妃与姬的,尊其高贵。每天的每天,我瞧着它们入睡,天明睁开第一眼就又看见了它们,心里充满无比的安定。就在这一个夜里,读罢了《西游记》,可笑了一回猪八戒,时时想回高老庄,便去弹起古琴,琴弦嘣地断了,又去弹琵琶,琵琶也是断了弦,就知道有了知己。

缘　　分

一九九五年七月,周涛邀我和宋丛敏去新疆,支使了郭不、王树生陪吃陪住陪游。先在乌鲁木齐一礼拜,还要再往西去,王树生因事难以远行,就只剩下郭不。郭不说:没事,我有的是拳脚,什么地方不能去的?!三人便换了长衫,将钱装在裤衩兜里,坐飞机便到了喀什。

依周涛原定的计划,在喀什由喀什公安处接待。但一下飞机,有一个女的却找到我们,自我介绍叫郭玉英,丈夫是南疆军区的检察长,是接到周涛的电话来迎接的,问我们将住在什么宾馆,我们还不知道公安处的安排,郭玉英说:"喀什就那么些大,到时候我来找,话说死,明日下午两点我来接你们去军区!"到了喀什,住在一家宾馆,宋丛敏就忙得鬼吹火。他是曾在这里工作过,给一个熟人打了电话,这个熟人竟联络了十多个熟人,于是,我和郭不又随着他不停地接待拜会,又去拜会他人。第二天的下午两点,专等着那个郭玉英,可两点钟没有来,直过了两个小时,估计郭玉英寻不着我们,正好是礼拜日,她去公安处了不好打听,我们又未留下她的电话,只好以后再说吧。四点二十,宋丛敏的旧友老曾来了电话,一定要让去他家,说馕已买下了,老婆也和了面,晚上吃揪面片。我们应允了,老曾说五分钟后他开车来接。刚过三分,门被敲响,惊奇老曾这么快的,开了门却是郭玉英。郭玉英满头大汗,说她在城里一个宾馆一个宾馆地找,找了两个多小时的。正说着,老曾就来了,这就让我们很为难,不知该跟谁走?郭玉英说:"当然去军区,老曾你得紧远路客吧。"老曾无可奈何,就给家里挂电话,让老婆停止做揪面片,相跟着一块去军区。

军区在疏勒县,郭玉英的丈夫并不在家,郭玉英让我们吃着水果歇着,她去找检察长。约摸五分钟吧,一个军人抱着一块石头进屋,将石头随手放在窗下,说他姓侯,抱歉因开会没能去城里亲自迎接。我们便知道这是侯检察长了。接着郭玉英也进来,也是抱一块石头,径直放到卧室去。我是痴石头的,见他们夫妇都抱了石头回来,觉得有意思,便走到窗下看那石头,不看不知道,一看就大叫起来。这石头白色,扁圆状,石上刻凿一尊菩萨的坐像。我忙问:"哪儿找的?"老侯说:"从阿里弄的。"我说:"你也收藏石头?"他说:"给别人弄的。"老侯似乎很平静,说过了就招呼我们去饭馆吃饭。我把石头又抱着看了又看,郭不悄悄说:"起贪婪心啦?!"我说:"我想得一块佛画像石差不多想疯了,没想在这儿见着!"郭不笑笑,再没有说话。

在饭桌上,自然是吃酒吃菜,我不喝酒,但大家却都喝得高兴,也没那些礼节客套,一尽儿随形适意。老侯是言语短却极实在人,对我们能到他这里来感到高兴,说新疆这里也没什么好送的,只是英吉沙小刀闻名于世,他准备了几把。郭不就给老侯敬酒,说,老侯,你真要送个纪念品,我知道贾老师最爱的是石头。我去过他家,屋里简直成了石头展览馆了,你不如把刚才抱的那个石头送给他。郭不话一出口,我脸就红了,口里支吾道:"这,这……"心里却感激郭不知我。老宋更趁热打铁,说:"平凹也早有这个意思!"老侯说:"贾老师也爱石头?那我以后给你弄,这一块我答应了我的一个老领导的。你说那石头好吗?"我说:"好!"郭不说:"贾老师来一趟不容易,给老领导以后再弄吧,这一块让贾老师先带上。"老侯说:"那好。这一块给贾老师!"我、老宋、郭不几乎同时站起喊了个"好啊!"给老侯再续酒,又续酒。

吃罢饭,去老侯家就取了石头。这石头我从疏勒抱回喀什,从喀什抱回乌鲁木齐,从乌鲁木齐抱回到西安,现供奉在书房。

日日对这块石头顶礼膜拜时,我总想:如果当时在乌鲁木齐决定去北疆还是去南疆时不因老宋曾在喀什工作过而不去南疆,这块佛像石就难以得到了。如果到了喀什,周涛未给郭玉英打电话,这块佛像石也难以得到了。如果那个礼拜天郭玉英迟来两分钟,我们去了老曾家这块佛像石也难以得到了。如果去了郭玉英家,老侯先一分钟把佛像石抱回家然后在门口迎接我们,这块佛像石也难以得到了。如果老侯抱了佛像石如郭玉英一样抱放在卧室,我们不好意思去人家卧室,这块佛像石也难以得到了。如果老侯的老领导还在疏勒,这块佛像石也难以得到了。如果酒桌上郭不不那么说话,我又启不开口,这块佛像石也难以得到了。这一切的一切,时间卡得那么紧,我知道这全是缘分。我为我有这个缘分而激动得夜不能寐,我爱石,又信佛,佛像石能让我得到,这是神恩赐给我的幸运啊!

为了更好地珍藏这块佛像石,我在喀什详细了解这佛像石的

来历,在乌鲁木齐又请一些历史学家论证。回到西安再查阅资料,得知:

一、此佛像石来自西藏阿里的古格王国。古格王国始于七百年前,终于三百年前。王国城堡遗址至今完好,有冬宫和夏宫,宫内四壁涂赤红色,壁画奇特。墙壁某处敲之空响,凿开里边尽是小欢喜佛泥塑,形象绝妙。但为模范制作。王国传说是在一场战争中灭亡的,现随处可见残戈断剑、人的头骨、马的遗骸。山下通往山上的通道两旁,摆着这种佛像石,是当地佛教徒敬奉或来此处祈祷神灵而择石凿刻的。

二、阿里属西藏的后藏,从喀什坐三天三夜汽车,翻越海拔四千五百米以上的雪原,再行二百里方能到城堡的山下,一般人难以成行,成行又难以安全翻越雪原。即使到了城堡,还有藏民在城堡看守,并不是想拿什么就能拿了什么。

三、石是雪原上的白石,不是玉,却光洁无瑕,质地细腻,坚硬有油色。菩萨造型朴而不俗美而不艳,线条简约,构图大方,刻工纯熟,内地四大佛窟的塑像和永乐宫彩绘皆不能及。更可贵的是,任何人见之,莫不感受到一种庄严又神圣的气息,可能是当地的信徒是以极虔诚的心情来刻凿的,与别处为塑像而塑像或纯艺术的塑像雕刻不同,又在西藏佛教圣地数百年,有了巨大的磁场信息。

有缘得此佛石,即使在喀什,许多信佛者、收藏奇石人、学者、画家、作家皆惊叹不已,他们知道有这种佛石,谋算了十多年未能如愿以偿地。此佛石归我后,正是我《白夜》出版的本月,对着佛石日夜冥思,我检讨我的作品里缺少了宗教的意味,在二十世纪的今日中国,我虽然在尽我的力量去注视着,批判着,召唤着,但并未彻底超越激情,大慈大悲的心怀还未完全。那么,佛石的到来,就不仅仅是一种石之缘和佛之缘,这一定还有别的更大的用意,我得庄严地对待,写下文字的记录。

夏河的早晨

这是一九九五年七月二十四日早上七点或者八点,从未有过的巨大的安静,使我醒来感到了一种恐慌,我想制造些声音,但X还在睡着,不该惊扰,悄然地去淋室洗脸,水凉得淋不到脸上去,裹了毛毡便立在了窗口的玻璃这边。想,夏河这么个县城,真活该有拉卜楞寺,是佛教密宗圣地之一,空旷的峡谷里人的孤单的灵魂必须有一个可以交谈的神啊!

昨晚竟然下了小雨,什么时候下的,什么时候又住的,一概不知道。玻璃上还未生出白雾,看得见那水泥街石上斑斑驳驳的白色和黑色,如日光下飘过的云影。街店板门都还未开,但已经有稀稀落落的人走过,那是一只脚,大概是右脚,我注意着的时候,鞋尖已走出玻璃,鞋后跟磨损得一边高一边低。

知道是个丁字路口,但现在只是个三角处,路灯杆下蹲着一个妇女。她的衣裤鞋袜一个颜色的黑,却是白帽,身边放着一个矮凳,矮凳上的筐里没有覆盖,是白的蒸馍。已经蹲得很久了,没有买主,她也不吃喝,甚至动也不动。

一辆三轮车从左往右骑,往左可以下坡到河边,这三轮车就蹬得十分费劲。骑车人是拉卜楞寺的喇嘛,或者是拉卜楞寺里的佛学院的学生,光了头,穿着红袍。昨日中午在集市上见到许多这样装束的年轻人,但都是双手藏在肩上披裹着的红衣里。这一个双手持了车把,精赤赤的半个胳膊露出来,胳膊上没毛,也不粗壮。他的胸前始终有一团热气,乳白色的,像一个不即不离的球。

终于对面的杂货铺开门了,铺主蓬头垢面地往台阶上搬瓷罐,搬扫帚,搬一筐红枣,搬卫生纸,搬草绳,草绳捆上有一个用各色玉石装饰了脸面的盘角羊头,挂在了墙上,又进屋去搬……一个长身女人,是铺主的老婆吧,头上插着一柄红塑料梳子,领袖未扣,一边用牙刷在口里搓洗,一边扭了头看搬出的价格牌,想说什么,没有说,过去用脚揩掉了"红糖每斤四元"的"四"字,铺主发了一会呆,结果还是进屋取了粉笔,补写下"五",写得太细,又改写了一遍。

从上往下走来的是三个洋人。洋人短袖短裤,肉色赤红,有醉酒的颜色,蓝眼睛四处张望。一张软不沓沓白塑料袋儿在路沟沿上潮着,那个女洋人弯下腰看袋儿上的什么字,样子很像一匹马。三个洋人站在了杂货铺前往里看,铺主在微笑着,拿一个依然镶着玉石的人头骨做成的碗比画,洋人摆着手。

一个妇女匆匆从卖蒸馍人后边的胡同闪出来,转过三角,走到了洋人身后。妇女是藏民,穿一件厚墩墩袍,戴银灰呢绒帽,身子很粗,前袍一角撩起,露出红的里子,袍的下摆压有绿布边儿,半个肩头露出来,里边是白衬衣,袍子似乎随时要溜下去。紧跟着是她的孩子,孩子老撑不上,踩了母亲穿着的运动鞋带儿,母子节奏就不协调了。孩子看了母亲一下,继续走,又踩了带儿,步伐又乱了,母亲咕哝着什么,弯腰系带儿,这时身子就出了玻璃,后腰处系着红腰带结就拖拉在地上。

没有更高的楼,屋顶有烟囱,不冒烟,烟囱过去就目光一直到城外的山上。山上长着一棵树,冠成圆状,看不出叶子。有三块田,一块是麦田,一块是菜花田,一块土才翻了,呈铁红色。在铁红色的田边支着两个帐篷,一个帐篷大而白,印有黑色花饰,一个帐篷小,白里透灰。到夏河来的峡谷里和拉卜楞寺过去的草地上,昨天见到这样的帐篷很多,都是成双成对的鸳鸯状,后来进去过一家,大的帐篷是住处,小的帐篷是厨房。这么高的山梁上,撑了帐篷,是游牧民的住家吗?还是供旅游者享用的?可那里太冷,谁去睡的?

"你在看什么?"

"我在看这里的人间。"

"看人间?你是上帝呵?!"

我回答着,自然而然地张了嘴说话,说完了,却终于听到了这个夏河的早晨的声音。我回过头来,×已经醒,是她支着身与我制造了声音。我离开了窗口的玻璃,对×说:这里没有上帝,这里是甘南藏区,信奉的是佛教。

1995 年 10 月 31 日夜记

江浙日记

前边的话

　　四十三年间,我曾作过无数次的日记,但每次记到十天左右,便生懒惰,愈记愈少,最后到了每日只写"无事",自己厌烦自己,就作罢了。公元一九九六年初,也即是阴历乙亥年的冬日,受中宣部、中国作协安排赴江浙生活,下定了决心要作日记,为这一段日月留下资料,一是将来易于作汇报,二是随时录下感受,既可练手,又可静心。庙里的和尚敲木鱼,除了传递信息,那一声一声的"笃笃"里,也好一心念佛,不生他想吧。

作者

江苏日记

一月十二日

　　早晨起来,天下起了雪。下起了雪好!入冬一直干旱,西安病毒性感冒流行,差不多家里都有一个两个病倒的;虽然千注意万谨慎的,屋里还熏了醋,母亲还是卧床数日,不进汤水,挂了三天吊针,病情也刚刚好转,昨夜还听到她的咳嗽声,这雪一下,我就可以放心去了。披衣过来,母亲和陈每已在厨房包饺子,陈每的右眼上还沾着一些面粉,看见我,上齿咬着一点下唇,默默地笑。家乡的风俗,由母亲带进城来,也成了我家的风俗:出远门要吃饺子,意在囫囫囵囵地走,无牵无挂。

可我怎能无牵无挂呢?数月里等待北京的消息,只说今冬是要免了,几日前忽接到作协张锲的电话,要我务必十三日前到京,这几天忙乱地料理单位上、家庭里以及许许多多社会和写作方面的杂事,人累得几乎要趴下来。一切该放下的都放下了,不该放下的也得放下,但最后仍揪心的是母亲的病。

母亲把煮好的饺子端给我,她就坐在对面看着我吃。母亲从来是不理会大事而只管小事,我吃饱了她仍还是要我再吃,我又吃了一颗,说:"今早感觉身上轻省吗?"她说:"头不重了……这雪一下,要全好了!"我告诉母亲:我不能亲自陪她去医院镶牙了,但已经安排好了人,现在满口没牙,多吃些软东西,饭后活动活动可以增进消化。家里有暖气,出门进门注意增减衣服,防备再染感冒。用煤气要特别小心,每次检查关了总闸没有。热水器里要勤加水。来任何人不要轻易开门,隔着防盗门就说我出差去了,有什么事让二三十天后再来。身体一有什么不舒服,就去楼下找我的同学,他会打电话叫医生的。母亲只是点头,眼睛似乎有些潮。陈每就忙在一旁打趣,尽量活跃气氛。她的父亲才去世十天,我又吩咐除了陪她母亲外,有空也过来陪陪我母亲说话。母亲说:"天寒地冻的,你能不能不去……"陈每说:"你儿现在是朝廷命官嘛,他能不去?!"母亲摇着头,就去佛像前烧香,口里叽叽咕咕不知说些什么。

我对陈每说:"什么朝廷命官,你别瞎说!"陈每说:"不是朝廷命官了,那就是'毛主席的战士最听党的话,哪里需要到哪里去,打起背包就出发'!"正笑着,门被敲响,进来的是一些同学和邻居。他们是看了今早的报纸,知道我今日要去江浙,特来送行的。报纸上怎么写的,我不知道,但昨日上午,市宣传部举行了一个小小欢送会,崔林涛书记及政府、人大、政协、省宣传部、省文联、省作协的领导都参加了。崔书记是我的朋友,多年来一直关心着我的生活、身体和创作,他又在会上讲了长长的一席话,热情洋溢,又语重心长。我感激着这些领导,也感慨着这种待遇。到昨天晚上,一拨一拨文学朋友来看我,他们要为我举行个送别晚宴什么的,我拒绝了,只把照顾母亲的事一一托付他们。现在,我借居于西北大学的这间小小房间里,留校任教的同学和邻居坐得满满当当,七嘴八舌地询问和叮咛,他们担心的是我的身体,是我的饮食习惯和语言障碍。有人就笑着说:"活该你写《废都》、《白夜》,这下好了,发配那么远的……"这话难听,未等他说完,我挥手就说:"这你胡说!"生活是创作的最基本的条件,在西北待得久了,去江南看看,岂不是难得的幸事,就说发配,哪有发配到天下最先进最富裕的地方去?!陈每便说:"有个故事,说过去一个人不吃肉,部下犯了事,他的惩罚就是让吃肉。——如果真是这样,我天天盼着受罚哩!"大家都笑了起来。末了,他们帮我收拾了行李,临走时,说:"祝一路顺风!"陈每又说:"坐飞机不能说顺风的。"大家便说:"一路顺利!"笑笑去了。

四点的飞机,两点离家往机场,同行的宋丛敏一进门说走,母亲就穿外套,戴帽子,要送我。老宋赶紧挡住,说外边风大雪大,不要送了,我也随手把门拉闭,匆匆下楼而去。

单位的车停在楼下,雪淋得人眼睛睁不开。

到北京,北京竟无雪。作协书记处高洪波以及翟泰丰和秘书王海燕、张锲的秘书秦友苏等在机场迎接。洪波是旧友,数年不见,格外热乎,但他又粗又高,站得太近,我就自惭形秽了。那一年开政协会与冯骥才照相,照片如一幅漫画,便有人指点,与高个人一起,一定得保持距离。今夜从候机室到停车处,我和洪波就是隔着走的。这么走着,自己也觉得好笑,灯影处里"嗬"的一声,老宋还问:"你怎么啦?"我说:"拿破仑是一米五吧?"老宋莫名其妙。车是径直开往和敬公主府的,这里做了中纪委招待所。数年前来京住过一次,今又来住,只是想与那公主有缘呢,公主是什么模样无法想象,个头估计不会是多么高的。府宅深广,知道住宿楼是在后院,进去楼却拆了,月明星稀之下,楼前的那棵老棠梨树还在,不禁生一份伤感出来。树一老便有精灵的,仰头默默地向它问候,一片枯叶便落下来。接待吃饭的还有三人,其中一位叫赵翼如的,当年在南京见过,依旧同约,去白魁老店,吃一种豆腐,基本上是豆渣做的,少见有味美。饭价也颇可观,老宋暗中咋舌,我悄声说:"不贵,除了菜,这店名也该值五十元,店里仅开这一桌,幽静值五十元,有老朋友相聚值五十元……"老宋笑道:"还有秀色……"我没有接话,问赵翼如,南京方面的气候如何,赵一一答了,却担心我去江浙语言不通,我请她说一句老家话,她说了,一堆莺歌燕语,我听懂了两个字,她竟说:这两个字你也听错了!

一月十三日

一早,张锲来和敬府接我去文采阁。他明显有些老了,但样子更像了毛泽东。这次南行,是中宣部副部长、中国作协党组书记翟泰丰的点子,具体与我联系的是张锲。车驶到文采阁,翟泰丰、王巨才、施勇祥等作协领导已在那里等候多时,还有《文艺报》的记者贺绍俊。受领导的接见,也是南行前的送行吧,各位领导都讲了话。翟部长大致讲了三层内容:一是充分肯定了我和我的创作;二是对这次江浙之行和今后我的写作寄予厚望;三是下去开拓视野,自己总结自己。这是我第二次见到他。社会上早有传言,说这位领导是工作狂,两次见面突出的印象是精力过人,思维敏捷,办事果断。不知怎么,见到他总想起那个马拉多纳。为安排这次南行,他费了许多心血,亲自打电话、写信给江浙的地方领导,又写长信给我,使我在《废都》之后漫长的孤独苦闷中,深感到一种暖意。但我口笨,竟无以说出一套感谢话来,在这样的场合里只显出一副呆相。会后正要吃饭的时候,翟却接到电话,部里要开会,便匆匆离去。这似乎使我觉得有些过意不去,张锲说:"这是常事。"席间大家谈说起翟的工作作风和作协领导班子的生活节奏,简直使我大吃一惊。他们忙得几乎没个在家的半响,王巨才书记出差途中接到通知来京上任,一干半年了还未回原籍省城去看看家人。官做到这个位份上,其累也是寻常人难以想象和相信的。饭菜很丰盛,"文采酥"也极好吃,我多吃了几块,张锲说:"给你带些晚上吃。"我说:"撑得这么饱,晚上也用不着吃饭了!"张锲说:"北京还有什么事,下午抓紧办,明日上午我陪你们去南京!"我万没想到他会陪我去江南,一时倒愣了。张锲说:"得把你在那儿安排好才放心嘛!"

下午无事,在小院里看一棵老桐树。北京城里有许多这样的老树,我把它们视作老者,背靠上它,顺着树干往上看,干硬的枝丫在墙头屋檐上高指天空。后来打电话想趁机讨要《白夜》的稿费。电话打不通,老宋取笑我怎么老是拿不到钱,《白夜》又出现两种盗版本。对这类事,我已经愤怒得没愤怒了。

黄昏,李廷华夫妇得知消息来看望,硬要接我们去他的住所。李是陕西人,来京临时在《书法》杂志社做事,借居于东四一条胡同中的旧宅院。宅院明显是昔日的大户人家,但全然败坏了,偌大的厅房西厢里,唯有一床、一桌、一凳,和一炉一壶,格子门窗厚厚地糊着纸,一角在风中嘶响,煤炉火旺,烤着焦黄的烧饼。但李氏夫妇十分乐观,大谈人到四十多岁的苦难,和在苦难中的乐趣,便在炉上用炒瓢煮面条,用碗喝白酒,又拿出写就的古体诗念了我听。念到"疗饥自有三文治,遣兴莫如二锅头",我说:"好!"在豪华京城的一条窄胡同里,在待拆的旧宅院里的冬季,四十多岁的夫妇夜夜以纸堵窗、拥炉而坐,吃挂面、作诗文,享受的是人生的另一番境界,无疑对我是极大的感染。是的,廷华兄,幸福完全是一种感觉,换一副心态对待人生,就有融融之乐。

告别时,夜已深沉,和廷华去蹲胡同里的公厕。厕房极小,冷风森森,得一手抓着裤子,一手伸直了去撑那一扇小门。廷华说:"每天早晨,这里就排队了,我在这儿结识了几个胡同里的朋友。"我嘿嘿地笑,他说:"你别小看这地方,北京人蹲茅坑谈的也是朝廷的事,联合国的事!"

一月十四日

下午飞到南京,住西康宾馆。一路车外闪过无数白面长身女子,到宾馆很快见到苏童、叶兆言、赵本夫、周梅森、储福金、黄蓓佳、范小青等一批当地作家,江南真是出才子出佳人的地方啊!正好南京翌日要召开报告文学《张家港人》研讨会,北京上海来的名家很多,江苏文联作协的领导又都在,宴会是十分热闹的,欢声笑语,敬酒不绝。凡是人多的地方,我向来伏低伏小,极不愿应酬也不会应酬,唯是吃菜,吃罢菜吸烟。张锲一定瞧我太呆板,两次说:"平凹你给大家敬敬酒嘛。"第一次要敬时,旁边有人敬大家,对每一个都说一段话,说得得体又中听,我便作罢了。第二次才终于端起酒杯,只是笑着给各位碰了一下,说句"谢谢",便不知再说些什么。有记者一边拍照,总要我笑笑,但我没笑,我恨我不会笑。张锲就拉着我给江苏省委宣传部的同志、文联作协的领导,以及张家港市的领导一一介绍我来的目的,望他们关照。他是了解我的生性的,怕我的老实和生硬在陌生地有为难处,时时呵护。我一面在心里感激他,一面深恨自己的没出息。我是太敬畏一切人了,当年柳青说过他是挑了鸡蛋篮子上大街,不是要挤别人,只怕别人挤了自己,陕西人的德性就是这样吗?当地的行政领导当然十分客气,说他们会照顾好的,给我笑笑,我也给他们笑笑(记者又在拍照,我又不会笑了)。一顿饭就这么吃过去了。

天竟又落起雪来,雪落地不驻,即时化水。和老宋步行西康园前院,说起席桌上的尴尬,便让雪淋湿着脖脸,忽想起"我醉欲眠君且去,有情明日抱琴来",相视一笑,又一笑,仰头大笑回到后楼。回到后楼房间,却又无聊,翻看《张家港人》一文。看过一半,拉开后窗,窗外恰是一处小花园。风雪之中,花皆残败,三棵黑松萧然,一堆太湖石,一片水塘,雪落下无影无声地无纹痕泛起。有一穿红衣的女子在塘边的冬青丛边伸舌接雪,一仰头瞧见我,忙闭了嘴,却又装着对雪无所谓的样子,慢慢往左走,就走出窗框了。

一伙作家来房间看望,此时倒放松,说一回,笑一回,留一房子烟雾,各自散去。关门洗澡,打开了行李箱,才发现在家整理好的电话通讯本忘记带了。更糟心的是拿了电须刀器,而没拿充电绳,一日不刮脸将面目全非的,何况又是"满头是脸,满脸是头"模样。老宋说:"瞧瞧,没个女人照应,就丢三落四!"洗漱用品是陈每给收拾的,她不刮脸,当然不知道还有个充电绳儿的。箱子里的烟却装了四条,拆开一条是假的,又拆一条,还是假的,气倒没有了,只是笑:假烟假酒假(贾)平凹嘛!

一月十五日

昨晚睡前读完了《张家港人》,为的是对张家港有个大致了解,也准备今日开研讨会,如果让发言,也有个说头。但张锲来说,与会议负责人商量过了,怕我参加会议,可能记者们要采访,势必冲淡会议,建议今日让储福金陪我和老宋去城中各处走走。行的。九点钟储福金带了车来,我们直奔中山陵。

江南的冷竟是这般地阴险,站在有风的地方浑身打战,躲到避雨的地方,骨头里还疼。我是向来怕风怕冷怕光怕动的(西安的朋友总作践我害有林彪病),一到中山陵,人已瘦去许多,只显得夹大衣空洞,瑟瑟如雨中鸡。储福金要脱一件毛衣给我,我坚拒,只将他的一条彩色围巾裹了脖项。中山陵以前来过,已不觉新奇,虽有气势,终不能比乾陵,武则天那个女人有豪气,死后将陵墓横在关中平原上,几十里外便能看得见一个女人形仰躺在天地之间。中山碑很高,可以与黄河东岸司马光陵前的碑子一比,但都写了字,还是没乾陵上无字碑的派头。中山陵侧有灵谷寺,却是好去处,进了山门,一条路上干净无泥,道旁松上落了雪,雪又不大,银里幽幽透出绿来,柔柔可爱。无梁殿其实是陕北窑洞式的建筑,江南人少见就觉稀罕了,若见过甘南藏区的拉卜楞寺和新疆喀什的香妃墓大殿,这里就是大巫前的小巫了。出了寺,储福金说:看不看塔,寺后有个塔的。我说天下塔都一样,不看了。话刚出口,一声呐喊如雷一般轰然碾过林子,吓得我忙噤了口。储福金说,这里有人登临塔上大呼小叫了。我乖乖往殿后望去,未望见塔顶,却想:那呐喊人一定寂寞,就制造声音。人的生命,其实是追求声音的存在的,做婴儿要哭,做老人要唠叨,甚至夜间犬吠,老鼠磨牙,苍蝇蚊子嗡嗡……但是,在塔上呐喊的人儿又何必呢,沉静的山谷里,这里不是已经有这座寺,寺里的神灵不是中介着让人与天地对应交流了吗?

午时到城中吃饭,储福金问吃什么,我说:"小吃。"小人物小食品么。结果六人两车走散,我坐的那辆车停驻在一座石桥头,司机去寻另一辆车上的储福金他们。没想这桥竟是半月桥,桥头一楼,脊檐破旧,漆染剥脱,上书:李香君旧居。曾两次匆匆过南京,总恨无缘见秦淮河,没想却置身香君楼前,恍惚若梦中。我说:"这就是秦淮河?这就是秦淮河?!"天白不能见灯影,落雪又未闻桨声,一河清水活活而动。遂想起当年侯朝宗,一顶文士帽,一袭长袍衫,骑驴携书来下江南会才子,却得一佳人,发动了一出美丽故事,一时竟也百感交集,仰天浩叹!我久久地立于桥上,望那河水小楼。时在午后,又逢阴雪,月是不会来的,河岸也不是开桃花的季节。侯郎昔日南来是不是有过这阴冷天气,但阁楼歪歪斜斜依然存在,那个李香君却再也没有了。

我从桥上又一次折身过去,立于楼阁门前往里张望,门里有卖胶卷的柜台,坐一女子,阔额长眉,抬头用普通话问我:"买胶卷不?"一连问了三句。

后来,去"秦淮人家宾馆"吃饭,门里轰地拥出一群小女子,忙正经上二楼,目不敢旁视。二楼上红柱彩屏,无数灯笼,如喜庆之堂。小女子侍应更多,一律粉红斜襟紧身镶边小袄儿,梳明式丫鬟发髻。歌舞在席桌之前穿行表演,软语轻音,好听而不辨名目。一侍应前来送茶,见襟下挂有一菱形小牌,遂问:"是玉佩吗?"答说:"塑料的。"倒恨自己多嘴,又怨侍应不该实说,坏我遐想。所食小吃,每人一漆木小盘,每次上三样,上六次,一十八道品类,尽是小碟小碗小罐小瓯的。吃毕,喜欢上了漆木小盘,说:"这漆木花盘真不多见了!"翻过来再瞧,却也是塑料的。

一月十六日

一早离开南京往张家港市。行程三小时,沿途屋舍不绝,却粉墙蓝瓦,崭新如洗。江南水乡,五十年代尽是草屋,六十年代换了瓦房,七十年代扩修走廊,八十年代就盖了楼房,但楼房简易,到九十年代则讲究了式样,且里外都装饰了。北方的乡下,即使富起来,盖了两层三层的小楼,仍注重营造院门楼,雕石镂砖的,还要在门框上装匾,写上"耕读之家"、"山明水秀"、"紫阳光照"之类,古风依存。这里却西洋起来了,但又不脱尽土气,一个村落一簇屋舍,同一样的结构设计,在粉白色的两层水泥楼上架人字形老式瓦房顶,犹如西装却戴了瓜皮帽。秦淮河上的那些高低错落、钩心斗角的建筑风格已经殆失,唯喜欢在瓦房顶两端的背处保留细小而直翘的角,又如瓜皮帽外一根乍着的小辫,显得滑稽有趣。中国人讲究造屋,芸芸众生一辈子有出息没出息就看能不能造屋或造怎样的屋,所以,沿途仅看村镇人家房子外观,便惊叹江南之富非西北人所比。有释易的一本书上讲:"以人才论,圣贤通生在西北一边,以山高耸秀,出于天外故也。以财赋论,通在东南,以水聚湖海故也。以炎凉论,天地严凝之气,始于西南,感于西北;天地温厚之气,始于东北,而盛于东南。严凝之气,其气凉,故多生圣贤。温厚之气,其气炎,故多生富贵。以情性论,西北人多直实,多刚多蠢,下得死心,所以圣贤多也。东南人多尖秀,多柔多巧,下不得死心,所以圣贤少也。"江南自古富裕,现今国家改革,发达已与西北地方拉开档次,数年前与一外国作家交谈"乡土文学",其乡土概念截然不同,他们说"乡土"指回归自然,当然我颇为不解,今观江南乡下,始有觉悟。

午时到达张家港市,洗漱,吃饭,稍作喘息,即开始集体参观。张家港市的参观极讲究时间,每人发有参观路线表,上写:

沙洲宾馆(2:00出发)——中港(2:05—2:15)——大菜巷(2:20—2:35)——沙洲工学院(2:40—2:45)——精纺城(2:55—3:10)——梁丰中学(3:25—3:45)——市府大院(3:50)——国贸宾馆(3:50—4:05)——园艺场(4:10—4:30)——集贸市场(4:34—4:55)——沙洲宾馆(5:00晚餐,小憩)——步行街(7:20—8:15)——沙洲宾馆。

所到之处,只能是匆匆而过,但印象极其美好。饥渴之人,遇到饭食,第一碗狼吞虎咽,第二碗第三碗才是品味,这就是我产生要多在此待些日子的念头。我尽量收集各处的介绍材料,多眼,多嘴,成了导游者的尾巴。张锲问我:"怎么样?"我说了想法,张锲说:"你情绪这般好,我就放心了!"他这话倒让我感动。他又说:"明日再参观半天,我领你去昆山,与那里的领导接上头了,我就该回京去,你要再来,就可随便往来。"晚饭中,他又将我多次介绍给宣传部的领导,已经说定从昆山回来,就住市党校。下乡生活,当然不能住宾馆,这道理我知道,但我害怕党校那儿没暖气,这里的冷确实让我受不了。话到口边,没有再说。

晚上,翻看了一些资料,和老宋谈对张家港的印象,情绪激动,不觉已过十一点,忽觉肚饥,就想起了母亲。在家常熬夜,有吃夜宵的习惯,总是母亲为我下一碗酸汤辣子面的。便给母亲打电话,母亲接着,问家里没事吧,她说:"好着哩,你放心。"问:"这么晚了还没睡呀?"她说:"我在看电视。"再问陈每在不?她说:"她爸明日'三七',她回那边去了。"家里就母亲一人。我在家的时候,母亲是十点就睡觉的,她不识字,从乡下到城里又无人可以说话,天一黑她坐床看电视,我忙写作或在客厅陪客,去卧室时总见她已靠在床头打盹。我把电视一关,她就醒来了,笑笑,要说:"电视里的事我解不下,一坐到电视前就眯瞪,去睡却睡不着。你忙完了没?完了咱码牌吧。"母亲唯一消遣的是码纸牌,我虽觉得那游戏没意思,但每日陪她一会儿。今夜,空空的房子里只是母亲一人,她一定是又睡不着了起来开的电视的,或许她依旧在打盹,电话铃惊醒了她,才明白自己还是在看着电视的。

一月十七日

上午继续参观,依然是冷,将所带的衣服全部穿在身上,愈发身短腰粗,不成个形状。肝部数天里不适,脸有些浮胀。今日跑动的是南沙镇、东山小区、永嘉码头、保税区、沙钢润忠公司、鹿北丰产方、塘桥镇。我先是坐在后边的大车上,半路张锲将我叫下来,同他坐到小车上,可以听宣传部李副部长讲叙好多张家港的故事。张家港富已不必说,但怎么就富起来的呢?江南人的思维超前这是极重要的。农村只能以发展企业摆脱贫困;这观念他们在七十年代就产生了,偷偷地干,瞒着外边,有什么领导来,工人放假,厂房关闭。待全国倡导了办乡镇企业,他们一下子全冒了出来,很快占领了市场。现在各地发展乡镇企业,张家港却已更新机器,扩大规模,重点发展招商引资,使管理水平和产品质量的档次,完全达到国家级大型企业的水准。这些是墨守成规的西北人能想和敢想的吗?一位镇干部讲:事情就怕你干不成,事干成了就会承认你!西北人不是在改革之中胆子更大一些,步子更快一些,而是等上边,往往上边说到十,下边干到七,一旦上边要限制什么了,说到七,下边则干到十,一切都是要自己不犯错误,出发点不是在干出事业,只怕自己官职保不住。存大志,干大事,这里的农民已脱农民习气,所到之处,镇镇竞争,村村竞争,无萎靡之风。有一个现象十分有意思,即,在南方沿海地区和中西部地区,夜总会、歌舞厅甚多,尤其越贫困的中小城市,这种设施更多,这里却少见。

见到相当多的干部、群众,能听到这么两句话:"有经济地位,就有政治地位。""在位子就要捞票子,捞不来票子退位子。"直奔经济工作的主题。中西部一些地区哪一个领导敢这么说?可以翻开这些地区的任何一份文件、报告,听听任何一位领导的大会讲话,敢肯定讲,往往是一堆一堆空话套话之后才说到经济的。

中国是农业大国,文化基本上是村社文化。中西部有相当多的国家级大型企业,工人阶级原本是先进的阶级,但现在大型企业多不景气。据我所知,这些企业几十年来在那里,已形成了一整套的小社会体系,工人可以不出厂区,在那里几代人一起生活、生产、消费,早已沦入新的一种村社文化之淖塘里。张家港的企业多是新生的,每一个企业在开始都是极简陋的工作条件,极简单的管理机构,一步步滚雪球似的发展。中西部呢,只要一沾国营集体性质的企业,要办一项事,先是得有办公楼,得设置这样室那样科,得有家属区,哪里还有盈利和盈利了扩大生产?

一边参观,一边思想到中西部的现象,说给老宋时,似乎满脸涨红,很是气愤。老宋说:"好像你有治国之才!你当的西安市文联主席,一年倒去不了单位几次!"我嗤地笑了,说:"总统不一定就是个好村长!"脑子却又在想,中西部经济搞不上去,不是说那里的干部都是庸才,那里仍有出类拔萃的人物,仍有雄心勃勃想成就事业的英才,但往往你放开大干时,受牵限的太多,有来自主管部门的,有来自同僚部门的,烈火不停地被冷水浇灭,人也就没劲了,恶性循环,人人只有混着下去,似乎什么都抓,什么也抓不起,做一个平安为好的维持会长罢了。那么,张家港的领导是怎么干的,为什么能得心应手,在时下中国法制并未健全的时候?

有幸的是,午饭中见到了秦振华书记。秦出身农家,没有多少文化,是典型的工农式干部。快六十岁了,不见老态,发际极高,前额阔大,似有豹相。言语紧急,做大动作,滔滔而言。他的话我一句也听不懂,但那气势能煽动我。我喜欢这人。

工农式的干部我经见得多,往往有这样那样的毛病,但大多相当可爱。世上的女人易出现两极人物,农民更是如此。江苏这一带有许多干出大业的村、县、市,领头人都是农民。农民在一般的观念里是保守、小气、自私,但农民往往没负担,敢于冲出束缚,一旦出头,叱咤风云,不可一世。现时改革开放,社会主义初级阶段允许一切兼容,农民就以各自的形态出现,采用不同方式创业。河南南街村是一套治业办法,江阴华西村是一套治业办法,无锡西塘村是一套治业办法,秦振华又是秦振华的一套。如果细细研究,这里边有些是各种因素的集合体,有现代的,也有封建的,有民主的,也有专制的,有西方的管理体制,也有中国儒家的仁亲之术。一个国家的发展,得有国际大环境气候,一个地区的发展,也得有国家小环境气候。邓小平的伟大,是他开创了新的治国政策,使这些农民人物充分发挥了想象力和创造力。发展是硬道理,逮住老鼠为好猫,已不论是黑色白色。一些人对这种现象似乎很不惯,那是局限于一时一地的问题,缺乏天下目光,不站在治国位置上思考。毛泽东的一首《雪》,令所有做诗填词人惊叹,家雀哪里有鸿鹄之志啊!

下午,《文学报》的郦国义、徐福生,与《新民晚报》项伟回上海,南京方面的作家、编辑及有关人回宁。张锲、王光伟、周桐淦等同我和老宋去昆山市。临走,郦国义叮咛老宋写写我的情况给《文学报》,老宋告知我,我谢绝了。来江南之事再不要做文章,我不希望做新闻人物,作家只对应作品,别的毫无意思。天又降雪,司机说,多年不见下这么大的雪了。

一月十八日

昆山也是县改的市,但是老城,老城而新,比张家港市繁华,文化味也浓厚。昆山的领导人为知识型,有上海味,形容文质彬彬,谈吐温文尔雅,另一番景象。昆山人多不服张家港,苏南地区市与市竞争十分激烈,这是可以理解的,何况昆山也是全国的名市,一样富裕。据说昆山的外资企业发展得很好,手里有大批的钱,城建就改造得好。

因为张锲回京的飞机是下午三时,一早大家浏览市容,便同去周庄。昆山有可以炫耀的"城市广场",如大连的"国际大厦",这是年轻的领导人的新式思维所致,一般的中小城市难以做此动作。国际上评价新加坡的李光耀:小国家,大总理。"城市广场"和"国际大厦"的修建,也足以体现两市领导人的气派。昆山的副市长徐崇嘉说:"城市从市容来讲,需要一个广场,我们的广场建起来,象征着一个农业小县怎样过渡到了一个现代化城市的意义。"这广场确实气派,有水有桥外,一尽草坪,而广场边的办公大楼极其雄伟,将市委、市府、人大、政协等部门集中一起,这也是别处不能做到的。我们的车停在那里,大家跳下来拍照,雪正下得大,不想市电视台得到消息,早有人扛了机器在那里等候。摄像机只是绕着我转,使我受窘,忙摇手,让去采访张锲。草坪外一片水磨石地面,上覆有冰雪,下却消化,我企图从上面通过,才说句"这有天安门广场的味嘛!"话未尽,脚下打滑,三次要倒,三次努力平衡,慌忙中四肢乱抓胡蹬,终啪地仰面倒在雪水里,大衣尽湿,水灌了袖口,大拇指紫青已不能动。大家急去拉扶,一脸的狼狈,却说:"江山如此多娇,引无数英雄竞折腰!"

周庄,水乡古镇。一入其内,便见小桥,桥是石板所拱,桥缝里竟生构杞,胳膊粗细,一派古意。街没街,流水代之,幽幽似死水,但白亮鲜活。人家的屋舍短小,构造精巧,沿水而筑,随高下弯曲之势赋形,台阶即河岸,有码头,有缆船石,敞窗上有斜搭的晾衣竿,竿下有垂着的吊水的桶。从石驳岸上悠悠地走,屋檐上的雪开始融消,水扯了线地滴,你的思绪也线一般的扯,扯出了清代明朝的诗来,一时自己怅然若失,不知今夕何年。接待的是年轻的镇长,他领我们看沈厅、张厅,两处极考究的古宅,解说什么叫水墙门,什么叫河埠、墙门楼、茶厅、正厅、大堂楼、小堂楼、过街楼、过道阁,正厅前的轩廊有多深,旁边的备弄有几个壁龛,屋后怎样为两坡硬山顶,除天檩至七檩为单屋顶棚,其余又如何为双屋顶棚,穿屋而过的小河可叫"箸泾",敞窗下的木棱式拉杆便称"美人靠",这一切一切的结构则可是"轿从前门进,船自家中过"了。参观了沈、张二厅,我们就跑着看那十座石桥,难忘的是那南北市河和银子浜交汇十字处的联袂双桥,桥面一横一竖,桥洞一方一圆,宛如钥匙。再是那富安桥,桥头的楼,有五块石头采自陕西安康,石质坚实,颜色深赭,一块在桥东做栏杆,一块做桥阶,三块铺在西桥堍,最是那贞丰桥,桥西侧,有一"迷楼",曾是"南社"柳亚子、叶楚伧、费公直等人诗酒聚会之处。周庄人现不愿说"迷楼"当年风流事,但进得楼去,上到二层,四壁墙上却悬挂着这些文人昔时写就的诗文,分明有着寡妇店里的酒美、阿金的秀色可餐的内容。诗酒会友,纵情谈笑,文人毕竟是文人,抒的真性灵,写的美文字,事过境迁,虽然墙粉脱落,油漆斑驳,却长留着一段长长的遐想给后人了。

连日来,张锲已十分疲劳,他是领导,什么行动他都领队,应酬最多,说话最多,又马不停蹄参观访问,游完周庄,看着步履却不整了。在一家饭店吃过万三蹄肉、韭菜白蚬、水晶虾、三味圆和莼丝鲈脍,便与我们告别。他又是嘱咐了一番,末了对老宋说:"平凹就交给你了,你要照顾好啊!"我不觉一时伤感,眼里热潮,忙别过脸,恰雪大如撕棉,可以掩饰。

张锲往东,我们往西,两个半小时沉默不语到了张家港。在市委大院寻到宣传部,由新闻科长卢润良接待,安排住进市党校。房间奇冷,幸有空调,打开多时,身上始有暖意。看窗外,天已经黑下来了。

一月十九日

卢科长七点准时来敲门。这位张家港的"第一笔",穿一件黑呢外套,长目突颧,言语不多,办事踏实。人是有气味的,有的人无冤无仇的却一见反感,有的人则气味相投,昨日下午交识了卢科长,就感觉我们能合作。在张家港期间将一切由他作陪。我们大致作了计划:一是尽量收集各个方面资料;二是去不作为集体参观点的一些村镇,深入到村民家中;三是具体接触一些市、镇各方面的人物;四是听卢本人随便介绍。

这一天,我们三人上街闲逛,想走到哪儿是哪儿,就去了居民区,过小巷,穿通一家菜场,看小吃点,到公共厕所,进书店,瞧报摊,与清洁工交谈。一路信步,见什么问什么,巷巷道道,圪圪崂崂,直转到天黑,人已冰棍似的冷。

张家港的卫生程度,确实无可非议,在偌大的中国简直是个神话。所到之处未见垃圾、污水和乱七八糟堆积物。在一个小巷里,我瞧见一个行走的老头从地上捡起了一片废纸,转身去一个古亭似的一间小屋前,将纸片从窗口扔进去,然后继续走他的路。我也走近那小屋,小屋原是垃圾站,里边放着一个大垃圾箱。天冷,当然没见有苍蝇。老卢讲,热天也没苍蝇的。去年夏天秦书记在沙洲宾馆陪客,突然发现一只苍蝇,立即给主管城建的副书记顾泽芬打电话:"沙洲宾馆发现了一只苍蝇,请你重视一下,查查苍蝇的孳生地。"如今狼是没有了,要看狼得上动物园去,张家港的孩子们以后要认识苍蝇,可能也得去苍蝇标本室呢。

我和老宋都是烟鬼,往常一晌得吸一盒的,今下午竟不敢抽。去一家邮局,过道的角落放着一个垃圾桶什么的,我说:"这里可以吸吧?"烟掏出来,想了想,还是装进兜了。我庆贺我竟能抗过一个下午,但一回宿舍,却连吸了三支,自己也恨自己没出息。老宋说:"在张家港住上一月,烟瘾绝对就戒了。"我想是的。

张家港的市民如此洁净,靠的是什么? 去居民区看了居民守则,那里实行居民新风牌制度,家家评比新风户,评比的一条便是卫生,若未评上,免挂新风户牌,就要取消一切补贴,如医疗补贴、蔬菜补贴、教育补贴等等,若三次摘牌,对不起,停电断水。新加坡实行有鞭挞,也是一套严之有效的法规,而这些法规长久执行,居民就习惯成自然地遵守和维护起城市的卫生条约,文明起来了。

张家港的市树是香樟,大街小巷都栽有这种树。香樟是名贵树木,恐怕只有张家港敢以此树作市树的。据说,公安局大门口有两棵较大的香樟,改建路面时,有人以妨碍出入而要砍掉,秦振华亲自干涉:不能砍,要砍得我同意!张扬大道上装什么灯,秦振华也要过问,选定北京机场高速路上的灯的式样。一个市委书记除了抓大事,也管到了一只苍蝇、一棵树、一盏路灯,实在是少见。

张家港短短的几年里建设成这样,它提示给中国的最重要的一条,即是一种精神。他们满到处也在写着他们的口号:团结拼搏,负重奋进,自加压力,敢争第一。这是一股清正之气,是一种扎扎实实,有别于中国一九五八年的"大跃进"。

经济抓上来,人自然追求文明。领导层真正公仆式地为这个城市辛勤工作,群众就会齐心协力跟着来。我问老卢:这里社会治安如何?回答是,一切平安无事。当然有警察,公安力量甚至还比别处强,主要是防止外地流窜作案的。

一月二十日

遇到中央党校赵教授,她是研究当代社会问题的,我们便结伴而行,去杨舍镇。杨舍镇的办公楼一般,在陈旧的会议室里与镇上领导交谈了半天,就去农民家。其中一家居上下两层小楼,实用面积二百五十余平方米,且装饰得富丽堂皇。赵教授大呼小叫:北京城里部长也住不上这么阔的!屋主却说:"我这家算不了什么,在村里仅是中等水平吧。"赵教授遂问我居住如何,我说两室一厅四十三平方米,还是借居的。一想到自己的住房,我就蔫了,一小间是七十岁的母亲住的,除一张小桌外,堆满了杂物;一间稍大,安我的床,安我的桌,讲究着安一排低柜放电视机录放机,仅仅再放下两个小得可怜的书架,衣服就一沓一沓堆在床头。客厅见天要接待各路来客,沙发得有的,茶几得有的,那就只留下仅容一人通过的空地。厨房里的窗台堆放着我的书,案板除了擀面切菜,铺上毛毯即是书画桌。

因母亲在,弟妹便常来,晚上睡不下,我只好出去寻人打麻将,一打通宵,打着打着一想房子就来气,便要输得一塌糊涂。我给赵教授诉苦,诉着诉着倒笑了,说:"古句说'普天之下,莫非王土',这是指王的,如果记者称无冕之王,作家也算是吧,那也该是普天之下都是咱的了。再说,人睡着了,还不都是仅占一尺宽的地方吗?"老宋就笑我阿Q。

最后去的一家,是小河坝村。一进门,一个女孩就喊:"爸!爸——!"楼上有应声,循梯而上,梯扶手上才刷了油漆,墙上的彩色图案还未干,小小心心走上去,那个叫葛金才的提着一支毛笔从一间小屋出来,他是正在那里作画呢。这是位在村企业上班的农民,下班回来竟喜欢绘画,工笔画是十分的到家,画纸上老虎才成形了头,神气毕现,似乎破纸欲出。此人腼腆,交谈时直挠头,所说什么我听不懂,却由小女儿翻译。

曾在别的地方参观过许多富了的农家,房子也大,装修也好,但摆设零乱,一看就是农民住所。这里所到之户,都极讲究,与大都市人家没有两样。

现今中西部和东南一带差距颇大,而中西部的城乡差距又颇大,这里城乡一致,穷富无较大区别,故安居乐业,社会稳定,禁不住为中西部犯愁。可以说,在那些贫困落后的地方,我们都是有罪的人,都应该有一种忏悔意识。对待"文化革命"是这样,面对当今现实也是这样。张家港依然在中国,能这样迅速改变面貌,是有秦振华一批人,他们首先以自廉自清而破"网"而出,当然广大群众就会热烈拥护,跟着一起干。而他首先是面对着农民,改造和引导,以很高权威行令。

在小河坝遇上的村长助理,读过我好多书,后应要求在村娱乐室写字,接待的一位女子也认出了我,她也是我的读者,并遗憾她的一个朋友不在,"我朋友是一个'贾迷'!"在这样的村子里有我的读者,我感到欣慰。

返回住处,给女儿电话,因走时匆忙,未能给她招呼。孩子上高中,正关键的时候,作为父亲很少能照看到她,使我心里隐隐作痛。西安也落了雪,上苍保佑她骑车安全,学习能有进步。

一月二十一日

雪。又起了风。房子里的温度低了许多。数天来腿杆子发痒,洗了澡仍是痒,又未见长什么疹子,怀疑是不是气候不适所致?换下了衬衣衬裤,水凉又懒得去洗。昨晚吃饭时明显吃得少了,给厨房管理员说想吃些馒头,今早去时,端上来却是包子。老宋问有没有不包馅的,人家说:哦,你要吃大包子呀!原来这里把馒头叫包子,把包子叫馒头。南北人饮食是这样不同!按五行说,南为火,北属水,但北人刚南人柔,而且北人喜食麦面,麦为阴性生殖器形状,南人喜食大米,米为阳性生殖器形状,是一方水土养一方人与物,人与物又相济吗?不明白的是江南这般潮湿,为什么这里人什么食品里都放糖不放辣?我们每顿饭都提出要辣子,大嚼尖椒的时候旁边的人都惊得龇牙咧嘴。对于饭菜,老宋的口比我粗,他说我不是美食家。其实什么都能吃,吃又吃得饱的人并不是美食家。美食家是在特定的饭菜里特别讲究色、形、味。比如我喜食面,但面食几十种,爱吃宽片面,不爱吃细条面;爱吃炝锅宽片面,

菩薩

己丑 平四

芳已待

戊辰年四十幸已秋

山之舞
辛巳画

不爱吃捞面;爱吃素菜炝锅宽片面,不爱吃肉臊子和炸酱面。老宋就笑起来,说我是穷讲究,一生烟钱比茶钱花得多,茶钱比衣服钱花得多,衣服钱比吃饭钱花得多。他又开始讲中国八大菜系,一样的鲤鱼,川菜怎么做,粤菜怎么做,鲁菜怎么做,淮扬菜又怎么做。我就批判道,中国人在食上花样太多,才导致了中国人的胃口退化,小孩子得了厌食症,大人才变着花样哄诱着给吃,越是这般,越是厌食。中国的食文化是一种罪恶,中国人常常恨自己体格不健,抗衡性的体育竞赛比不过洋人,根子就在吃上。这个早上,因为没有吃好,两人却为吃闲聊了半天,直到卢科长来,争辩才告结束。

老卢抱了一大堆资料,我们开始吃书。我细细地翻阅一本张家港的《文明市民守则》。类似的守则可能别处也有,但往往贯彻不力,流于形式。人们习惯了走形式,这种恶习已经严重地危害着各项工作,更严重地涣散了人心。张家港人成功在于大事小事都贯彻法规政策,取信于民。据老卢说,市上开千人大会,宣布几点开会,谁也不能迟到,曾经有老领导迟到过,这老领导就当众作检讨。

党校两位校长来看望,送"东渡"烟两条。

东渡,指鉴真和尚去日本传授佛法的历史事件。鉴真曾五次渡海,均未成功,有一次甚至被风吹船到海南岛,第六次于张家港的黄泗浦扬帆启碇,方取得了成功。于是,张家港成为象征成功的地方,故当地产有"东渡"烟、"东渡"酒。张家港人经济头脑发达,产这种香烟,价钱颇为昂贵,且全市境内大多出售这种烟,而别的香烟品种很少。品尝着烟,忽然发笑,想起我在西安的住处,正好是鉴真受具足戒旧址,而今又到他东渡之地,觉得十分吉祥。

翻一份资料,得知此地称作江尾海头,便提出让老卢几时领去看看。老卢说,那是以前的事了,现在到哪儿看去？我又说,新庄里村在哪儿？老卢问:你怎么知道新庄里？我说昨日在院子听人闲话,说到那儿有过美人鱼,常游到海滩边,坐在礁石上,以胸鳍抱了幼仔授乳。老卢就哈哈笑,说:这是民间传说,我以前也听到过。那其实是海豚,新庄里村就出土过宽吻海豚头骨化石的。可领你去新庄里村,你在那儿也见不到海的,哪里还有美人鱼？老卢的话当然是正确的,但我脑海里总出现一个有着鱼尾的美妇人在礁石上露出白胸抱儿吃奶的图像,甚至就又是洛河上甄妃远去的影子,挥也挥不去的。

午饭后,冒雪往塘桥镇采访。

塘桥镇自古以来就是富地方,田土肥沃,天雨及时,但这里人的工商贸易意识又十分强烈,一九七九年以前乡镇企业就有大的发展,近几年步步台阶,乡镇企业已上规模,上档次,着眼外资。张家港的各镇党委书记或镇长均是镇企业集团的董事长或总经理,但他们是不拿企业工资,仍领取行政干部工资。且允许村民搞个体,绝不准一家两制,即有人搞个体有人在集体企业中。我们去的时候,几个主要领导人已去外地谈生意了,接待的是一常委叫裘嘉云的。小伙子十分精悍。因政府大楼内不能吸烟,我们到村宾馆房间说话,他的手机就连续鸣叫,他得不停地用本地话讲什么,然后再用普通话和我们交谈。随后,由他领着去村民家,专门去看看各类家庭,所到之处,无不令人叹羡。又去了镇文化站,那里文化设施俱全,且村民娱乐全都免费。重点参观了围棋室。塘桥镇是中国围棋之乡,全镇两万多人,竟五千人能下围棋。在一家遇年轻夫妇,都是大学毕业,现为镇企业中技术员,也都喜欢文学,对我去他家十分高兴。镇落比市区相对集中,正是下班时间,街上多是女子,一问都是外来打工妹,就有一个着红呢大衣的和我擦肩而过了,愣了愣,又返过来问我是不是姓贾,我知道又遇上一个读者了,点头说是,她就跳起来,说她读过我的书,能不能给签个名,就要跑回宿舍取书。我说我还有事,怕等不及的,她想了想,就掏了手帕让在上边签名。晚饭在村宾馆吃,服务员也认出了我,絮叨她们读过我什么书什么书,又是签名,又是合影。这一路处处有读者,倒让我惭愧,恨自己写得少,也没有写出什么更好的东西。

苏南经济发达,却又读书人多,这是我意料之外的。

据我了解,在陕西各县,大凡读了大学的,难有几个愿回原籍,乡镇企业因缺乏技术人员、管理人员,往往只能从事有地方特色的、手工的、鸡零狗碎的项目,难以上规模上档次,以致恶性循环。张家港全国第一家县级市办大学,目标就是为乡镇企业输送人才,我上边提到的那一对年轻夫妇,就是大学毕业后已分配到上海,又返回到塘桥镇的。企业的现代化,又吸引了外地人才纷纷聚来。据介绍,这里外来的大学生、研究生很多,甚至有博士生也从上海、南京来就业。裘嘉云的谈吐风趣,他是熟悉我的作品的,时不时就说出书中的情节和人物,我尽量避开谈文学,让他谈塘桥。从数年间的塘桥发展看,张家港人已摆脱了说空话,发展是第一位,他们选用干部就是要位子就得捞票子,捞不来票子退位子。坚守一个主意,有经济地位就有政治地位,没发展什么都不是,发展了什么都是。而抓经济,又是以政府来抓,集体来抓,人人收入大致平衡,故社会稳定,人的文明程度相应提高。

有一种说法:南方的文人北方的将,陕西的黄土埋皇上。江南之地当然出才子佳人,但奇怪的是倒出大英雄,自古以来产生了多少显赫角色!那个朱元璋在南京建都,也是个农民,成就了大业。朱元璋值得再研究,此人遗传给后人的有哪些东西?在华西村,在张家港,接触一般基层干部,所谈之语言,常有五十年代至七十年代的毛泽东时期的痕迹,但他们就靠这些提心劲,凝聚着民众力量。毛泽东也是农民出身。中国又历来是农业大国。农民性格里除了习惯说的落后、保守、自私之外,还有什么成分?怎样把握中国特色?这些问题值得沉思,可以说得明白,也可以不言传而意会。人治当然不如法治,而时下中国,还得从人治过渡到法治吧。无论如何,将军济济,于民无福,企业家辈出,必然社会富强。

苏南一带,极少见到教堂和庙宇。

一月二十二日

无雪却是雨,往华西村去。实在没想到,张家港到华西村坐车仅一刻钟时间!

进村便是一个大的广场,三面看台,一面的一边是凤凰楼,一边是龙头馆,龙凤呈祥,中间的大戏台称作龙凤阁的。仰头能见远处的十七层塔形华西大楼。这里的颜色大红大绿,十分吉庆,如到了什么游乐的地方。广场角有一处房子,挂着接待站字样,进去接洽,一位副村长和接待站的吴芳已等候多时。从屋内顺楼梯而上,竟到龙头内的歌舞厅里。华西村不禁止吸烟。我们坐在厅里交谈,吴芳的口才极好。后叫陈旭的小伙又携来一卷材料。他们早知道我要来的。我说明了原先中宣部和中国作协安排我挂职长住华西,后又决定在江浙跑动的原因与经过,便笑着对老宋和同去的中央党校的赵教授说:"要不,我也是华西人,你们来我就做导游了!"吴仁宝不在村,无缘见面,副村长陪了一会,村委会又有会,电话催去了,两个年轻人就陪我们参观。先后看了村容,再去"农民公园"、"世界园"旅游点、华西大楼、村民住宅、村区长廊等,一边走一边提问,大致了解了华西村历史、人口、收入、村班子组成、村区建设。可以说,在华西令我特别兴奋,引发了我许多深思。黄昏返回时,脑子里还是萦绕着那些问题,夜里写下观感。

一、华西村是中国首富村,无论怎么富,却保持着农村的特点,仅从村中一些设施建筑,处处无不渗透农民的思维。导游的两位年轻人,一口一个"老书记说"、"老书记认为",自自然然,又充满自豪,可见吴仁宝的权威是很高的,这种权威建立在村民的完全信赖上。这里的一切规划,包括在哪儿栽树,栽什么树,都是吴仁宝的点子和要求,吴仁宝的意志得到完全的体现。吴仁宝虽未见到,但在张家港时就听到关于他的许多传闻,比如,他总结华西是"不土不洋,不城不乡",他用人之道是"大材小用,小材大用",他为儿子起名,名字里分别要用老一辈国家领导人的名字中的一个字。他是有他的特有的农民思想,且较有体系,是一个相当不简单的人物。

二、"农民公园"大致景点有"议事厅"、"桃园结义"、"三顾茅庐"、"生肖亭"、"鹊桥会"、"建业窟"、"二十四孝亭"和"寿苑"。这个公园作为村民休息地是次要的,重要的在于教育村民。吴仁宝理解干大事就得团结,团结如桃园结义,治村乃同治国,刘玄德定都之后,北让曹操占天时,南让孙权占地利,他占人和,西和诸戎,南抚彝越,外结孙权,内修政理,先成鼎足,后图中原。实现华西目标靠什么?就得顺应大局,先是坚持靠思想教育,靠党的政策,靠干部带头,再是靠"一个中心,两个基本点",靠实事求是,靠"自己有错自己改",后再靠正确决策,靠科学管理,靠整体提高。这里有吴仁宝的精明性和适应性。"鹊桥会"是男耕女织的传统耕作生活的缩影,吴仁宝推崇这种生活境界,他意不在什么爱情的顺利和挫折,只看重牛郎,牛郎也可以找天上的神仙,牛郎也可以升天。而牛塑像最大,又取意于纪念牛,不要忘了农民的根本。二十四孝,别的地方是不宣传了,华西却造亭塑像。"寿苑"是水中曲桥,第一亭就是花甲亭,桥曲最多,下来是古稀亭、喜耋亭、庆耋亭、期颐亭,然后前面不再架桥,转身而回,取返老还童意。这又是农民对生活的理想。有意思的是,既然以人生道路建桥安亭,开首一亭却是花甲亭。我问吴芳:吴书记今年多大了?吴芳说:"六十七了。"华西大楼原准备盖一般性大厦,吴仁宝认为你盖二十层,可能外地也有盖三十层的,那就不稀罕,他要的是第一,便修成塔形,既实用,又有传统性的修庙建塔的纪念意义。村中的长廊纵横几条,相当气派,样式类如颐和园的长廊,令我想到了阿房宫。一切建筑都大红大绿,但塔式大楼十七层内,所有的柱子、门框、窗框,皆金黄色,有皇宫气象。华西村环境卫生比张家港差,吴仁宝并不在意,据说别人问起,他说:要那么干净做啥?!

三、中国是农业国,第一次社会变革,知识分子最先觉悟,但最早起来干的却是农民。安徽的农民第一个起来分田搞承包责任制,乡镇企业还不允许时,张家港的杨舍镇偷着干,华西村偷着干,上边有领导来,关厂门隐蔽。这些农民,若有大志,绝不循规蹈矩,虽不能去治国,但一定要将本土,即在他的权力所在之地治理出样来。农民政治家在成就大业中,吃苦,敢为,有狠劲而颇具心计。

四、历史上各朝各代,江南均有"巨富"、"大户",有传统的聚财敛富经营之法。现江南借地理、政策、现代管理之优势,同样出现"巨富",只是不在个人,而以村、镇形式。但虽以村镇集体富裕,而领头人满足的是成就感。这些村镇细究起来,大多还是以氏族为纲系。现在社会,以个人暴富,往往难以长久,以集体富裕,国家保护,社会亦不产生嫉恨或侵害。事实上,领头人也都有政治地位,挂职了地委或省委,或是全国党代会代表、人大代表、全国劳模等。值得思考的还有一个问题,一个农民在本地本土贡献赫然,形成绝对权威,又易出现传统的封建方面恶习。昆山周庄在明代有个叫沈万三的,当时号称"江南首富",朱元璋定都南京,他助筑都城三分之一,但他又提出犒军,朱元璋则怒了,说:匹夫犒天下之军乱民也,宜诛之。后谏曰:不祥之民,天将诛之,陛下何诛焉!才放过沈万三一命,发云南充军。沈万三是农民,朱元璋建立的是封建政权,他更是农民,农民最懂得农民。

五、华西"农民公园"有两个景点,别有他意。一是"桃园结义",塑像为一棵桃树上,张飞立于树上部,关羽蹲于树中间,刘备双足踏地,抚膝安坐树底。村人说:当年张飞提出,树作证,谁爬高,谁为长,说完一蹿到顶,关羽蹲中间,刘备坐树根。二是"生肖亭",十二个动物列位一圈,圈外有一猫。说明是:猫发起点生肖,但猫忘了自己,猫也乐意当帐指挥。这些塑像内容和形式是吴仁宝的点子,制作者是村中工匠。吴仁宝的意思或者是要说做人要有根基,要以农业为基础,要先群众后自己等等,却是不是也表现了他作为村中老大身份的一种自得自信呢?离开华西村时,偶然得一消息,说华西村的接班人为吴仁宝侄子吴协东,又听同行人讲,有名的无锡西塘村也是如此,而一些有名的富村也有这种现象,不禁又生出许多感慨。

昨夜南京方面来电话,是中国作协要求查问这边的行踪,今早刚起床,秦友苏即来电话,老宋一一作了汇报。

刚才给家电话,询问母亲状况,一切还好,说到这里吃饭了,母亲说:"这些日子了,还没吃到面呀!"就又问几时回家,叫苦地天天在盼着。陈每亦来电话,说了一大摊难事,都得等我回去解决。末了,知这边晚上寂寞,叮咛要注意调节,譬如夜里去逛逛夜市呀,去歌舞厅呀。唉,天这么冷的,往哪儿去了?老宋买了一副扑克,但两人又玩不成。

一月二十三日

看天气预报,雨雪还得持续到月底。已有些感冒,趁早吃强力银翘四片。厨房为了满足我们的口味,特去街上买了拉面来下,但面下得太软,又无什么调料,难以下咽。人家一片苦心,只是不会操作,万不可晾好人,我强吃了半碗,老宋吃一碗半。

午去南通,摆渡长江。我老家在丹江边,丹江入汉水再入长江,全然没想到这里江阔八里,水波连天。时雪雨迷蒙,望不清彼岸,依船舷下望,混浊水面,摇曳片片,如削面团,触景感怀,想坎坎坷坷半生,事不成事,家不为家,更是一颗心揪心这个,放不下那个,自己倒落得悗悗惶惶,不禁心事浩淼,顿觉苍凉。

登岸见南通港务局邹美祥等三人已在等候,才知老卢早已通知他们,遂受其安排,参观了码头,走游街市,于一家白宫酒店吃饭。南通是古城,为苏北富地,但明显差于张家港。而所到之处,皆遇着我的读者,见面备说对《浮躁》、《废都》、《白夜》的见解,有得知者,疾跑回家取所藏的我十余种书来签名,并恳求书法,故在酒店书写十余幅。

原来来南通看看,感受苏北的状况,不料谈说间有人提及本地有狼山,有水绘园,问了狼山有寺院,是南通一旅游景点,并不在意,说到水绘园为明末冒辟疆和董小宛的旧居,颇多向往,就改变速回张家港的主意,驱车往百里路外的如皋去。

水绘园在如皋市北,如皋意为"到高地",明清时极为繁华,"士之渡江而北,渡河而南者,无不以如皋为归"。冒辟疆伤于国事,绝意仕途,携秦淮名妓董小宛回住老家筑水绘园游觞啸咏,才子佳人知己,留下无限佳话。其实,此地两人居住并不长,董小宛才艺双绝,却红颜寿短,二十八岁而逝。冒辟疆作《梅影庵忆语》风传一时。他则寿至八十三载,于董小宛后又娶二妻,晚年在狼山一带卖字画为生。相传他曾在树上架床夜眠,意在上不顶清朝天,下不着清朝地,现水绘园还挂他一条幅手迹,落款"巢民"。游园讲解是位姓石的小姐,喜好文学,讲解十分有激情。她知道我曾写过冒辟疆的事,当文化馆的一位摄影师送我一张董小宛的昔年绘像照片时,她说:"你的唐宛儿老以董小宛自比,恐怕唐宛儿没见过董小宛的绘像,你也没见过吧?今日送你一张,说不定董小宛要认你也是活着的冒辟疆的!"众人大笑。末了,她从怀里掏一本《白夜》求签名。参观毕,天已黑,文化局长得知,邀去吃饭,恰市里召开文化会,摆席两桌。席间,俱来叙酒,必言及读过我的什么什么书,虽多为寒暄,但此地读书人多不假,且读书均有各自见解亦不同于外地。

参观水绘园时,忽想起欠文债一事,是离开西安前答应了为作家孙琪一书作序的,因走时匆忙,未能作成,来江苏每日早出晚归,竟忘了此事。今夜便不单独说记水绘园情景,意欲序里提及,不想冲动即起,略作构想,将序粗粗的框架写下,待回去后重抄给孙琪了。

老宋买了一副扑克,但两人又玩不成。

序文如下——

西安城里,孙琪家是老户,住仄巷旧宅,有砖饰,有雕梁,吃饭要坐桌子细嚼慢咽,竹竿撑起菱格揭窗子,看得着花架上的××,可以染猩红指甲。长长的身子在镜前剪刘海,爹在院子里——爹也在镜子里——翻《康熙字典》,问:"女孩儿叫琪,什么意思?"词条上解为美玉。斑驳的山墙头上恰掉下一片瓦来。从此自改了名字,叫雨薇。那是十年前春天的事,院里的紫薇成蓬,枝蔓如铅笔画出的一堆线,素素的花一串一串吊着,在雨后湿淋淋地闪光。

我以前不认识雨薇,识时雨薇已半老,常穿素服,知书好佛,态度与人异同。渐熟,每有闲聚,她必来,来却迟到。我喜欢拿出新作的文章念给众人听,人都听着,她只是趴在桌上那架琴前,无声地抚着,吃吃笑。念毕人皆奉承说好,她则批点,由文及人,言语尖薄,见解却是精绝。自然中心转移,大家便听她的说道,她偏正话反说,反话正说,戏谑里又空白太大,将听者都装在套里,待觉悟过来,没有不骂她是鬼狐子的。

雨薇是有趣的女人——人无趣不可交——朋友们就乐于同她聊,但绝不单独与她相处,她太聪明,说不过她,你肚里的意思还在酝酿,她似乎就知道了是什么,便觉得累。她后来清楚男人们最终喜欢的还是简单女人,就不大来参加闲聊。

遇到她丈夫,问到她的情况,她丈夫说,下班回来,闭门不出,瞎写吧。雨薇不仅是读者编者,还要做作者,她会写出怎样的文字?又一回闲聚,大家挂电话强逼她来,她先示出一张纸片,上面密密麻麻千字文,我锐声叫好,她竟从兜里掏出一大卷来,篇篇清丽,大家都惊骇了。后来几篇被人拿去发表,惹动了诸多人读,社会上已嚷嚷西安又有一个才女了,她却极少动笔,班余洗衣买菜,玩琴习禅,走动近乎绝迹,只是有电话来,说:你们话写作,我是活人,哪儿有恁多文章?她的话说得我们羞赧,聚会也自此渐渐散去。

但她的文章毕竟还好,有人就怂恿结册,她仍是不肯,待他人为她集了起来,她推辞说,平凹肯写序我就肯出版。这话传到我耳里,去电话问她,她说:"你还真肯写?你怎么写?"我问她一年来做什么,还写了什么,她在电话里吃吃笑,说:"守身如玉,惜墨若金吧。"笑得话筒也掉在了地上。

　　答应写序,原只是要促成她的书出版,但君子出了言,却真应了她的问,该怎么个写去。正寻思哩,接北京方面的指令,赴江浙一年,不辞而别了。今日来到如皋,无意中得知明末冒辟疆和董小宛旧居在此,哦的一声,急急赶去,见识了一处小小的园林,是称作水绘园的。水绘园建筑是徽派风格,一半为水,唤做洗笔湖,一半为屋,有匾"水明楼",格局约束,构筑却极精雅。时天降雨雪,隔菱窗花墙见雪如絮入湖无声无痕,顿觉阴冷异常。穿过一堂,过窄廊,在庭院间看奇石异木,浑身已索索颤抖不止,直到书堂立于冒、董旧日画像之前,忽然平息,不知什么缘故。书堂过后,有琴室,双层透雕的红木竹屏里,一长桌供香,一几案置琴,琴已不在,有河泥烧制的空心琴台,鼓机在旁。伫立长久,逮不住湖风里有一丝音韵,低头又往琴台案下看看,自然不见那长裙下一点鞋头,地砖粗糙,缝合模糊。默默又过廊亭,踏梯上楼,楼上隔间更显拘谨,船舱式顶棚,有寐房,有吃茶间,床榻空空,躺椅脱漆。遂想数百年前,复社名士伤于国事,绝意仕途,携才美人栖隐水绘,游舫啸咏,那诗书之笔洗墨于湖,湖底游鱼最知,那瑶琴古时不操而韵,今留琴台,风雪里才诉这般凄冷?一个是秦淮名姬,一个是复社名士,知己人双双古远,这一桌一椅一床一机,明式家具,线面组合,随人体仰俯转折的结构啊,终是留下了多少他们卿卿我我的气息!下楼到"隐玉斋",立于小叶黄杨前拍照留影,小叶黄杨世间只见盆景,这株竟成大树,覆阴满院,不觉浩叹:读书可辟疆,佳人宜小宛。感叹方出,却蓦地想起写序的文债,在水绘园里竟想到了序事,连我也惊讶了。

夜归张家港,急急写就以上文字,已是子时。推窗西望,风雪呼呼,一派迷茫,不知雨薇肯不肯认同这些文字作序?或许让她看了,要说"随意就可",谢我吃茶。前年冬天,她领一外地读者向我索字,写毕了,曾泡着我的茶而说"用茶谢你",修身坐喝于窗前,那读者就笑,她反问笑什么,读者便说她坐姿好,坐着像竖琴。

今夜还能写出这一篇文章来,令我高兴。服四片银翘,睡吧。

一月二十四日

还是雨,空调又坏了,热气不出竟放冷气,只好关掉。同赵教授谈及她提出的一些问题,即:张家港的改革之道与政府职能的转变;张家港对发展才是硬道理的理解和实践;对"铁饭碗"、"平均主义"的理解、改革、实践与张家港人的绝招;张家港的从商之道与市场发育、完善和管理;张家港的整体素质与反腐倡廉;张家港党组织的时代责任感与权威;张家港人才辈出的环境与党的干部政策;社会主义精神文明建设与经济的起飞;张家港的农业发展与农业、农民、农村问题的地位;张家港的对外开放政策与效益等。

这些天来,每看到苏南的发展,无不就想到中国中西部的现状,尤其陕西的现状。陕西的发展拖后原因到底在哪儿?和老宋讨论了多次,原因可能很多,有些涉及国家的某些体制和政策,而仅从我们陕西的实际提出自己的看法。

一、自然环境差。陕西一省包括几个生态区,北从沙漠,向南依次为黄土高原、关中平原、秦岭山地、汉中盆地,除关中和汉中外,其余皆自然条件极差,稍有天旱雨涝便成年馑,人的意识里总有温饱的恐慌感,即使手里有钱,亦不敢经营大的事情去冒险,一切留着后路。

二、西安为陕西省会,经济比较发达些,但全省穷,西安负担极大,这就又影响到本身的再发展,使龙头不能跃起。全省贫困面大,有钱不能集中,分散使用,又使全省缺水短电,投资环境不好,外资难以吸引。

三、内陆环境造就了民性的保守,背上了内陆意识的包袱。而又曾是唐以前十三个王朝建都之地,文物遍地,意识里还有一种老大自尊,先是口上不服输,等不得不服输了,又易产生浮躁气。

四、有延安圣地,老区意识严重,有依赖中央救济思想,观念陈旧,虽"自力更生、艰苦奋斗"精神是正确的,但一味这么讲,永远这么讲,不符合时代潮流,其实是一种无奈和惰性。

五、普遍缺乏超前意识,事事不敢为先,对一些新生东西,没有先例的事情,宁"左"勿右处理。对基层或第一线干部太苛刻小节,挫伤积极性。

六、重厚实轻机巧的文化观念,影响在经济领域里的适应性和主动性,常常错失机遇。

七、农耕思想根深蒂固,经济管理人才短缺。

谈论和思考这些问题,使我不时想到已写出数万字的长篇《制造声音》,此长篇原计划前半年写出初稿,现在得拖后了,但许多方面能得以完满,毕竟欣然。

明日准备往昆山,宣传部晚宴送别,席间不得已又喝了些"女儿红",回来身子明显不适。因空调坏,稍有感冒,头痛,服索密痛一片。后勤人员拆除了旧空调,重换了新的。

一月二十五日

雪更大,到昆山时天晴日出,路面雪已消融,杨守松和宣传部马部长在文联等候。这次南行,走时西安大雪,到南京大雪,到张家港大雪,两次来昆山又都有雪。老宋说:"你属龙,是水龙王。"我半生里常有这种现象,一出远门便下雨下雪,连我也奇怪。这现象老家的一些人也知道,曾笑说过:咱这儿一旱,你就回来啊!

饭后,安排住到鹿都宾馆四号楼二〇二室。昆山又称鹿城,是明时皇家的养鹿地。多美丽的名字,昆山市里的人物比张家港鲜活,年轻女子多清纯活泼,便疑心是林里鹿的小兽所变。我一直穿那件深色大衣,又短又丑,在街上走,自己也觉得格格不入。四号楼原是县招待所旧屋,房间设备很差,有条桌,没台灯,一把椅子,腿却也坏了,地毯颜色模糊,脏乱不洁。但这也就好了,能便宜些就便宜些。当年我在商州,背个包儿走乡过县,逢摊儿吃饭,遇小店住宿,一月两月回来,生一身的虱子,甚至患过疥疮,折磨我十多年的肝病,就是那一回感冒在山乡卫生所打针染上的。这次到江南,已经是天壤之别了。在张家港时没敢住沙洲宾馆,住党校的招待所,今早结账竟一千六百多元的床位费,心里吃了一惊,虽各方疏通只收了一千一百元,但已经让我害怕了,这样下去一年多,该要掏多少钱?

向杨守松索要十多本《昆山文史》读,大概了解了这个市的一些情况。傍晚在城里转,买药品和方便面。晚给家中电话,陈每正好在家,言及中午去批发市场买得一些年货,心较安妥。母亲说去医院咬了牙模,医院让二月六日去试牙套,问我到时能不能赶得回去?后又与秦友苏通话,汇报了这里情况。

房间里的电视小而旧,只能收到两个频道,昨夜得知今晚转播国内足球赛,但无缘看到。

一月二十六日

原安排与市主要领导人交谈,或具体参与他们一天的办公活动,因领导人有急事外出,只好另择机会。我们便和文联秘书长一道自由活动。

昆山是老城,历来文化味极浓,商贸繁荣,现今外资企业发展最好。翻阅了资料和采访了解了半世纪前这里的绸布业、国药业、百货业、茶纸业、估衣业、酱酒业、香烛业、米粮业、鲜鱼业、菜馆业、铜器业、钟表业、水果业、银楼业,漆作裱画命课缝纫灯笼雨伞储押放款镶牙修脚等等,无不惊叹昆山的驳杂丰富,便知昆山发展到今日,其经济、文化居于省内、国内显赫地位的缘由。南人占天时地利之外,普遍文化素质比北人高,且吃苦耐劳。在西安,乃至整个西北五省民众,有一普遍现象,即大钱挣不来,小钱看不上,那里的裁缝铺、修鞋的、补伞的、焊盆钉锅的、弹棉花的,由大中城市到村镇,莫不是江浙一带人所为。据说江苏陕西干部交流,陕西干部到此虽觉江苏好,仍总是归结为自然条件优越,好是好,无法学;也常有陕甘宁地区输送劳务到此,叫苦劳动强度大,生产纪律严格,吃不消,大部分已返回。

在城中信步走,坐茶坊,进酒肆,入菜馆面店,细细体察昆山风格,可惜软语难懂,多用眼少用嘴,嘴留着吃鸭汤面、奥灶面,面多汤少,盐轻糖重。昆山是昆剧的发源地,可惜昆山已无昆剧院,也少有人唱。中午遇着三位评弹艺人,但见其衣冠楚楚,彬彬有礼,未闻弦音肉声。登临昆山,没有采到昆玉,却亲眼见识了并蒂莲和琼花树。更喜的是得知陆机出生于此,顾炎武(亭林)出生于此,归有光出生于此,瞻仰塑像、壁画,鞠躬作拜。回来至"玉山草堂"书画院与副市长徐崇嘉、书法家陆家衡等诸人以墨会友,书条幅近十张,其中有自联:

一、坐看娄水顾亭林
　　起拾昆玉归有光
二、文笔高挺天下有一峰
　　琼花盛开世间无双树

昆山市以昆山为名,昆山实则颇小,仅一百七十余丈高。城内有娄河一水。昆山上有文笔峰,是一塔,为纪念昆山历史上第一位状元所立。并蒂莲和琼花俱为世间罕见之奇花异木。

还拟一联,但未书出,为:

> 仰头大笑文笔今日成一峰
> 低眉沉吟美莲何时开并蒂

"亭林经济,震川文章",归有光的书我以前曾读过,极为叹服,故寻找了全集看过一个夏天。他说过:"文太美则饰,太华则浮;浮饰相与,敝之极也。"此话甚合我心,亦是合于当今文坛弊病。《美文》杂志三年以来,高举"大散文"旗帜,旨在文章内容上求大气求清正,在题材上开拓范围,虽引起国内散文界激烈争论,我等自信满怀。今到归公家乡,与老宋颇多感慨,祈归公阴佐后学!归氏在《归氏世谱》后有自谓之句:"虽长不满七尺,而心雄万丈。"是个存宏志人物。但他文名著世,招致嫉妒和诽谤多多,也有他"经世致用"之术,即"公怒私愤,义不容默"。我一生坎坷,虽四处说人好话,却常遭人坑害,曾书写佛家语悬壁:"默雷上谤,转毁为缘。"可能归公性情刚直外向。

瞻归墓,在河边桥头道旁夹角地,内一墓一亭,草木不整落叶废纸不洁,有十多人在那里营营吵吵做邮票生意。归墓据说自明后十数次修复,十数次毁灭,今其正墓穴亦不在此。查史料,知:"乾隆六年,县令丁元正主持修墓时,亦不辨东西两冢孰为震川墓,姑筑墓门于东冢之前,适值天暖季节,西冢穴前芦苇中入晚时奇光闪烁,县令疑辨误,适先生嫡嗣归元龙自虞来昆应试,询之,确认西冢为震川墓,遂移墓门于西冢之前。"不知现今奇光将在何处闪烁?

一月二十七日

晴日,多云。苏南几市均属苏州市管辖,颇想去苏州再乐乐,且苏州有诸多朋友。给苏州第一百货公司赵总经理挂电话问询,他竟派车来接,遂去,竟一小时即达。以前对苏州的印象并不好,盖因小巷小桥小园林,太多雕饰。此回苏州大变,单是城建,街面开阔,高楼耸立,式样各异。那一年夜来城中,坐三轮车到一处,拐来拐去许久,后灰昏灯光下过一小巷,窄而曲,如入蛇腹,车一到巷口,就急骤摇铃,招呼巷那头来车暂停,巷中之人纷纷背墙提立,吸收了肚皮让路,偏就有一孕妇侧身不了,只好让她坐车我步行,一到巷头,车夫、孕妇和我皆大笑。这次去景德楼吃饭,似乎觉得那条巷在经过之途,但四下看了,却再未寻着。饭间与苏州人谈起城市老市民老风俗,便谈到一个问题:现在的城市,差不多已无旧习惯上的那种市民了,市风当然日趋不同。那么,文学上的所谓×味小说已不鲜活,而若仍如此求一种某某城味,大都是一种怀旧。这种怀旧之风中国人最甚,在某种程度上暴露了保守。西部音乐、电视、电影、文学是这样,东南音乐、电视、电影、文学也是这样,一种意会加恢复的或制造的旧日风俗,已形成模式。在江苏几座老城,尤其在苏州,我不时想到另一个问题:古人写城市小说,极其有味,今人写城市小说,读起来总觉得味道不悠长,这究竟是什么原因?诚然,过去的城市与当今城市有了质的不同,过去的城市说到底还是村社文化的底蕴,但无论如何我们从事当今城市小说写作就应想办法产生一种味儿来。我也在做这种努力,这或许有这样那样不精到之处,企图不隔就达到满足,因为中国水墨画作现代题材是多么不容易!张爱玲是极力学《红楼梦》的,她似乎一直在写《红楼梦》的片断,但她的小说读起来不陈旧,是加了许多现代感觉,使行文跳跃起来,这一点经验应借鉴。

苏州第一百货商店开设有"贾平凹书屋",这次到一百,见书屋规模扩大,出售的书籍档次也较高,甚为欣慰。后又见到苏州大学范培松教授、作家尹平等。旧友相会,说:"你这回是读万卷书,行万里路了!"我说:"惭愧,路可能有万里,但都是飞机火车或小车在高速路上跑。"遂作想,古人行万里路,是步行或骑一毛驴,"鸡声茅店月,人迹板桥霜",一路寻径问道在恶劣的自然环境中,忍饥受渴看眉高眼低在炎凉的人情世故里,那是真正能体证天地人生,而我奔走,则远远不能了,真和尚和要做和尚是不一样的,因赶路一天没吃饭和吃了上顿不知下顿吃什么是不一样的,这是我的幸,也是我的不幸。

晚,返昆山,不思茶饭。近八时,上海《文学报》徐福生以郦国义之意前来邀请去上海。前日郦有电话来,已谢绝其善意,现又派人来,倒犯了难。最后徐反复强调,又给北京张锲那儿说情,遂达成协议,按原计划提前一天到上海,去看看浦东,三十日赶到北京。协毕,徐未吃饭,我和老宋也觉有些饥,去街上吃奥灶面。面味比上次吃时要差,服务员小姐一边应酬我们,一边口里嚼口香糖,未吃完即搁筷。

一月二十八日

翻身起来,老宋已经不在了,坐在那里吸一支烟,看一柱白光从窗帘一角未遮处折射到那边的桌面上,里边有无数的东西活活地动,一时觉得浑身这儿不美那儿不适的,烟吸了一支又接上一支。老宋推门进来,手里拿着两个小馒头,里边夹着豆腐,说:"又想什么了?"我笑着说:"脑子一片迷怔,发呆吧。"我有发呆的毛病,常常一个人就瓷在那里,脑子里似乎在快转动,闪现各种念头,但实际上什么都没个囫囵,什么都没想。早晨起床,总是这样要坐长久,恢复清醒,要么莫名其妙地愉快,要么莫名其妙地烦恼,我历来是依这时候的感觉来测知全天的情绪了。来苏南,早饭我是难以起来去吃的,老宋起得早,他吃罢了会带给我一个至两个馒头。我穿衣起来,说:"今日天气真好!我记起来了,夜里老是做一个梦,弄得心情怪不好,老是一个孩子,似乎认得又似乎不认得,他将我的鞋拿去了,我光着脚在台阶下反复要,他就是不给……"老宋说:"你会拆梦,这是什么意思?"我也不知道是什么意思。

吃罢饭,同老宋、老徐又往城里走动。老徐对昆山熟,讲叙昆山以前的模样,我随着他的话脑子里便是一幅幅昔日的图景,遂联想到十多天的所见所闻,以江南的地理、物产、语言、服饰、建筑、饮食等等,对照西北,觉得是那样的不同而有趣。中国的文学艺术有过现实主义和浪漫主义之分,这观点我并不以为然,但确确实实分别着一种写实笔法,一种性灵笔法。这两种笔法,我当然推崇司马迁,但推崇司马迁而鄙视那些毫无灵气的笨写法,对于性灵笔法自己很喜欢又轻贱那些小境界。原先只了解司马迁是北方人,当过史官,受过大难,他注重的是一种天下为怀的、史的目光,这一切又以朴素为底色,而不明白性灵之作是如何产生的。来这里见了冒辟疆、归有光、袁枚的故乡,这一类有才情的人原来也是水土所致。才情之人成功之处在于写了性灵而不靡艳。但这些人作品格局仍是逊于司马迁,原因也可能乏于自然环境的恶劣和人生境遇的灾难。曹雪芹当然是才情人,他的文笔灵动胜于司马迁,他又经历过人生苦难,所以有《红楼梦》。写实易于死板,性灵易于小巧,质朴是重要的,格局是重要的,更重要的是体证人生的大苦大难而又从此有慈悲(以佛经论,同类为慈,同生为悲)之怀。

午后,与昆山市文学作者座谈。我自知此行的目的和任务,虽百般推托,但杨守松不允,只好由市文联安排这项活动。来者有近二十人,交谈文学创作方面的事,我主要说了加强在创作中的视角点和作品维度问题。会后,电视台记者采访。

晚饭是在鹿都宾馆吃的,全体与会作者,还有宣传部长,也是送别宴会吧。江南的饭一直不合口味,唯一吃饱的一顿是初到昆山的第二日午饭,那次我和老宋,点了一盘尖椒炒豌豆苗,一盘尖椒炒土豆丝,一盘尖椒炒肉丝,一盆酸辣汤,绝不放糖,尖椒一定要红色的,切成细条。我吃了一碗半米饭,额上有微汗,拍着肚皮说:"这回'鼓腹而歌'了!"饮食里有情感问题,之所以喜食家乡饭菜,有情感上的怀旧和认同吧。

一月二十九日

今日到上海。一九八九年路过一次上海,晚上摸黑到,第二天正逢上海百年不遇的一场暴风雨,就在小宾馆的小房间待了一天,第三天微明又去机场飞走了。上海给我的印象就是一个小房间。这次被《文学报》的朋友安排住在清河宾馆。清河宾馆不大,但极幽静,老朋友相聚,谈笑甚欢。舒适的居住、美味的饭菜和朋友们的热情,使我有一种感觉,似乎我和老宋是四十年代过了黄河去前线后返回到了延安的待遇。郦国义说:"这次一定让你来,上海才是改革之风正盛的地方,整个长江流域是条龙,这里就是龙头啊!下午,你就沿着邓小平走过的路线走一次吧。"饭后稍作休息,徐福生就陪我们去南北高架路,去杨浦大桥,去浦东。上海真是伟大,站在杨浦桥上看浦西浦东,气势磅礴,我也觉精神抖擞。桥上风大,我穿得较单薄,又有恐高症,但极兴奋,问了这样又问那样。一心想看看长江入海口,徐说坐船还得两个小时吧。远远望去,迷茫一片,想,我家住长江上游的丹江,丹江的水也就流到这里吗?看着桥下通过的一艘艘运沙船,倒产生出一股英雄气,从桥上跳下去。遂又想,就是要死,从这里跳下去,死也是美丽!天色黄昏的时候,我们到了外滩。外滩与我的想象相距太远。趴在河栏杆上往江中瞧,街灯已亮,对岸电视塔的灯火五颜六色地铺在江面,似乎看见了那栏杆下的江里有无数的少男少女的脸,江面如镜,镜有镜神,那一定是以往的年代里谈情说爱的人一对一对面江伏栏而映留在那里的。黄浦江里有爱神,这里不知演动了多少缠绵的故事。又突发奇想,说道:"那么一对一对面江伏栏,若有小偷这一夜走过去,从屁股后的口袋偷钱包,会极其安全而收获巨丰吧。"老宋说:"为什么?"我说:"贼去偷包,男的以为女的在抚摸他,女的以为男的在抚摸她呀!"大家都笑起来。外滩的建筑令我喜欢,厚重奇雄,倒比得新建筑多少有些花哨而单薄了。在南京路盘桓了多时,想象一直在三十年代四十年代里不得出来,痴痴看着那一堵堵墙,那走过来的走过去的人,那光怪陆离的霓虹灯,一辆车就呼啸着开过,险些轧着我的脚。后去乍浦路夜市街上吃饭,报社的几个领导也都来了,上得一家小楼的三层,地方虽窄狭,菜味颇美,又是吃得特饱的一顿。

大上海到底是大上海,它给人的感觉到底不同,许多人提起上海就摇头,似乎不感兴趣,我不知道这是为什么?我不喜欢小巧,上海是洋而大,洋有底气,是另一种的王者气。寒风里,我站在彩色的街头,点上一支烟,想,这个城市之所以产生过许多大的文学作品,这是必然的,现在就居住着巴金、柯灵、施蛰存、余秋雨、王安忆、陈村、孙甘露、格非他们,我应该去拜望他们;但我又不愿简简单单去见到他们,见到他们又呆头呆脑地不知说什么好,只能敬而远之,默默向他们致意了。

上海,我一定还要来的,悄悄地来这里多住几天,好好地呼吸呼吸这里的空气。

已经是夜里十点,并无睡意,又和郦国义等去一家歌舞厅玩。歌舞厅里并无歌舞,寻一间屋子玩牌,临走时那里一个服务员得知我后一定要看看,看了又不信,等信了就让签名,一定又让签到她的白棉绒衫上。

一月三十日

中午要飞往北京,趁机参观虹桥开发区,那里新建筑集中,更具上海味。在扬子江宾馆吃最后一顿上海饭,不意让服务员认出,极热情,倒多喝了黄酒,往机场去的车上突然浑身不舒服,难受一直到北京。

到北京天已黑,翟部长和张锲的二位秘书来接,他们知道许久未吃到面条了,直拉我们去文采阁吃手工油泼面。回来仍住和敬公主府,仍是那间屋。明日,若能给领导做了汇报,后天或大后天就可以回家了。暗自筹划,回去给母亲镶好牙,就该参加省市政协会了,过罢大年,初七又是市人大会,三月三日又得返京开全国政协会,那么再往江浙就是四月份了吧。想这一年,真是马不停蹄,人的一生从事什么职业是有定数的,写什么文章写多少文章是有定数的,到什么地方遇什么人也是有定数的,那么,九五年天南海北走遍,九六年还要走,一条走虫,这都是命。

浙江日记

十月十七日

在京待过了五天,今日到杭州。车进城区,忽觉奇香盈鼻,以为是接车的陈军先生在喷香水,他西装领带,面目光洁的,陈军却笑着说:君来桂花开啊!从车窗往外看去,果然路旁桂树丛丛,有人正铺了报纸在树下,摇树而金雨坠落。愈到西湖边,香气愈浓。咦,这就是杭州了!中国的版图,差不多走遍,唯有浙江却未踏过一寸土地。江浙统称江南,在江苏走动了两个月,以为浙江与江苏差不多。陈军说,真正的江南是在浙江。这使我想起古诗:忆江南,最忆是杭州。陈军是作家,性情极好,或许是气味相投,立即就熟了,他恐怕最担心我把江浙混为一体,如中国人看洋人都是一个样,就不停地给我讲江浙的区别:江苏是香甜糯软,浙江是刚山柔水。我问陈军是浙江哪里人,回答是绍兴。绍兴是古越地,昔时的吴越之战,使江浙人都有了互不服气的秉性的。但陈军的话也是对的,江苏少山,浙江多山,虽山并不多雄伟,无根无脉,随处可见,而又临海,海风是硬的,诚然西湖以秀美名天下,单围绕西湖有岳飞墓、张苍水墓、秋瑾墓,就知道是该有一股刚烈之气了。其实,未来杭州,却早知道在西湖畔居住过的潘天寿的画和沙孟海的字,就知道了与江苏不一样。居住在大华饭店,午饭也在靠湖的一间厅里吃的,隔窗看湖,万顷清波,但太阳暴晒,眼不能大睁。饭厅里正值某单位包席四五桌,劝酒之声汹汹,有些震耳欲聋。西北人如此,杭州人也如此?陈军便又说民间有"杭铁头"之叫法,你要不要试试?我吐吐舌头,只道天热,赶紧吃罢饭就离开了那里。

午休后害头痛,知道有些感冒,又疑心是西湖风吹的,服下解热止痛散一包。翻阅一份材料,看到介绍浙江有地方戏。绍剧,慷慨激越,近于秦腔,颇来兴趣。晚间有宣传部沈部长、吴处长及作协林晓峰、叶文玲等宴请,席上问及绍剧事,众人能寻得理由的是宋时南迁,中原的一部分人来到浙江。于是对浙江另目看待,西部和东部因地理、气候、物产不同而形成了饮食、服饰、语言,及人的性情、相貌的存异,但浙江是早年就东西交汇了的,这里的文化形态、人的思维方式对今天的西部人改革有什么启示呢?对我的文学创作又有什么启示呢?几乎是二十世纪吧,中国的文武人才差不多出在浙江,文人如鲁迅、周作人、茅盾、夏衍、艾青、郁达夫、丰子恺、朱自清、马一浮、李叔同,这些人的作品格局大,气象大,完全没有所谓的小家相,原因在哪里呢?而这些人又都是从浙江走了出去成为大家,又是什么道理呢?

饭后,同宋丛敏沿西湖走半圈,湖边尽是老树,树中全装有彩灯,游人踵踵,恍惚如在梦中。湖面已不能分清,有灯光闪烁,听得咿呀桨声,遂有"我想哎……"半句被咽去或是咬去,低头看时,一只小船已靠拢来,一对人拥着上岸。

十月十八日

决意在西湖要多待几日。

以陈军的《小说氛围十三悟》为指南。十三悟为:一、寻找氛围的南方小说。二、雪耻的越王与圆滑的师爷及"破脚骨"的子民。三、在两种文化互渗中图利的萧山大哥。四、陶醉于"南宋遗风"半人半仙的杭州人。五、从弘一大师的殉教精神看越人性格深层的苍凉感。六、从丰子恺笔底看越人的闲适、知足感。七、从马一浮超然高洁的人格力量,看越地文化极致的和谐魅力和恬淡感。八、喝酒、做人都懂得"真味"的鲁迅。九、信鬼神的越人及余华的"鬼气"。十、日常习俗中那种轻逸智慧而快乐的生活哲学。十一、令人尴尬的老城区和新公房文化。十二、困惑的小说家及其出路浅析。十三、我之文学观。陈氏的十三悟是他体证来的,颇为精到,我最感兴趣的是越王雪耻而遗传下来的越人秉性,是师爷式的通圆智慧,是南宋遗风和地理优越下的人的恬淡而快乐。

早起,往潘天寿纪念馆。在现代中国,画家的命运总比作家好,潘氏馆在南山路极幽僻的一条巷中,建造得又十分讲究。馆中存画大多为巨幅。潘氏的笔墨不敢说独步天下,但构图形式却突破常规,虽有霸悍气,却开一代风范。文学史上的大家,不是在内容上便是在形式上集大成或开风气,绘画亦然。后去郭庄。西湖边有四大庄园林,两庄作为国宾馆,岗哨层层,凡人百姓不可入的,一庄是马一浮纪念馆,而郭庄成了真正的公园。我们去的时候,正有新婚夫妇着西式婚纱,佩大红花,在那里一路小步走一路录像,尾随着看新娘俊俏,新郎却有些傻,牵着新娘手,几次却险些绊倒。庄内拐弯抹角,到处坐有游人,皆围桌吃茶玩牌。同行人问我对杭州印象。好嘛,总觉得这里一切不真实,不是人间。大家皆笑。杭州人的眼里,既然投胎在此,有明山净水可游,有鱼虾米藕可食,有丝绸锦衣可穿,功是什么,名是什么,追求得到的享受不过如此吧?所以,性情高洁的,读一册诗文,撇两笔兰梅,玩玩玉,收集些瓷器,半人半仙做名士。一般的百姓,就是吃茶吃豆吃黄酒。想我西北人始终为生计奔波,既是"闲人",无富贵,半分魏晋气,半是痞子劲。丰子恺在一篇文章里说,西湖边的人每日钓虾,只钓三只尾,这就足了,拿去酒馆热水烫了,要二两黄酒,一顿饭就过去了,不比别处人贪婪。试想想,北方人做饭,也是在米面缸里舀那么一碗下锅,杭州人是把西湖当作了米面缸,当然就显得悠闲了。

午饭在"楼外楼"上吃,吃罢去西泠印社的望湖亭上又吃茶。据说鲁迅当年在上海战斗累了,就来杭州,也常在"楼外楼"吃了饭再往望湖亭里吃茶,待那么几天,休息是休息了,却又怕消磨了意志,就便赶回上海。忽想到,毛泽东一生也是多次到过杭州,毛泽东在杭州做什么事,不得知,但每次离杭回京,必有一场革命的大运动发起。

西泠印社的布局很合我心,地方小而精致,又不失疏野。见吴昌硕铜像,心中正惊疑怎么几分像我,陈军亦说出我像吴的话,旁边几人便看看铜像又看看我,都说像。大家一阵哈哈。陈军提及吴昔年有一小妾,是日本人,取名温雪。这老头真会风情。立于山顶亭间从一堵花墙破处往远看,旁边有人指点山林那边是林逋坟,问是不是以鹤为妻以梅为子的林逋?答:是。欲去却墙隔了路,快快下山,忽见一观音石像,读石上文字,有"观世观音观我"句,极想呼谁为"观我",但四下无人。

十月十九日

约好早上九点去看望巴金老人的。我四十余年里,走到任何地方,很少去拜望大人或名人的,口齿拙笨,怕不会应酬,又自卑自怯,难免尴尬。最早的一年让人领着见过林斤澜,慌手慌脚,不知说些什么,林也说话极少,就匆匆而别了。又一年去天津见孙犁,早闻孙犁话少,但去后相谈甚多,直待过三四个小时,还在那儿吃了一顿饭。巴金是世纪老人,人与文都是当今典范,得知在杭州疗养,一定得去看一面了。巴老住在汪庄国宾馆,去时正被人推着轮椅在园中散步,前去问候,老人面色颇好,而表情已不生动。一代伟人九十三年便如此衰老,不禁浩叹。为老人推轮椅转了一大圈,时阳光温暖,鸟鸣数声,桂花放香,今生能与大师同时代生活,甚为荣幸,但我仅仅能做到的也就只是为他推一圈轮椅吗?

这一日,陈军送我一块玉,虽是新玉,但面琢青龙,背刻"龙德"

二字。陈军讲,他原要送给巴金的,因巴金属龙,他又与李小林同学,十余年两家往来,以玉为老人讨个吉祥。但小林觉得巴老年事已高,手脚不便,戴块玉反倒麻烦,就谢绝了。陈军便又送我,说我也是属龙。这玉就挂在胸前,我想,以后每抚到玉就会想到巴老了,我会为他的长寿祈祷的。

巴金在晚年,每年都来西湖畔住一段日子,据说这里的气候对他身体很好。是这一湖水能滋润他吗?这湖水滋润了多少文豪,这真是一湖好水!望湖上的苏堤与白堤,想文人在这里主过事,从此真是文运长久了。偶尔得一消息,说西湖去年曾放生过一只巨龟,是省上一位领导的夫人去饭店吃饭,见饭店有一巨龟,说:这怎么能吃,该放生了去!那龟竟突然伸出头来,夫人走到哪儿它跟到哪儿,人人称奇。后饭店老板决意放生,又请了会周易八卦的人选定时间和地点,龟放入湖,龟没入水中游了一会又返回岸边,似与岸上人告别之意,遂再不见,而有雨降落。

沿西湖畔走,很想知苏曼殊的墓在哪儿,无人知道。又问三生石何处,也是无人知道。顺脚进岳王庙,游人如蚁,皆在秦桧夫妇跪像上吐唾沫,抹鼻涕。百姓对于历史的解释就是帝王将相和才子佳人;奸臣害忠良,秀才爱姑娘,永远是芸芸众生的道德价值观。我只跑着看沙孟海的题匾。沙氏书法极有气势,如翁同龢一样。东方和西方相比,东方为阴;中国的北方和南方比,南方又为阴;南方的江苏和浙江比,江苏又为阴。可见阴阳是不停地分下去的。每一个地方都不能一概而论,如什么地方都有富人和贫人,都有美人和丑人。岳王庙里有两块匾最有意思,一是沙孟海的,一是叶剑英的。沙是文人,书法刚劲之气张扬外露;叶是元帅,书法内敛绵静。人与字的关系,可能是有缺什么补什么的心理因素。我是北方人,可我老家在秦岭南坡,属长江水系,我知道自己秉性中有灵巧,故害怕灵巧坏我艺术的趣味,便一直追求雄浑之气,而雄浑又不愿太外露,就极力要憨朴,这从我的文章及书法的发展即可看出。

十月二十日

来浙江吃饭比在江苏稍合些口味,盐重,尖椒还有辣劲。我是不大吃荤的,尤其拒食甲鱼、蛇、黄鳝和牛蛙、鸽子。有些动物,如猪、羊、鸡,生来是让人吃的,但有的动物却生来不是让人吃的,吃了会消失人的灵性的。何况我属龙,龙不吃小龙蛇以及像龙的鳝。我名平凹,牛蛙与我同音一字,怎能吃得?螃蟹却是要吃的,菊花黄时蟹正肥,正是吃蟹的时候,每次吃时总想,螃蟹活着时八脚横行,不可一世的,被蒸了端上桌来,人却嚼得全成碎渣,这也是恶家伙的下场。

去灵隐寺看飞来峰,大失所望,那样的一块石头,何必飞来,飞来又有何用?却喜悦山上的佛像,那么多的佛,各具神态,喜悦真是如莲的喜悦。从"大雄宝殿"出来,沿途有人手心亮一字牌:看相。拦住陈军脱口就说:老板是好相!如此四五个纠缠的。我和老宋就感叹怎么没一个人来给我们相面的?看看陈军,一脸富态,衣冠楚楚,就取笑他还真像个老板,老板是肯掏钱的。由是,三人开讲到钱,由钱又讲到财可散不可聚,就坐到一家小茶摊上去买茶吃。

　　登六和塔,望钱塘江,无福见来潮的壮景。塔梯上遇一女子,清纯俊美,不知谁家妹子。这几日总是说到复仇的越王,此时却对越王没了好感,越王为了江山让西施去卖身卖情,那个吴王终究还是惜香怜玉的男人。就坐于一株老桂下吃藕粉,桂花撒了一身,也撒了藕粉。

　　再往虎跑泉吃茶,茶并未吃出个味道来,因为顺便看了弘一法师出家的地方和那个展室,缠绕于脑际的,则是一个家资万贯,有娇妻美妾,风流倜傥的浊世佳公子,一位集诗词书画篆刻音乐戏剧文学于一身的大才子,怎么就出了家?

　　午后去蒋庄看望马一浮,人已去,楼空在,无一参观者,也没售票收票的工作人员。踏入厅门,一股霉味,光线昏暗识不清墙上的联语,寻电灯开关亦寻不着,疾呼三声,有人从后间出来,开灯认得了老先生的塑像,方面长髯,身矬竟比我还矮!在我的心中,一泓西湖滋养了多少才情之人,而圣贤者却只有马一浮,但世间知道马一浮的却寥寥无几。生前大隐,死后也大隐,这就好,这才真是圣贤。出得展室,见小小庭院两棵广玉兰,根系隆出地面,如龙盘绕,就冷笑了树下那一张桌前有一男三女在玩牌。出得蒋庄,顺便往同一个公园中的花港处。花港以观鱼有名,那凭栏上游人红红绿绿挤满,全都丢一撮面包,逗那红鱼起浪。凭栏外有曲径可通各处幽境,但人多却如赶羊。遂出园坐船过湖,天黑至多时上岸去素春斋吃饭。

　　今晚做甚去?陈军自夸在浙江他有三友,号称四闲,一位是杜

架上的男女

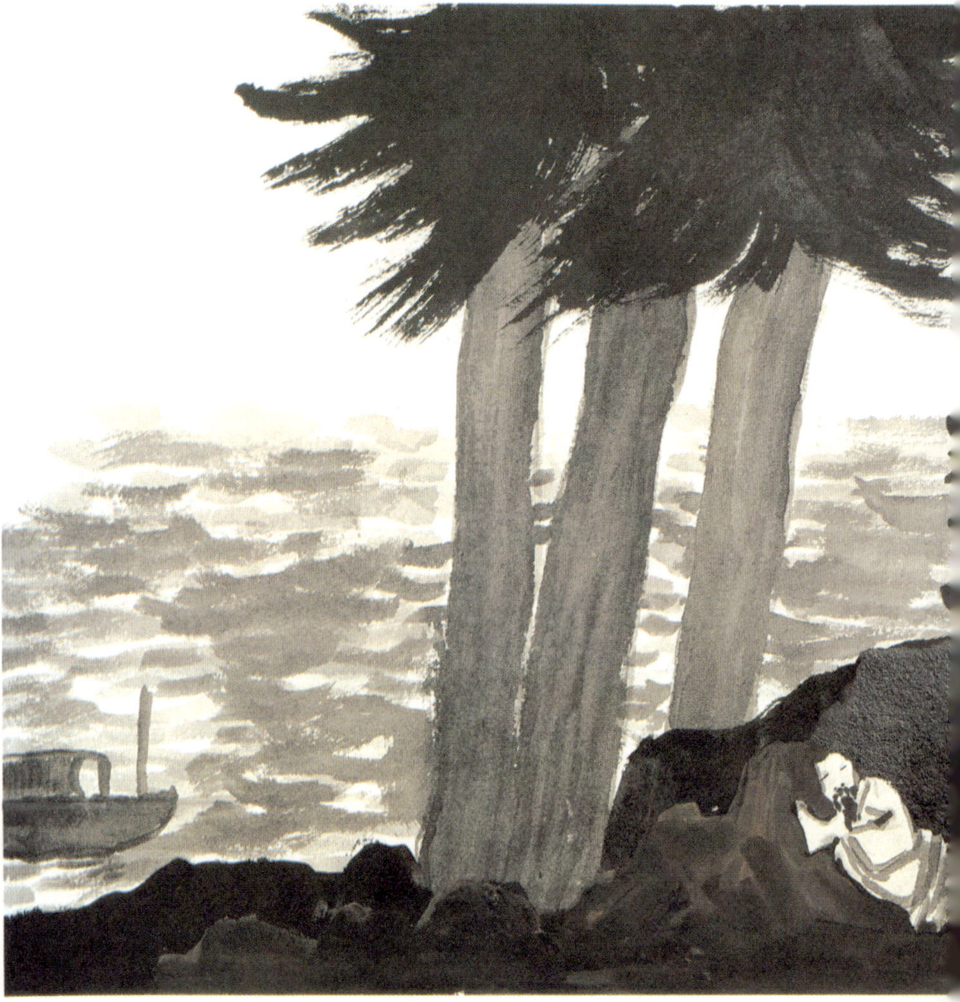

文和,远在绍兴,能诗文会玩石砚;一位是袁大梁,擅长医术偶做文章,更喜玩瓷器,昨夜已经登门拜识了。果然是性情中人,将屋中所藏一一抖出,件件讲解。数小时之后,我们站起告别了,他还在兴奋中,又从里屋匣中取出个小瓷瓶,两眼放光地说:瞧这件造型!这胎色!人活到这等境界,真是个真人。第三位呢,陈军说,玩茶的,玩得写了两本书,一本在海外出了,成为新加坡大学的教材,一本才得了五个一工程奖。我说:领去见见。陈军耳语:这么晚了,人家又是女的。只好作罢,回宾馆给家打电话去,因为明日离开杭州要去宁波了。

到江浙深入生活,走马观花地跑,为的是感受这里的社会变化、经济发展和拓宽文化视野。如此在杭州城里待这么三四天,并不是要游玩,而觉得全面了解些本地的历史、地理、风情、世态,以便从文化积淀的视角上进入其政治经济生活,怎么样的文化就有怎么样的思维,怎么样的思维才有怎么样的发展呵。

十月二十一日

那天夜里见省委宣传部沈晖副部长和吴天行处长,印象是非常好,他们不庄严,大家就活泛了。为官为文,只要是真味,就更显出人格的魅力和职业的魅力。今早吴处长提出要陪我们去宁波,倒盼望同他一路,也可了解更多的东西。这是位硬派小生,相貌和性格全然不像南方人。他谈了对经济发展前景的看法,谈了各市县政坛上一些人物的故事,颇有见地而风趣。到宁波后,宁波宣传部、文联等部门的负责人已在"文艺大厦"等候。饭后,住新芝宾馆。安排了在宁波的活动,吴就返回杭州。这里具体接待我们的就是市文艺处长赵晓亮了。

宁波我从未来过,但在西安见过几位宁波人,都在说着听不懂的语言,突然置身于宁波,如同到了国外。宁波深受外来文明的影响,很有经商的传统,民间有"无宁不成市"之说,上海即是宁波人和苏北人为主要力量开发起来的,现在几乎每户宁波人家都有上海的亲戚。据说,每年清明扫墓,上海有近二十万人涌回宁波。海外的巨富如包玉刚、邵逸夫,就是宁波人。另外,宁波人的智商高,得益于民间有重视教育和重视读书藏书的传统,所到一地,房屋造得最好的必是学校,而国内闻名的天一阁藏书楼便就在宁波城里。宁波的历史、地理、风物和人文环境都是极优越的,但宁波发生天翻地覆的变化也只是近四五年光景。邓小平南方讲话以前,这里是不如广东沿海地区,即是在本省,也不如温州。南方讲话之后,宁波抓住了时机,潜龙一跃冲天,这是所见到的宁波人最自豪的话题,而且几乎是人人自负,说如果四五年后我能再来,宁波又不是今日的宁波了。综观江苏浙江的经济奇观,都是在邓小平南方讲话之后发生的。一个领袖人物的决心,一项国策的制定,其作用是何等大呵,尤其在目下的中国。美国的约翰·奈比斯特就曾说过:"承认个人的作用是二〇〇〇年的大趋势的主线。"

但是,同样是一个中国,同样是学习贯彻邓小平的南方讲话,江浙地区能及时地抓住时机,而中西部则抓而不紧或未抓出什么大的发展。这除了历史和地理的硬件原因外,中西部的干部群众也追查检讨认识到重要的一点是:思想跟不上。思想跟不上关键在于思维的差异。而思维恰是在独特的文化中形成的。正是沿着这种思考轨迹,我提出一定要去看看宁波的镇海口,那里有可歌可泣的抗倭、英、法、日的业绩,也有西方文化进入中国大陆的历史;去看看天一阁,了解了解民间的真正的"耕读传家"是什么样子;又托人寻找宁波籍在海外的大富巨贾的发迹资料。

因天一阁就在城中,下午就是参观。时天色灰黄,略有小风。天一阁已扩建成一个很大的文物保护区,七拐八转寻到天一阁原楼,楼上已不藏书,空落落的静寂在那里。院中香樟森森,假山下池水沉沉。这就是天一阁!朝代更替,世事沧桑,天一阁是宝藏着书魂的,多少文豪来到这里,寻找的就是这个魂,要得的就是一种气。任何轻佻浮浪之徒进入寺庙就缩手缩脚,不敢喧哗,这里不是寺庙,同样使凡来者都悄声敛口,不敢张扬。据说题写遍了天下名胜的郭沫若来阁上,管理人员让书写天一阁三个字,他到底还是没写。我立于楼前,身定思游,想这楼上都藏过什么书,书是何人所写,一人收藏万众护佑,朝朝代代视为珍宝,我这个写书人应该怎样写书?

入展室看资料,有三件事颇多感叹:

一、范钦的身份为明兵部右侍郎。绍兴城还有一个私人藏书楼叫古越藏书楼,主人也是兵部官员。兵部的人却藏书!

在扬州的时候,见过许多名园,都是当年盐商私宅。盐商有巨资,一是交结了一批当世的文人名士,一是不惜重金大兴土木建私家园林,而文人名士就来为园林设计筹划。这种现象,你可以说这些盐商附庸风雅,也可以说那些文人名士攀附富贵,但毕竟正是这一现象才为国家留下了一笔园林艺术财产。商人并不是只会挣钱的动物,其中懂政治懂艺术的大有人在,社会发展到今日,尤其是这样。

兵部右侍郎喜欢藏书,在当时民间藏书风盛之下仅是一个佼佼者。据方志记载,南宋省境内著名藏书家和藏书楼,就有陆宰的双清堂、陆游的书巢与老学庵、石公弼的博古堂等十八处。此外,藏书过万卷的还有会稽的石邦哲、鄞县的张瑞和楼钥、镇海的曹豳、上虞的李光李孟。今人收藏风也炽,多是古董,又多纯为经济价值考虑,藏书者极少,即使藏书,也多收集古籍珍本,还是为了赚钱。回头看范钦,家资耗尽购书,一藏数十万册,是真藏书人。

二、书楼有禁牌数幅,虽未详细摘录,大致是醉酒者不能登楼,手不洁者不能取书,家人不得私自领外人登楼,即使家人不经允许者也不能随便登楼等等,惩罚的方式有一条是凡有违者则以轻重而取消不同形式的祀祖的资格。仅此一斑,可见古人对书的爱护。

三、有文字记载,说是范氏后人在分家时,有兄弟两人,别的财产好分,唯藏书难一分为二,遂定下得书者不得一百两银子,老二的媳妇寡居,便得百两银子而去。寡妇便被人嘲笑了数百年。

从天一阁返回宾馆,沿街见店铺饭堂娱乐厅也有以天一为名者,似觉不妥。范钦造藏书楼,书楼最怕火灾,以古句"天一生水"取其吉利,若用之店铺饭堂,为的是发财,却水不能生金,而是金要生水了,若用之娱乐厅,则有养妓招嫖之嫌呢。

十月二十二日

一早赶去北仑。北仑属中国重点建设的四个国际深水中转港之一的宁波港的一个港区。以前去过天津的新港和张家港、南通港,宁波港的规模之大,现代化的程度之高,第一次得见。在港区办公楼听了介绍,看了关于港区的专题录像带,便去码头。此港五百吨级以上生产性泊位四十八个,万吨级以上生产性泊位十八个,还有十万吨级的铁矿中转码头,十五万吨级的原油码头,二十万吨级能兼靠三十万吨船的卸矿泊位。其时,正有数艘巨轮停泊卸货,场面颇为壮观。虽然港区负责人详细解说,毕竟我对于机械方面的知识是门外汉,只能感受一下现代化港区的氛围,粗略了解我国港区事业的过去、现在和未来的发展前景罢了。午饭就在港区食堂吃,见到一伙年轻的机关干部和港务员,他们提说起来,都是在高中时从课本上的那篇《丑石》认识我的。于是有的说没想到我还这么年轻,也有人为我头上发稀得已能见出一块空地而遗憾:怎么衰老了!

在港区觉得特别热,饭后头痛了一阵,吞了止痛片,就十分困倦,但参观的时间紧迫,港区又没有睡觉的地方,只好坐车去北仑港发电厂,在车上打盹。电厂位于北仑港南岸,隔海与舟山的金塘岛相望,是南方最大的火力发电基地之一。厂党委书记早已在办公楼下等候,极其认真热情,在会议室详尽地介绍电厂的建设情况和现生产状况,后又亲自领着去厂内各地走动,边看边讲,似乎要把电厂的所有事情都要说给我,又似乎我是内行,讲了那么多高科技方面的理论和术语。我并没有打断他的谈兴,聚精会神地听他讲解,我虽然最后听得稀里糊涂,但这个人物却使我喜欢而生敬佩之意。他是领导,也是专家,管理家的周全精明和知识分子的认真执著形成了他特有的人格魅力。

参观了港区和发电厂,再了解了高速公路的建设状况,你会为宁波人在重大基本建设上投入了多大的财力人力和精力而浩叹,又会为不久的宁波发展前景而激动了。

十月二十三日

同文化局长去河姆渡遗址博物馆,一路车快如风,直到了四明山根。这里的风水的确是好,遗址前不远即是一条河,清冽活泼,小小渡口停有小舟,立于岸上正瞧一棵树上有鸟窝,小路上有人说话,听不懂内容,音脆却若鸟啭,人便上了舟,三摇两摇渡过对岸,缓缓往山坡绿树丛去了。以前观南宋人的图画,总觉得山不是山,河不是河的,今日瞧眼前光景,才知晓什么是清丽明净,疑心南宋的画家怕都是来这一带写生的吧。先欣赏了周围环境,再入馆中看那文物,更是震惊万分。说来十分羞愧,关于河姆渡遗址的报道我也曾看过,看过并未在意,脑海里没有留下特别深刻的印象,现在认真看了实物,可以说,极大地改变了我的思维。我长期生活在西安,西安半坡遗址不知去过了多少次,而且从上小学起,接受的教育都是说中华民族上下五千年,黄河流域是中华民族的发源地,而河姆渡将年代提前了两千年,又是在长江下游发现,许多历史定论就推翻了。一件件实物看过,许多问题无法理喻,如:七千年前人与一百六十种野生动物同处一地,没有金属,仅靠石器和兽骨如何做出那么精美的骨针和骨针上的针孔?如果说那针孔是先在一块兽骨上以鳄鱼刺钻出眼儿,然后再将兽骨磨成骨针,那么以细细的兽骨做笛,笛又是怎么凿的?仅仅是那么小的石斧,即使可以系上老长的斧柄,如何又砍出一抱粗的原木为四方锭来筑屋?如果说慢慢来劈,一月两月一年两年总可以劈出来吧,但那时的筑屋是那么简单,花大力气可以在玉璜上,可以在骨针上,犯得着花精力弄木头吗?又如何制出木件上的带榫的卯和销孔,如何在象牙上雕刻出蚕纹,如何造出稻穗纹的陶釜、陶盆、陶蚕,以及那彩绘的漆碗,鸟形象牙圆雕,陶钵上的猪图,玉块、玉璜、莹石珠等等如何做出来的,用什么工具做出来的?以往的许多概念使我们形成了固定的思维意识,这种思维意识妨碍了我们对人类自身的认识,人类发展到底还有什么,我们实在难以估计。黄河文化的半坡遗址文物是北方先民的生存状态,河姆渡遗址的文物是南方先民的生存状态,一个五千年,一个七千年,两相比较,南方先民的文明程度倒高于北方先民,这与如今南北人的智商有关联吗?但有一个基本的定论,可以说中华民族并不是一个发源地了。来到浙江,只知道越文化的独特,这种越文化是如何形成的?这里的山水、气候、饮食、建筑、工艺,从七千年前就有别于黄河文化了。

在博物馆还发生了一宗怪事。馆长请我题写什么,我摊开笔纸,写下"为我中华民族而骄傲",刚写到"我"字,叭的一声巨响,书案上的屋顶射灯爆裂,碎片落于我身上和纸上,甚为惊骇,不知是不是我北方人不该将河姆渡人称作"我民族"的?故午休在馆办公室主任的房中,重新补写了"文明大观"四字,以替换那一幅题字。

午后即去镇海口参观古海防遗迹,登镇海楼看海空天阔,上梓荫山拜吴公纪功碑,又去裕谦殉职的潘池,去后海塘,最后于黄昏之时登招宝山威远城,又往海边看安远炮台。这海天雄关,每一寸土地都演动过英雄的故事,游古战场真是壮怀激烈。

翻阅史料,在这里守防的军民抗倭英法日虽然可歌可泣,但因当时国家实力单薄,政府腐败,武器落后,所有的战争仅胜过一次,而就这一次胜利之后,政府还是屈辱签约,割地赔款。在镇海城里,我极力想寻寻当年的建筑,看看西洋帝国入侵后,这里潜移默化接受西方文化的痕迹,但如今的镇海城全然现代化,并且马路两旁花木蔚然,车少人稀,干净异常,是我所见到的最美丽的城。其实镇海现在只是宁波市的一个区,你置身其中与去西方发达国家的城里并无二致。

十月二十四日

越人的先民以鸟为图腾,这恐怕与面临海有关,虽未查阅资料,想,精卫填海的故事也该是越人创造的。精卫是复仇者,越王是复仇者。浙江人崇尚颜色是黑色,所到之处,尤其到小城小镇及乡下旧村,最易看到人穿黑衣服,房屋建筑为黑门黑窗黑墙柱,有的整堵墙都是黑的。复仇者又是受过灭顶之灾,又会在复仇过程中有所牺牲,故信神鬼,喜奠祀。这里的庙宇都比北方庙宇高大。所有的山坡上均能看到坟墓片片,且墓碑讲究,以往国内许多报刊针对这一带农村建庙修墓风甚而指责是农民富裕后乱花钱,搞封建迷信,其实这里存在着一个信仰和传统习俗的问题。

宁波的天童寺是我见到的最庄严、环境最幽美的寺院,它在山的深处,又占领了一条沟。从沟口到寺院大门处,六七里地三道山门,沿途古松排列,煞是静穆,又疏野味十足。

今早起来,天降中雨,顿觉衣单身凉。依活动日程安排,赵处长陪去奉化市萧王庙镇滕头村。宁波距滕头村并不甚远,途中路过著名的雅戈尔服装厂,便驻车去联系想看一看。雅戈尔服装厂所处的这条道已起名为雅戈尔大道,是服装厂家云集的地方,而雅戈尔厂的建筑鹤立鸡群,尤为显眼。厂办公室主任热情接待,领我们参观了厂展览室,大致得知此集团公司十六年前依靠两万元人民币的知青安置费起家的,现却拥有资产六亿多元,年销售额十亿多元。难得的是雅戈尔衬衫创出了名牌,成为中国十大名牌衬衫之首。又去衬衫车间参观了生产状况,因总裁李如成未在,并未在雅戈尔过多停留。坐车冒雨仍往滕头去,路上一边翻雅戈尔厂的材料,一边同老宋、赵处长谈雅戈尔。浙江人的思维超前,敢于创新,能在实际工作中自觉地调整现成的体制与生产力的关系。正是所有南方人如此,国家决策人才顺应天道民心而实行起改革开放。而一旦国家实行改革开放政策,立即干柴遇见烈火,蓬勃起燃,用不着北方大部分地区需要学习接受启发教育或强行推动的过程。当全国普遍改革开放之后,南方人已赚得了大量资金,又在搞名牌精品。古有说法,处于高寒地区的西北人刚直而蠢,又有坚韧,可以出圣贤的,可这种思维和性格则已不能适应当今经济社会,在芸芸众生的人间,圣贤又有几个,又会在什么时候出呢?

午时到滕头。滕头在富裕方面,虽算不得全省第一,但滕头是一个各方面工作都先进的特殊村子。全村二百八十九户,八百一十口人,六人负责种地,别的村民都从事乡镇企业,且雇用外地打工人员千名。人均年收入六千余元。这是肥土沃野耕田成方,河渠两旁橘树成行,暗灌渠道交错成网,村舍道路花木成荫,一九九三年被联合国命名为全球五百佳生态荣誉村。到滕头村委会办公楼,老书记傅嘉良去市上开会,小书记傅企平接待,且在那里等待我们的有奉化市宣传部副部长和文化局、文联的负责人。傅企平个头不高,但极结实,平易可亲,印象不错。饭后,阅读一大摞滕头的材料,想有个全面了解后,再到村中、村民家中、企业中去实际考察。

十月二十五日

雨仍是下个不停,因一些别的原因,市上领导先安排去溪口,说:到奉化不能不去溪口蒋介石老家看看,再就是不能不吃芋艿头,"走过三关六码头,吃过奉化芋艿头"嘛。

未去溪口,介绍的人都说溪口风水好,但去了以后,反倒觉得一般。溪口镇已成为一个小城,游人过多,有些杂乱,沿街到处在卖名产千层饼和煮熟的芋艿头。芋艿头已吃过了,类似北方的红薯,买一包千层饼,并不合我的口味。参观了蒋氏的两处旧屋,又去了蒋与宋美龄居住的楼阁及蒋经国读书的小洋房。驱车往镇后山上,最感兴趣的,一是妙高台,虽是三四十年代的建筑,但古意犹存,只是风大,不能多待。二是半山处有弥勒寺,中国唯一的一座为弥勒佛造的寺。路过蒋母墓道未去,据说蒋母埋的地穴好,此山酷似弥勒佛态,墓正建在佛肚脐眼上。

晚时,奉化市委钱书记等接去市内吃饭,趁机一睹奉化市容,小是小些,建筑却大多是新的,霓虹灯五光十色。席间作陪的有画家王先生。在浙江一路,大凡当地领导在宴请我们时,免不了有当地名流文士作陪,全都是主宾无序,坐卧随意,这种平等和谐的气氛给我留下极深印象。这样的领导与文艺界人士做真心朋友,并不失领导的身份和尊严,反倒更令人尊敬。若在位上,便觉得自己什么事情都是正确的、高明的,教导这个,训斥那个,他将永远听不到真话也交不上真正的朋友。这一晚的毛蟹特别香,笑话也是一个接一个地说,其中有说到在公共车上一声屁响,空气污染,纷纷指责谁放的,却始终无人承认。售票员就喊:"没买票的快买票啊!谁还没买?"满车上没人应,售票员就数人数,说:"还有一个人没买票,刚才放屁的那个买票了没有?"立即一个人说:"我怎么没买,我一上车就买了的!"

十月二十六日

滕头村在五十年代即是先进村,类似这样的村子在江浙很多。四十年里,中国发生了多少风风雨雨,这些村子依旧先进,确实令人惊奇。综观这样的村子,村党支部书记几乎是一人贯穿始终,这除了书记本人已在村民中建立了崇高的威望外,有一个问题值得重视,即:当家人竟能在每个时期跟上形势。滕头村的老书记傅嘉良就是这样。类似傅嘉良现象的一些村当家人,我在中国别的省市见过不少,有的是极其能干又会说善道,有政绩而个人又较廉洁,所以一直未倒;有的是政绩突出却也逐渐养得霸气。来滕头我有心要看看傅嘉良属于哪一类。见面后老书记给我的印象十分好,一个干干瘦瘦的老头,不卑不亢,平易随和。他早已要求从领导位置退下来,但村民却强烈要求他能再干几年,鉴于身体还好,就只好还干着。他培养的接班人是傅企平,我们担心傅企平是不是他的儿子或有亲戚关系。不是,傅企平是他培养的,是村民推选出来的,现在傅企平的威信也十分高,主要负责村办企业,两人配合得极默契。在滕头村取得一系列成就并获得了巨大荣誉后,以后怎么办?这是奉化市委市政府以及宁波市委市政府都关注的事。有人主张定出更高的目标,规划出更耀目的蓝图,轰轰烈烈把滕头的牌子打得国内震响,而傅嘉良不同意。他强调要实事求是,志向要高,步伐稳实,一切得干出来了再说。这是农民的本质,是极可贵的品格。中国如今形式主义的风还甚,浮夸之气仍蔓延,一些先进单位往往在取得成绩后就在各种外在的环境影响下走向浮夸和形式主义,而傅嘉良不为所动,这恐怕也是滕头村之所以不败的一个原因吧。

  中国的革命,以前是"农村包围城市",现在,却已成了"城市包围农村"。新的农村,不是桃花源式的男耕女织状态,也不可能是人民公社化的那一套强制性改造性的大锅饭体制,农村是工业化了的。没有工业,农业是不会有大的发展的,这一种现象在西北广大农村显而易见。但发展工业却必然在某些方面破坏着自然生态,这种由贫穷向富裕发展过程中的代价在江南也随处可见,是全世界的难题,更是目前江南一带引起警觉又颇感头痛的现实。滕头村却工业得到了发展,生态环境又保护得特别好,被评为全球五百佳,为中国农村树立了一个典型。这典型是了不起的!如果说当滕头村一九九三年被联合国定为全球生态保护五百佳之一的时候,有人并不认为其意义的重大,而任凭土地被侵占,河流被污染,空气被毒化,仅仅过了两三年,一些地方富裕是富裕了,但生态破坏下的环境直接威胁了人的生存,才感到了问题的严重、教训的深刻,那么,在今后,滕头村的经验将是中国的一份何等宝贵的财富!

我和宋丛敏在村子里自由转游,不要任何向导,想看看更真实的东西。沿着成方成块的稻田走了一圈,田埂上橘树果实累累,竟无人看护;绕村的人造河道清水活活,走近便能看见黑脊梁的游鱼;河道上全部是葡萄架。看了文化活动中心,看了沼气站,看了花卉盆景站,看了服装厂、菜市场。村民楼整齐划一,虽外表已旧,缘于建筑于八十年代。村中人并不多,仅见一些老人和小儿,是现代化的居住小区,又有浓厚的乡下气氛。为了有个区别,我们便又到周围的村子去看,这些村子都零乱,有的人家还是老式破旧屋,有的人家却小别墅十分气派,但巷道凹凸不平,卫生不好,时不时见路边有大缸做的粪池,缸上架一木椅状的坐具,那便是厕所。这样的临道坐厕,为我第一次见,惊讶不小。

十月二十七日

早上与傅嘉良书记交谈,因语言不通,办公室主任当翻译。我主要提了几个问题。

一、工业发展与生态环境的矛盾冲突你们是如何解决的?

所谓生态环境,我们以前是不知道这个词的,但知道什么是脏乱差,我们是从改变根治脏乱差做起的,慢慢才由无意识到有意识。从我们村的实际来看,人多地少,不能浪费每一寸土地,要想办法增加耕作面积,把差田变成好田,在土地上下的工夫最大,修田修了几十年。我们搞了沼气,再不烧煤或柴火。重视绿化,美化环境。农村不能放弃农业,这是根本,但农村不发展工业,难以富裕,不富裕又难以促进生态环境的保护。我们办了许多企业,有一条原则,不能有污染。曾经有几个可获益很大的项目,就是因为有污染,我们没有去干。

二、对滕头村今后的发展,准备做哪些工作?

一是农业要企业化,产供销一条龙。二是提高农业质量,搞绿色食品。三是工业要上高科技大项目。四是搞第三产业。五是进一步提高村民素质。六是装饰民居,清理河道,修各家下水道,搞新村规划。

三、您觉得目前对农村和农民,不仅仅是你们村,需要做些什么?

要教育,让年轻人知道国史、村史、家史,知道过去。要有一个好的基层领导班子。要巩固集体经济。领导要深入基层,实事求是,真正了解农民存在的问题。

四、您是当了三十六年的村干部,经历了那么多风风雨雨,您的体会如何?

有顺的时候,也有不顺的时候;有好把握的时候,也有难把握的时候。四清、"文革",是最不好过,人心不齐啊!作为自己,农民嘛,你千变万化,我踏踏实实干,为大家服务,想的是既然当干部就要造福一方。

五、你们的企业是怎样发展起来的?

一九九二年是我们企业上档次上规模的一年。以前也有企业,都是小打小闹,胆子不大,主要不想搞负债经营,但出外开会,听别人介绍人家的情况,人家比我们富裕,农民收入大,我心里也不安,开始研究要办大企业,负债经营,从那一年我们观念变了,经济就发生了飞跃。

六、周围村子情况如何,有没有想过兼并他们一起富裕?

同周围村子自然条件比,滕头村还是差的,但这些村子没有个好的领导班子,加上宗族矛盾大,再加上现在没有集体经济实力,村民贫富差距大,总平均下来每人年收入仅是我们村年人均收入的一半。我们有过兼并三个村的想法,农业规划已经出来,村庄建设、企业如何搞,还在思考。这些村宗族矛盾积怨太深,要兼并得先派工作队下去解决这些问题。

七、接班人情况如何?

就是傅企平呀!此人人品好,工作能力强,已在担当一面。

老书记谈得很平实,没有什么官话套话,但耐听,谈的问题又十分准确。还要问他,忽接到宁波市委书记的电话,是书记陪北京一位大领导要来看看滕头村,车快要进村了。老书记忙招呼办公室人收拾会议室,他又急着要去村头迎接,我们笑笑就告辞了。

下午,离开滕头,去绍兴。见绍兴宣传部长及文联主席等。绍兴原来是个相当规模的城市,这使我没有想到,受鲁迅小说和一些绘画的影响,总以为绍兴是个江南小镇,到处是水是桥是乌篷船和戴毡帽的人。晚饭桌上,绍兴话更是难懂,但菜味咸,尤喜欢霉干菜和油炸臭豆腐。饭后杨峰来。杨一年前还在陕西工作,都是熟知的,如今回到原籍,他在陕我们把他当江南人看,来绍兴又将他当陕西人看。这是一个极有才华的版画家,问及回原籍后是否对创作有不适应之感?他说,这里更适应搞版画些,绍兴人崇尚黑色,如黑墙、黑衣、乌篷船、霉干菜等,版画就是黑白的艺术嘛。你来浙江该最早就来绍兴,绍兴最能体味浙江,我想你一定会喜欢这个地方的。他说得很对,虽刚刚到绍兴,但进城到龙山宾馆这一路,大片大片的老式街房和夹立在其中的高大现代化建筑,不知怎么就十分有味,再看满街行人的模样、装束,及晚上的饭菜和老黄酒,就爱上了这个地方。

十月二十八日

依市宣传部安排,先去绍兴县一些农村看看,绍兴县就具体接待,又见到了县宣传部长及部里一班人。说来奇怪,就是这么一个城,一城拥有过山阴、会稽两县,到如今,绍兴县里有了绍兴市,绍兴县却有县无城了。据说绍兴县大力发展柯桥,企图重筑城池,但未被允许,只好县委县府设在绍兴城不显眼的一隅。在宣传部的老式木楼上见过了部长们,赵宇和文联的王云根陪着就去寺桥。绍兴的地名带"桥"字的多,但水乡的桥虽是石的却格局都小。西北多木桥,西南多索桥,江南多石桥,地理区别可见。寺桥村其实就是过去的一个大队,七个自然队,七百六十一户,二千五百余人,现有十二家企业,人均年收入五千元。富还不是怎么富,但这么大一个村,基本上实现了农村园林化、农业现代化、农民知识化、生活城市化。寺桥的党支部书记出外不在,办公室主任接待。在那四墙张挂着各种奖状、锦旗和图片、表格的会议室里,主任开始做他的介绍,几乎双眼盯着桌面在背诵,时不时出现一些状语形容词连接的书面才能见到的句子。虽觉可笑,但农民的质朴憨厚又让人可亲。这是个先进历史并不长的村子,他们以自己苦干奔富裕并不是要给外人看的,一旦富裕起来,便受到重视,外边参观的人多,才让秀才们写材料汇报了。这位办公室主任记忆力也真好,当他千篇一律地向所有来的参观者背诵那长长的文章时,心里不知又是怎么想的。当他领着我们去村中走动,去看那一百余幢的民居别墅楼时,显出了一身的轻快,指指点点,说第二个一百幢正在修建,力争数年间家家住进别墅,自豪神气盈于脸上。从村子转游回村委会办公楼,我们又继续交谈。为了不至于让他背诵材料,我问一句他答一句,大家都活泼起来。他并不知道我是谁,指着墙上的照片说某某领导来过,某某领导来说过什么话,却并未提出和我们照相的话。王云根就给他耳语,意思在说,一般领导来留影没什么,十数年后百十年后谁也不知道那领导是谁,今天来的是作家,如何如何有名,留下影将来才有纪念意义的。我忙制止王云根,不让他胡说,那主任却说:"是不?"便过来拉了我要合影,在办公室照了,又到院子的花坛下照。

午饭在寺桥村吃的,饭菜简单,但味道极好,没有任何应酬和客套,我吃得少有的多。后去柯桥镇参观亚洲最大的布匹交易市场。因时间宽裕,路过县广播电视塔,遂上去观光。塔上的负责人和工作人员均是年轻人,读过我的书,甚为热情,签名合影,忙得不亦乐乎,又上下引导着看他们的旋转餐厅和歌舞厅、会议厅,指点塔下的轻纺城。原本想来休息,不料一番忙乱,两点多离开即去轻纺城。偌大的一个城镇,几乎全是买卖布匹的,场面的壮观犹如那一年我去美国到拉斯维加斯,那里是除了赌场就是赌场,这里是走过一家布匹交易场,再走一家还是布匹交易场,纵纵横横,七巷八道,店铺林林,人流拥挤,搬运的小板车不停地摇铃,稍不注意即被撞着。这个市场发育于一九八八年十月,因绍兴地区轻纺业发达,柯桥又是历史上的集市地,再加交通极为方便,民间就在这里形成了布匹交易集市。不想集市规模愈发展愈大,这时当地政府才加以引导、管理和大力培养,达到现在上市品种九千余种,日客流量六万人次,日成交额三千五百万元。站在轻纺城十字路口,遥望轻纺城的标志,那座古运河上的红色的细拉杆洞拱式大桥,心里是无限的激动!我喜欢这座轻纺大桥,立于桥上想看看河的上下还有没有那一种小巧的石拱桥,拱桥没有再见,却看见了大桥下正是全国唯一保留的一段运河古纤道。古往今来,又是一番感叹。

　　从轻纺城出来,坐车不远便到柯岩。柯岩原是一个镇的,现归属于柯桥镇了。柯桥镇正在努力建成一个融水文化、酒文化、桥文化、古越文化于一体的现代化中等城市,而柯岩则是其中的一个风景名胜区了。到柯岩观景,主要是看石景。绍兴一带传统有以石筑屋筑桥筑路的,山却不多,有也是无根无脉,充其量为北方一个岇,但石质优良,就世世代代采石,采石而造就了石景。明明知道柯岩是人工景点,但绍兴人能将人工做出天工,那众多的景点反倒野气十足。那尊弥勒佛造像和云骨石,即是采石时孤零零留下的,让弥勒佛露天而立,这正预兆了今日绍兴有县无城,使我又想到杭州的郭庄之所以成为一所公园而不像汪庄、刘庄、蒋庄凡人难以进入,也是因大门外对着门口有一古木,门中有木便是闲,从那栽木起,数百年后庄的命运就决定了。而云骨石"云骨"二字起得好。小小的柯岩,竟是佛教、道教、儒教三教同在,这是极少见的,不知是三教的胸襟广大,还是绍兴人肯容纳,或者是采石者的随心所欲吧。上得八卦台,看紧挨的文昌阁后岩上凿有"文光射斗"四个大字,心中振奋,拍下一照。

十月二十九日

皋埠镇自古以来商运昌盛,物阜民丰,在绍兴有"银皋埠"之誉。驱车看了几个村子,到吼山遇到乡党委副书记等人,遂一边谈说乡里的事情,如你认为目前农村存在的问题是什么、农村发展到目前状况以后如何飞跃、作为年轻的基层干部这些年最大的体会是什么,一边登吼山。吼山是勾践当年养犬的地方,山景幽静,石头奇特,过去一直是风景区,但因岁月沧桑,世事变幻,吼山风景区已荒废,也正是一帮年轻的乡干部上任后,以新的文化视角开发吼山,使吼山成为绍兴重要的旅游胜地。上吼山当然去见那尊勾践像。绍兴是古越国建都地,勾践兵败,为了复仇想尽了各种办法,在此养犬为捕白鹿,捕白鹿为献吴王,同时在别的山中养猪养鸡,筹备粮草,终于时机成熟,一举灭吴。越王十年复仇,是一个英雄,但太于工计,终不能如项羽可爱。吼山的风景同柯岩一样,也是采石场,历史上许多文人写过诗词文字;袁宏道曾以其山石险峻而说过"恐是越王城",但我最喜欢张岱的评语:"残山剩水",准确又形象,更有把一切看透了的人生境界。半山有一云泉,甘甜异常,舀饮三杯喝下。下山时忽见桃林下亮光闪闪,捡起是碎的瓷片。导游小姐说这里也曾是古窑,就企图能捡到更大一点的,但终不能,那些间隔瓷器的小泥丸,却如算珠一样,能一抓一把的,遂选了八枚带回。

午后去兰亭,沿途看山,山并不像王羲之所写:"崇山峻岭",但风光的确幽美,想当年或坐舟顺流,或骑马沿山道,对自然的感受会比现在人深切。在兰亭路口,巧遇要出外的馆长和副馆长,经陪游的人介绍,两人极热情,引导入园,把每一处都看过,且学古人风雅,也以酒觞放入曲水中,但流觞不在我面前停驻,未有诗咏,酒落肚只觉得五脏六腑发烧。古人的风流是真风流,时代已不是那个时代,文人也不是那种文人了。

现在的文人,什么样品格都有,心中龌龊,文墨哪会有清正之气?不知怎么却想起新疆的王洛宾,他一生坎坷,酷爱音乐,他的曲、词全为自己心意抒发,并不求发表,更不盼获奖被人赏识,只是做顽仙,到头来却完成了一个伟大的音乐家形象,歌曲唱遍华人世界。在兰亭流连忘返半日,与副馆长交谈,其本身是书法家,读过我许多书,并以我一篇文章的题目做他的书斋名:丑石。此地遇此人,也是缘分。他送我一幅手抄般若波罗蜜多心经第一百八十六卷的书法作品,则让我在馆中签名册上留言。我写下"遥想当年,浩叹今生"八字。

夜回绍兴城,谢绝又去吃宴席,往杨峰家吃陕西的油泼面。又与杜文和认识,去杜家看藏砚,喝绿茶,写字数幅,一幅赠杜,为:海风山骨地,守黑知白文。

十月三十日

这一天集中在城里参观。小小的绍兴城,人文景点非常多,首先是去鲁迅故居,一代大文豪生养于此,看一草一木、一砖一石都有神圣感。馆中接待处的人特殊照顾我,打开了数间平时不开放的房子,听讲了许多史料书上不写的周家和鲁迅的故事。后登一处二层楼上,见那高高的粉墙,粉墙上柱子显露而刷成黑色,细细长长的下来,顿觉明式家具的艺术与这里的建筑风格一致。南宋之后延及明清,江南繁华,山水清明和生活富裕下人的悠然自得使艺术趣味与广大北方异同,以前喜欢明式家具而不得其解,原来出于江南。再去三味书屋,馆负责人要我坐于鲁迅当年坐过的课桌前留影,说巴金也在这里留过影的。书屋颇小,又很潮湿,不觉想起幼时我读过书的那座祠堂,冬季每日去得很早,为了节省,全不点油灯,齐声把语文从第一课背到学到的新课。

祠堂里没有桌子,是土台儿上架着桥板,又没有凳子,将一截劈柴架在土台柱儿的窟窿里骑着坐。从书屋出来,往咸亨酒店楼上吃饭,饭菜和服务极一般,但客爆满。看一个孩子孝顺不孝顺,现在就看他能不能考上大学,考上大学了,做父母的就省了多少熬煎。看过去了的某个皇帝某个人物是不是好,就看现在能不能造福于民间。秦始皇是好的,如今为中国争了光,为陕西造了福,仅旅游业就养活了多少人;而鲁迅的伟大,仅绍兴城到处是以鲁迅小说中人物为各种店铺名的就无数,多少人是在吃鲁迅的饭。我们上咸亨酒店,真真正正是吃了一顿鲁迅的饭。

又去看了古越藏书楼、秋瑾古屋、轩亭口、大道学堂。印象最深的是青藤书屋,拐进那偏僻小巷,钻入低矮院门,小小庭院阴暗潮冷,地生绿苔,霉点登墙,三四株芭蕉,数十根细竹,一口水井,一棵银杏,唯那丈方池水幽黑,走近可鉴人面,一股藤萝茂繁,爬于墙头,墙头上静卧了谁家的小猫。院门口有三人,一人坐于小卖部柜台里低头看报,进去时看,返出时还未看完;一女人在一凳前嗑瓜子;起身询话的是一老翁,话不出五句,面如木刻。徐渭生前贫困,死后这书屋景点也贫困,管理员难以收更多门票吧。

而在绍兴城西北隅有吕府十三厅,占地四十八亩,所有建筑依三条纵轴线和五条横轴线设计布局,中央轴线上依次为轿厅、永恩堂、三厅、四厅、五厅,东西两轴线上依次又为牌坊和厅各四座,最后一条横轴线上是楼房及平房。主人是明时大官,官家和艺术家到底不同。但是世事沧桑,侯门的豪华哪儿去了?那个叫吕本的谁还知道?吕本的后人现又住在何处?而生前誉毁不一、争论不休的青藤却天下谁人不晓得呢?

又去看城中旧屋,驻于小石桥上看水边人家,去摸奶巷,巷窄仅容一身,深一百五十步,进巷时所幸巷中没人。

原本想看看绍剧,绍剧与秦腔近似,但未能如愿。

十月三十一日

今早第一次睡到八点,仍是困得不醒。起来吃粥,去绍兴市黄酒集团参观。我戒酒已十余年,这一路却每饭必饮一盅黄酒的。我爱黄酒,但电视上黄酒的广告最少,山东没有去过,但我知道山东县县有白酒,不知山东人是真能喝酒还是真能挣钱?在酒厂题写了"古越总绍兴,黄酒是龙涎"十字。

午后返杭州。仍住大华饭店。晚见画家吴山明夫妇,同去素春斋吃饭,上一回坐那一桌,今去仍坐那一桌,上一回有两个尼姑吃饭,今去无缘再见。吴氏善画人物,赤面白发,貌有猫相。饭后去他家看画,屋里有三幅黄宾虹造像,一幅是完成品,两幅是草图,先生赠草图陈军一幅,我一幅,我遂在三幅上提笔作记。高晔女士当场作幽兰一株送我。夜半而归,天在下雨。

十一月一日

起大早去茶叶博物馆,王旭烽已在那里等着,然后详细看了展览。我戒酒后,嗜茶,在博物馆喝到了明前绿茶,味道好极,可惜馆中负责人知道后,四五人出来接待,茶便未喝到兴处。

午时起天落雨,又起风,顿觉身寒衣单,老宋因有别的事要干,独自在屋中看沿途带回的材料,不知何时竟头歪在沙发背上睡着,夜里感冒头痛。

十一月二日

在杭州、宁波、绍兴地区,常常说到良渚文化,回杭州后便提出去历史博物馆看看。博物馆里我感兴趣的是陶和玉。我是极喜欢陶的,家中所藏的汉陶器七十余个。西安是古都之地,差不多的人家里都有那么一件两件,我或者去古董市场上买,或者是从友人处索要,更多的是谁要向我求字,就提两件三件来。但我收藏的尽是汉代制品,汉以前的陶器则没有,所以看到有鱼鳍形和断面呈"T"字形的鼎、高颈双鼻式耳的贯耳壶、圈足簋、宽把带流杯、深腹圜底缸就兴奋。玉器使我开了眼界,琮、璧、钺、璜、镯、环、三叉形饰、牌饰、冠形器、带钩、管、珠,其质地,其造型,其已被人格化、道德化、神秘化的涵义,令我不能自已。陪我的陈军是玩玉的专家,他手里摩弄着一块自家的玉,口里给我讲"天圆地方"的玉琮,讲玉琮上的神徽,真有一副名士派头。从博物馆出来,顺路去盖叫天墓,墓前独有一树,落叶满地,纸屑狼藉,不见一个游者。初来西湖,几次驱车路过这里,都是清寂,听人说盖叫天是生前就修好墓的,墓修好后,常于黄昏自个坐在墓前。这回终于来看他,不由得说了一句:观众都到哪儿去了?!

午饭在报社用餐。这次来浙,为了清静和自由,要求接待人保密,并一律拒绝新闻界人士采访,但就要离开浙江了,经报社同志提出,他们请吃一顿,见见面,席间同记者们聊聊就可以了。我是最害怕记者的,因口笨舌拙,不善应酬,再加上以前吃过许多记者的亏,为难了半天,最后还是去了。这一次他们挺好,并没有提问多少,只是说说笑笑,气氛轻松,不知我走后他们会怎么写的。饭毕返至大华,整理日记,书写条幅八张,回报杭州的朋友。

十一月三日

机票已订好,明日下午返回西安。因《美文》明年得有大动作,第一期稿件并未备好,我是主编,老宋是常务副主编,两人是得回去一趟,下一次若能再来,就可以直接去温州地区了。温州在国内知名,那里的经济发展模式自成一格,倒想去实际看看。今日取消了再去参观,安静在屋中读沿途带回的各类资料。晚,见宣传部沈副部长和吴天行处长。沈竟送我六支笔,一套茶具,声明是他从自己家里带来的。这样的部长,令人亲切。而我戒酒后嗜茶,见到好的茶具就买,这一把壶倒是极喜欢的,并且有人送笔,这是大吉祥。

十一月四日

陈军提议:咱上龙井吃茶去!天虽很冷,衣衫单薄,但龙井的诱惑还是大的,遂去山上看那泓泉水。泉边吃茶的人挺多,且茶农拉客的也多,一妇人百般纠缠,但瞧她手脚不净,头发蓬乱,怕影响茶味,就呼茶亭的人拿张桌子,便一边看着一群姑娘在泉口大呼小叫,一边吃茶。山上的风景十分幽美,使我想到那一年在峨眉山。但峨眉山的水不好茶不好。桌旁是一堆乱石,其中有块称"来运石",今日来此吃茶,不知好运今日来,今年来,还是在二十一世纪?

四点半,我将坐飞机回西安,杭州是天堂,也真的是从杭州上天呢。不知怎么,满脑子竟是庄子的《逍遥游》,平日记忆力差,记不得原文,现在却顺口吟出:北溟有鱼,其名为鲲。鲲之大,不知其几千里也;化而为鸟,其名为鹏。鹏之背,不知其几千里也。怒而飞,其翼若垂天之云。是鸟也,海运则将徙于南溟。南溟者,天池也。

江苏见闻

一

昆山有"半茧园",园里有"唐亭",咏"唐亭"者甚多,其中一首为:

爱此唐亭僻

梅花静倚门

无人好太古

有月共黄昏

山凹生云窦

溪平露雪痕

于时何事乐

一卷对清樽

此人清雅,格局不大。江南才子如袁枚、归有光清雅而旷达遂成气候,郑燮、金农清雅到极致,发展到怪僻,也终成人物。无人生磨难,际会感慨,纯性情使然,清风徐来水波不兴,则浅显啊。喜第五、六句,暗藏我的姓名。厌七、八句,文人只是喝酒看书,为喝酒看书而喝酒看书,生你何用?

二

半茧园有一石,曰"寒翠"。

形态奇兀,中心大窟窿与边缘小孔,疏密有致,旷野玲珑。石质纯洁,历经风雨,愈是白净。据载:此石本为维扬王忠五家"快哉亭"物,有东坡题识觞咏之语。元顺帝至兀戊寅顾仲瑛得之于通固桥新安尼寺,以粟易归,置"玉山草堂"。明年,仙居柯九思见而奇之,再拜而去,御史白舒达兼善来观,复为题"寒翠"美之。遂砌石为台,仲瑛自为记。后至清嘉庆八年移置半茧园。

一块石头,数百年间被人珍惜,此石必是美女二世。但人女之美,命运必是坎坷,故永做石头再不生人?

在昆山搜寻此石,不能得见。天黑在宾馆吃饭,端上一盘基围虾,便问老宋:知道哪只虾为雌为雄?宋说:你吃哪只,哪只就是雌的。满桌哄笑。

三

到扬州天宁寺,得知郑燮当年在此卖画。到南通狼山,也得知冒辟疆晚年卖字。不知这些先生为何作卖,遂想起我在家中的"润格告示"。我自字画被人看上眼后,先自为得意,不料从此苦恼日增,索字画比约文稿还多,每日敲门者不断,皆是言要解决调动、升级、农转非或等等原因做礼品送人。骚扰太甚,出了告示。

告示为——

自古字画卖钱,我当然开价,去年每幅字千元,每张画千五,今年人老笔亦老,米价涨字画价也涨。

一、字。斗方千元。对联千二。中堂千五。

二、匾额一字五百。

三、画。斗方千五。条幅千五。中堂二千。

官也罢,民也罢,男也罢,女也罢,认钱不认官,看人不看性。一手交钱一手拿货,对谁都好,对你会更好。你舍不得钱,我舍不得墨,对谁也好,对我尤甚好。生人熟人来了都是客,成交不成交请喝茶。

告示一出,果然阻挡了许多人,而且也有一笔收入,到底是好事。

四

北方人都知江南村村有水,殊不知真正水乡在江北。扬州地区的高邮和兴化毗连,高邮地形如覆盂,兴化则是覆盂再翻,境内三分之一为水。农民耕作在垛田,垛田大可三亩五亩,小则二分三分。五月份观之,菜花连天,高处金黄,深渠银亮,错综复杂,如演八卦图阵。当地人讲,兴化古来是避兵乱佳地,盖因这垛田之故。商州山高,秦时也是避乱处,我亦不知是四皓的后人或是祖先为四皓的守墓人,今到兴化,多有感慨。商州山上有各类飞禽走兽,且产商芝,俗称拳芽,其形如人拳,可食用。幼时挖过商芝,根成块状,时有人形者,疑避秦乱的人变,兴化鱼虾种类多,可能也是为安全所驱。席间吃有一种鱼,叫昂刺的,样子极丑,一层黑皮,背上有硬翅如锥。此鱼大半为避乱者托生。还有一种鱼,老而不大,仅有二三指长,更是伏小的人物吧。

五

康熙六次下江南,六次驾临高邮城:

第一次,一六八四年。康熙帝路过高邮,秀才葛天祚、孙晋等献上开海口图。回京途中,十一月初十日船泊城外,秀才献上诗歌八章。

第二次,一六八九年。驻清水潭视察河工,并从高邮码头停泊上岸。

第三次,一六九九年。驻跸界首。

第四次,一七〇三年。二月初六路过高邮,视察河工,宿嵇家闸。

第五次,一七〇五年。三月十一日路过高邮,地方献当地名产。返回时于闰四月初七日路过高邮,驻跸南关外,纳地方所献土产。

第六次,一七〇七年。二月二十七日路过高邮,视察河工,四月二十九日经高邮返回。

此记载现挂牌于高邮古驿馆里。从记载看,康熙帝也够辛苦,十四年间六巡江南。江南当时反清势力最甚,河运又盛,康熙帝当然难以放心。地方富裕,也多秀才,所能献的就是土产和颂歌了。走江南各地,凡清帝当年驾临之所,如今全是景点,高邮古驿是,扬州有御码头,镇江金山寺下也有御码头,但明亡后,江南却是反清重地,人间世情如此,又荒唐又实际。扬州的御码头不远处即史可

法纪念馆,参观时,天雨蒙蒙,庭院冷落,有一联正在史公坐像旁,联曰:

公去社已屋;
我来梅正花。

六

登泰山而小鲁。但泰山有时很小,小到百姓捡一块麻石,立于村前或门前,上凿"泰山石敢当"。高邮有个叫文游台的地方,南宋的皇帝堆土为泰山作祀。土堆上的庙宇已坍,正在复修,旧时光景不得见,但祀炉还在,锈做一堆铁的。现时人看"文革"中的资料片,万人齐跳忠字舞,不觉肃然而觉悲凉,面对土堆的一抔泰山,没有了悲凉却是可笑。

七

在上官河坐船到大纵湖去,时值细雨,却天青河白,岸上菜花金黄,蚕豆已肥,萎蒿细长,经风梳理,齐茬茬一边倒伏。船是"水上飞",速度极快,眼见得河的两边涌起两道水波如龙,与船同进。愈进愈深,河面更宽,处处拦网设簖,河岸遂也成堤,偶有堤断处,能看见堤那边也是或河或湖。堤上有活人也有亡人。活人筑小屋,搭茅棚,几株杉树晾挂了衣服和干菜。亡人则安息,小小的土坟就在杉树之外。怕是民以食为天,鬼也以食为天,坟顶上又皆放一土块成碗状。船过一户人家,人家的媳妇在浅水处设簖,水波微兴,身下的小板舷起落不在,但并不瞧看我们,安然探作,唯岸上老妪使劲挥手向我们叫喊,原是门前停泊的小船上盛着沙子,船沿与水面平齐,水波涌起,沙子就刷入水中,我们只好放慢速度,笑笑地向老人致歉。至大纵湖,水天一色,而各自为政地拦了网,一问,全是养蟹。大纵湖产醉蟹,价钱已涨到百元一斤。见一养蟹大户,方头赤睛,引入他家,家是一只大船,内装饰豪华如市内宾馆,言及蟹销之香港及东南亚,口大气粗,洋洋得意,出船见两艘小快艇飞一般驶来,介绍是新购回的快艇,家人去镇上采买东西的,两男西服革履,提有手机,三女一童皆鲜服,并嘴嚼口香糖,能吹出猪尿泡一样大的泡。

八

扬州历史博物馆在天宁寺,展一古舟,不知年代,疑古运河盛时物。舟为独木,楠树所凿,长十三米余,宽近一米,敲之笃笃鸣响,有金属音。

馆外有一树琼花,远看并不艳乍,近视序盘硕大,一枝八朵,一朵五瓣,排列有序,蕊素如珠,花白如雪。当地人又叫八仙花。世上都骂隋炀帝为看琼花,"陆地行舟"下扬州,荒淫无度,可见琼花不是人间花,以美勾引昏君,杀灭昏君,而又让他开凿运河,又不失自家高洁。

若再有生,不为龙便为独木舟,孕女当是无双琼。

丙子三月二十二日记。

九

三月二十日过江看《瘗鹤铭》，雷轰岩施工加固，不能近前，却见陆游观《瘗鹤铭》刻石，立于浮玉岩畔："陆务观、何德器、张玉仲、韩无咎，兴隆甲申闰月二十九日，踏雪观《瘗鹤铭》，置酒上方，烽火未熄，望风樯舰于云霭间，慨然尽醉。薄晚，泛舟自甘露寺以归。明年二月壬午，圜禅师刻之石。务观书。"世人知坡老《记承天寺夜游》为短文，不知务观七十四字！四十五年间，我又能传几多文字呢，临风浩叹。后体软登山，欲觅一块石携带而不得，定慧寺又已关门，坐末班船郁郁归镇。

十

史公祠后院竖一石，约两围，高三米五左右，玲珑嵌空，窍穴千百。据介绍，为南园遗璞。清安徽歙县汪氏建南园别墅，内置九块太湖石，乾隆南巡时到此园，赐名九峰园，后选二石入御园。九峰园早废，七石散落，今仅存此石。

当年曾有诗：名园九个文人尊，两叟苍颜独爱恩。

这一个石头伴孤忠，这石头也是清寂。旁有一梅，不在花期，未能看数点冷艳。

十一

杭州有西湖，扬州有瘦西湖，北京有白塔，扬州有小白塔，镇江有金山，扬州有小金山。小金山为瘦西湖一景，传说苏轼在扬州时

觀我

觀魚
平心作

南山之夏

过江去金山与和尚对弈,输了玉带,而拿了金山一石过来,遂有小金山。今小金山为一土丘,上建一亭,几块奇石,数株老柏,临风四望,倒能烟水全收。丘下有一堂,联语中"如拳不大金山也肯过江来",其语情殷。

风亭而下,是一庭院,偏门进入,园小二十平方米,只有一柏直挺,薄砖细石铺地,草沿砖缝长,苔在石间生,地青黄如湖面,前有正门,出门则阳台,返回院园,方仰头看门楣匾额题"开畅",始知园地小而顺柏向上可观天,宁静者致远矣。遂合掌道:好!

十二

世人知《白蛇传》皆骂法海,金山寺的和尚至今仍恶白氏素贞,故游金山在山上见塔,塔下见法海洞,山脚洞下见白蛇洞,而山上归属寺院管,山下则是园林局的辖区了。白蛇洞极小,谁人焚过香蜡,荃味未散,但呼吸过后总有腥气。洞内石壁上有一穴,大人不可进入,俯首探望,幽暗却不知深浅。悚然而立,想那女子可怜可亲,虽是蛇变,做人妻何妨?忽穴内有亮光闪烁,一活物慢慢爬出。登时惊叫,活物转身为影子般又滑入穴去,看清毛茸茸一尾,始知山鼠。心怦然悸然,不认为是偶然事件,却又疑心这是白蛇的什么侍者或是守穴者,报给她家主子去了。又久立,身觉寒冷,出洞望江,默然不语。谁又在洞上之洞念那门联:"白蟒化龙归海去,山头只有老陀头。"

十三

金山下一巨石名"信矶",是当年金山未上岸时为水所拥,老和尚常与海鼋在此狎戏,老和尚每一敲石,鼋就必至,后老和尚圆寂,别人再敲,鼋终杳然无迹。五月六日天降微雨,坐石上半日,面前海水已远,沙滩上荒草漫生。

十四

江南人不能望貌论年龄,尤其少女,面有蜡像色,光洁如亚光玻璃。我所到之处,读书人皆以为假,谓个头不应是一米六余,颜面也不该有黑点。殊不知人面也有风水,痣不可取。脸存七痣,排列而下,形若七斗,望我如观天象。

十五

扬州镇江园林,多为私家,盖出自明清盐商所造,财富在世间有定数而流动,钱多则不能为私人有,自古如此。商人好奢华,并不一概附庸风雅,势大钱广必有清客,文艺方是寄生之物。扬州何园的"片石山房"即石涛叠石作涛。

十六

欧阳文忠公在扬州一年,做平山堂,取江南北固远山与此堂平,甚有文人情趣。而《避暑录话》中载"公每暑时辄凌晨携客往游,遣人走邵伯取荷花千余朵,插百许盆,与客相间。迂酒行,即遣妓取一花传客,以次摘其叶,尽处则饮酒,往往侵夜,载月而归。"风流潇洒可见。欧阳也筑屋,也乐酒,也遣妓,今文人行状,见之多多,行为龌龊,酗酒污秽,无大胸襟,酒亦无荷香,取花妓也不闻真笑声啊。

十七

镇江有四大名鱼,鲥、鮰、鲴已吃,味道鲜美,但并不如家乡饮食能饱肚,终日又役役奔走,疲倦不堪,五月四日登北固楼回来午睡近二时,起床说:江南最香是觉香。

五月五日到扬中。扬中为江中孤岛,扬中人有如日本人,登陆意识极强。据说当初起身时,主要靠推销员,推销产品也推销自己,常年在火车上奔波的中国推销员十人必有六人是扬中人。有了资金,扬中不敢怠慢,愈发向外扩张,自筹资金修一千一百七十二米长的扬中长江大桥,使经济从小而散、小而全向规模化、集团化、多元化方向发展,其富裕与文明比苏南诸地有过之而无不及。访问毕,天已黑,往范继平家吃河豚。河豚有剧毒,尤其菜花时节,范继平一再强调,不吃河豚,枉到扬中,要吃,要敢吃!"我请村里老支部书记来烧!"出事不出事,这不是政治可以保证的事,但我还是放开去吃,十五分钟过后,未有舌麻头晕,安全无事了。回镇江对接待人谈起,他大惊失色,说:"只有镇江人敢这样!"

河豚活物什么模样,不可得知,但鼓腹而歌:你有毒,我也一身病毒,我怕你的!

十八

镇江"芙蓉楼"新建,内有王川壁画,王川导游前往。坐楼中喝两杯茶,出来坐湖中廊亭,细雨淋淋,烟笼水面,极尽幽静。得知前不久有旧时人物来住园中，一人常临于湖边观鱼乐，不觉回头望园中楼舍，楼舍一半渺失，一半如浮，但清晰一白皮松，青灰底色里白斑如钱，塔子小，匀匀在一堆枝叶的苍绿中泛黄。

芙蓉楼前二十米是中泠泉，不愿近，嫌中泠二字不好。

十九

镇江黄墟乡龙山村现在是中国最富裕村镇之一。但与任何村镇发展不同，它是由工人承包而起，实行的是现代化大企业管理方法。有如英国人开发美洲。没有四个工人从附近的热电厂辞职来养鳗就不可能有龙山村的发展，没有龙山村的土地水塘也不可能有"世界鳗王"的龙山鳗业联合公司。这种公司比社会上公司有可以使用的土地和最便当的劳力的有利处，也有使农民一步到位、最快摆脱农民意识的先进处，其压力是以村为公司时必须敢担风险，其阻力是世世代代在此繁衍生息的农民对于外来人来占有土地、又受其治理而所带来的行为上、心理上的抗拒。《土门》从一个侧面即表现这种矛盾，龙山现状又是另一个侧面，令我大喜。

二十

登北固山见梁武帝萧衍书"天下第一江山"刻石，哑然一笑，想起西安街头卖羊肉泡馍人家门前有"天下第一碗"。

二十一

在扬州得旧籍，读至龚定庵身处风月繁华地却清净澹泊，甚有

感动。定庵性不羁,厌修饰,在朋友魏源,字默深家客住,仍得大自在。其一趣:

定庵无靴,借默深靴著之,所容浮于趾,曳之,廓如也。客至,剧谈渐浃,定庵跳踞案头,舞蹈甚乐。洎送客,靴竟不知所之,遍觅不可得,濒行,撤卧具,乃于帐顶得之。当时双靴飞去,定庵不自知,并客亦未见,此客亦不可及。

古人磊磊率真如此,今不能了。

二十二

读《浮生六记》,知沈复三十三岁的冬天,为友人做中保而被牵累,致使家庭失欢,寄居无锡,后归途到虞山,"愁苦之中快游也"。我年四十五,来虞山比沈复迟了十二年。

上剑门,观尚湖,不知太公在秦在苏?

二十三

常熟有古诗:七溪流水皆通海,十里青山半入城。

七溪,一在学宫后兴贤桥北,二在草圣祠后东太平巷南,三在东街南金童子巷北,四在言子宅后坊桥北章家角南,五在白粮仓前灵宫殿后,六在白粮仓后,七在孝义桥南仓浜底。虞山骑车周游可两小时许。

城中有方塔,为南宋建。据说虞山如牛形,怕牛入海,故建方塔做拴牛桩。

二十四

游兴福寺,最兴趣扶竹荒疏。到一庭院,见殿额"为甚到此",怅然若失。在"自彻"院书法,识静觉师傅,无印章,虞山友人当即以锉刀在静觉印石的另一端刻"平凹"二字。后上"救虎阁"素食嫩竹针菇,当了半日和尚。

二十五

在常熟拜钱谦益,却更钟情柳如是,单这名字便喜欢,登虞山见柳如是的撰联就录,得传说,柳墓里的棺木是悬葬的,以示不履清朝土地。白茆乡芙蓉村未能去,不知那株红豆树今年可生几豆?

二十六

读资料:"兴福寺原有一株唐桂,一株宋梅,均为千年古树。宋梅至二十年代尚开花结梅子,梅子秋后成熟,味甘。一九三六年九月十二日午夜十二时许,全树突然倾倒,残枝满地。唐桂五十年代老死。"详细记述树忌日的唯这宋梅。此梅死至今日六十年了,今夜焚纸奠之。

二十七

在"彩衣堂"见七十余岁时翁同龢相片,鼻如悬胆。翁家父子宰相、帝师,兄弟封疆,叔侄联魁,在近代政治、科举史上其显赫罕有所匹。翁宅不大,庄严肃整,记载原有两棵桂树,今见是幼桂,知原木已毁。后有读书楼,登上吃茶,观翁字画,竟十分喜爱其墨迹。咸、光年间,翁氏书法当朝第一,但如今书法史上未见其地位,令人遗憾。吃茶间偶见台湾寄其馆"松禅老人尺牍墨迹"一册,爱不释手,遂复印半册。

该册序言,斯册凡录翁文恭致南海张樵野手札百余道,并附中俄租借旅大约稿及电报稿若干件。为归安吴渔川所编集。其时日大抵多光绪二十三四年间所书,时正甲午败后对俄德英法交涉频繁之际,翁张二氏同在总理衙门行走,而文恭并兼内阁及军机,张氏以通洋务名为文恭所深器重,凡涉外交多与之磋商。

渔川吴永,吴兴人,为湘乡曾惠敏之东床,亦张樵野氏所荐士。樵野任总理衙门大臣时,渔川曾充记室,戊戌八月,张氏以罪下狱,谪戍新疆,此诸札幸赖先委之渔川得以保存。宣统辛亥编次成册以藏。渔川生为宦,两袖清风,其幼女芷青女士于归文恭家人蚧雨先生,此文恭遗墨即其出嫁之压奁物。星移斗转,原物归翁,真是奇迹。

翁氏在朝,门生天子,行走弘德殿,波澜万丈,晚景开缺回籍凄凉异常,自号瓶庵居士,在此"守口如瓶"、"唯农与鱼鸟相亲",甚至为避祸,多次隐藏自己的日记、手稿,"避谤每删诗"。临终前口拟挽联:"朝闻道,夕死可矣;今而后,予知免夫。"死后墓前立他手书的墓碑:"清故削籍大臣之墓",可见死而耿耿于怀。

二十八

再游兴福寺,静坐空心潭,游人踵踵,多在潭边围桌玩牌,亦狎欢,亦赌博。救虎阁前放生池里,仍未见绿毛龟。又与静觉和尚见,相谈甚洽,得《了凡四训》一册。

兴福寺前坡竹甚美,进去满地竹叶子埋脚面,但竹几乎每竿刻字,皆少男少女情爱之语。正会心而读,又一对男女携手过来,忙出林到坡下广场吃豆花一碗。

二十九

曾朴在家作《孽海花》,现家院辟为"曾园",五月十九日下午进园读碑刻,听虞山古琴。先一曲《渔樵问答》,后《高山流水》,叙说古简朴约,时窗外轻风微雨,吹窗偶有嘎嘎声,似鬼魂而入。琴罢出房,廊边有竹在摇曳,忽有词:有竹风显形,无琴灵失托。

内有一香樟,一树两分,一分又三分。荫半亩地,下一太湖石,形状若悠闲人,顶凿"妙有",下隐约有字,辨认许久,方识得是:"余营虚霩园,绮虞山为胜,未尝有意致奇石,乃落成而是石适至,非所谓运,自然之妙有者耶,即名妙有二字,题其颠。石高丈许,皱瘦透者咸备。"世上万物得失聚散皆有缘,石仍在曾朴已去,为等我耶?

三十

一早登虞山"读书台",不为读书只吃茶,坐亭中四面来风,忽然与同坐说禅,说基督,吃茶就不是吃一杯绿水了。

饭时在旁"梅影廊",席间有八十老翁,能填词书画,人皆戏谑无序,老者可爱如婴儿。"梅影廊"饭馆原民间俗语"妹引郎",谓生意兴隆之术,老者改题匾额而雅。老者又自夸:在某乡一干部调戏民女,被人责罚,造亭,称"摸奶亭",他改题写"莫浪亭"。众人说好,旁有一人就用纸揩老者嘴角沾饭,众人又笑,老者也笑。事后得赠一册《梓人韵语》,知老者是张大千弟子,一生坎坷,早年失妻,今子在上海,有一妇人未婚同居,妇人又常在南京,平日有女学生照料,每当儿子来,便不出门,防备所收藏物失。

三十一

虞山名人多,以人名拟联:

牧斋翁心存曾朴,
天池柳如是瓶生。

牧斋即钱谦益,号牧斋。翁心存,翁同龢之父,清宰相。曾朴,《孽海花》作者也。天池即虞山琴派宗师。柳如是,牧斋之妾。瓶生为翁同龢晚年号。

三十二

太湖西山二十一个岛屿,风光疏野,最无污染和人工气。不知荡舟周游是何等滋味,现有三桥浮卧四岛之间,一桥七十五孔,一桥七十二孔,一桥四十孔,壮观而秀美,令人长啸。车过西山岛,两边绿树越来越密,同行人讲,这里无树不花,无花不果,我来得不是时候,却在急驶中竭力去辨认梅树、桃树、栗树和枇杷。路蜿蜒起伏,忽沿山脚前进,一边天水一色,一边叠翠欲坠,正是岛尽处,却一闪,又是一洼绿树,隐约有楼顶亭角,一律洁白,闪烁其间,有鸟就在车前的道边静立,车过也不动。至石公山,进园门就仰首跌帽,与天下景区不同。循门内两侧山道趋势上绕,景顺步移,出神入化。在断山亭看断岩,看方亭,看"山与人相见,天将水共浮"联,看远处的来鹤亭,亭里无鹤,也无鹤来,却觉自己筋骨内敛,灵和外放,轻呼一声"我来了",一时感到天外有了默雷。

怎不忆江南

当年在商州采风,那是背了笔和纸、牙刷和锅盔,一个县一个县地走,走饥了就寻饭店吃,走累了就寻旅社睡。先后数月,吃了一肚子酸菜糊汤,养了一身的虱,获得精神上的、文学上的东西便享用了十几年。及后又上陕北,为的是那一方黄土,千山万水地走遍。至今想起来,延川黄河岸这边的那一夜涛声,靖边沙漠上的那一天未食的饥肠辘辘,绥德城里那个唱信天游的老汉,仍做了我人生路上嚼不尽的一袋干粮。那时年轻,不怕狼,不怕狗,不怕不卫生,白日跑动,晚上写作,深感自己是虎在山上,龙在海里。古人讲,行万里路,读万卷书,现在提倡深入生活,说的都是文人最起码的东西。我出身贫贱,混迹于民间是我的本事,自然不能同于那些高贵的人,写别一种优雅的日子和行状。走陕南陕北,这是中国苦焦的乡村,九五年九六年两次去江苏南部,却到的是富贵之地。苏南基本上走遍了,苏中也走了一部分。一个陌生人到陌生地,有了新的感受也有了新的思维,无论我将来写什么,过什么样的生活,无疑要产生大的影响的。

我写商州,写陕北,写的都是农民。农民的概念,我们一直认作是勤劳善良自私保守;农村的概念,也一直是封建的、落后的、生产力低下而田园风光纯朴。我也哀叹过中国是农业国。我自己出身于农家,为挣脱一张农皮去奋斗了二十年。但在苏南,农民和农村的概念就全变了!那里的农民已经不是了农民,那里的农村已经不是了农村,也不能以才形成时间不长的"乡镇企业"一词去对待那里的乡镇企业了。数年前与外国的作家探讨乡土文学,他们的乡土文学是指回归自然,与我们截然不同,那时还甚不理解,走走苏南,一切也能明白了。现实的变化,必然使观念变化,换一种思维重新看中国的农民和农村,获得的是希望和力量,要写文章,自然有大的空间和多的纬度。当初读《尤利西斯》,醒悟到了对语言的运用实际上是对小说的一种认识。农民和农村的概念改变,可以使我在做文学工作时,开启关于人和土地的意义。人的才能,除了天生的一份灵性外,要识多见广,丰富的阅历,做小说家的不易也正是得起码地具备这种基础。我是出国很少的作家,每一次机会都积极地去做中西文化的比较考察,每一次回来,我的写作或多或少地发生着变化。我在中国的西北部待得久了,不要说做天下的文章,全中国都未深入全面地了解,哪里又能建构宏大的意象世界呢?在苏南的日日夜夜,我是激动的,虽然那里的气候对我身体有害,饮食也不习惯,当地人能听懂我的话,我却听他们说话如鸟鸣,但我一有空就写笔记。我当然也思考着中国的历史和现状,思考着中国的前途和远景,陪伴我的人也笑我拿的是文联干部的工资操的是政治局会上的心。而我在洒满月光的夜里失眠而起,我记载了我对自己作品的审视,对当代中国文学的审视。苏南在告别着小农经济,告别着村社文化,我们的作品应该建立真正意义上的现代汉语文学,太功利将使我们平庸,太激愤将使龙种生下跳蚤,而制造技巧将使我们如发达的食文化一样,导致了我们肠胃功能的衰败。

在江南,我拜会了相当多的才子,有现代、当代的,也有古代的,如袁枚、归有光、冒辟疆和钱谦益。我思考着他们产生的原因,研究着他们一生的遭遇,自然就对比着我们的司马迁和我们西北部现当代的作家。我在一篇日记里这样写道:"中国的文学艺术有过现实主义和浪漫主义之分,这观点我并不以为然,但确确实实分别着一种写实笔法,一种性灵笔法。这两种笔法,我当然推崇司马迁,但推崇司马迁而鄙视那些毫无灵气的笨写法,对于性灵笔法自己很喜欢又轻贱那些小境界。原先只了解司马迁是北方人,当过史官,受过大难,他注重的是一种天下为怀的、史的目光,这一切又以朴素为底色,而不明白性灵之作是如何产生的。来这里见了冒辟疆、归有光、袁枚的故乡,这一类有才情的人原来也是水土所致。才情之人成功之处在于写了性灵而不靡艳。但这些人作品格局仍是逊于司马迁,原因也可能乏于自然环境的恶劣和人生境遇的灾难。曹雪芹当然是才情人,他的文笔灵动胜于司马迁,他又经历过人生苦难,所以,有《红楼梦》。写实易于死板,性灵易于小巧,质朴是重要的,格局是重要的,更重要的是体证人生的大苦大难而又从此有慈悲之怀。"不到江南,我向往江南;去了江南,我更热爱我们的西北。西北历史的辉煌和现今的艰苦,给了我生命和气质。我从事文学,这么从黄河到长江,明白了我们的不足,也坚定了我们的信心。草食动物或许是胆小的兔子,但也可能是恐龙大象,吃血的或许是老虎也或许是虱子。我再不为远离京都而自叹,也不再为所谓西安"生人不养人"的环境而悲苦,放眼天下,心存高志,阔大胸怀,善于汲取,才是我发展天才的急需!

当年的孔子"西行不到秦"的,我往东去,为的是得大自在。

1996 年 7 月 18 日

拓 片 闲 记

安康友人三次送我八幅魏晋画像砖拓片，最喜其中二幅，特购大小两个镜框装置，挂在书屋。

一幅五寸见方，右边及右下角已残，庆幸画像完整，是一匹马，还年轻，却有些疲倦，头弯尾垂，前双足未直立，似作踢踏。马后一人，露头露脚，马腹挡了人腹，一手不见，一手持戟。此人不知方从战场归来，还是欲去战斗，目光注视马身，好像才抚摩了坐骑，一脸爱惜之意。刻线简练，形象生动，艺术价值颇高。北京一位重要人物，是我热爱的贵宾，几次讨要此图，我婉言谢拒，送他珊瑚化石一座和一个汉罐。

另一幅是人马图的三倍半长，完整的一块巨砖拓的。上有一只虎，造型为我半生未见。当时初见此图，吃午饭，遂放碗推碟，研墨提笔在拓片的空余处写道："宋《集异记》曰：虎之首帅在西城郡，其形伟博，便捷异常，身如白锦，额有圆光如镜。西城郡即当今安康。宋时有此虎，而后此虎无，此图为安康平利县锦屏出土魏砖画像。今人只知东北虎、华南虎，不知陕南西城虎。今得此图，白虎护佑，天下无处不可去也。"友人送此图时，言说此砖现存安康博物馆，初出土，为一人高价购去，公安部门得知，查获而得，仅拓片三幅。为感念友人相送之情，为他画扇面三个。

1996年10月记

茶　杯

我戒酒后,嗜茶,多置茶具,先是用一大口粗碗,碗沿割嘴,又换成宜兴小壶,隔夜茶味不馊,且壶嘴小巧,嚐吮有爱情感。用过三月,缺点是透壶不能瞧见颜色,揭盖儿也只看着是白水一般,使那些款爷们来家了,并不知道我现在饮的是龙井珍品!便再换一玻璃杯,法兰西的,样子简约大方,泡了碧螺春,看薄雾绿痕,叶子发展,活活如枝头再生。便写条幅挂在墙上:无事乱翻书,有茶清待客。人便传我家有好茶,一传二,二传三,三传无数,每日来家饮茶人多,我纵然有几个稿酬,哪里又能这么贡献?藏在冰箱中的上等茶日日减少了。还有甚者,我写作时,烟是一根一根抽,茶要一杯一杯饮的,烟可以不影响思绪在烟包去摸,茶杯却得放下笔去加水,许多好句就因此被断了。于是想改换大点茶杯,去街上数家瓷店,杯子都是小,甚至越来越到沙果般小。店主说,现在富贵闲人多,饮茶讲究品的。我无富贵,更无有闲,写作时吸烟如吸氧,饮茶也如钻井要注水一样,是身体与精神都需要的事,品能品出文章来?

十月十五日,本单位的宋老兄说过要请吃的,割八斤羊肉,红焖一顿,但却迟迟没动静,去穆老弟处打问,却见他桌上有一杯,高有六寸,粗到双掌张开方能围拢,还有个盖儿,通体白色,着青色山水楼阁人物图,古也不古,形状极其厚朴,顿生掠夺之心。问是哪儿买的,不嗜茶的人却用这等杯子?穆老弟口吻严重,说是专制的,无处可买,又说:你想要了,可以给你,得写一幅字交易。我惜我书法,素不轻易送人,说:一个杯子一千元呀?!却还是当下写就,清洗了杯子携回。

从此饮茶用此杯,日晚不离案头。此杯之好,泡茶能观茶形水色,又不让谋我茶的人从外看见,仅我独享,抓盖顶上疙瘩,椭圆洁腻,如温雪,如触人乳头。最合意的是它憨拙,搂在手中,或放在桌上,侧面看去,杯把儿做人耳,杯子就若人头,感觉里与可交之人相交。写作时不停地饮,视那里盛了万斛,也能饮得我满腹的文章。

我常想,世上能用此等大杯饮茶的,一是长途汽车的司机,二就是我了,都是靠苦力吃饭的人。但司机多用罐头瓶、咖啡瓶当壶,我却是青花白瓷杯,这便是写作人仅有的一点清高吧?李白有过一句:唯有饮者留其名。如果饮者不仅指饮酒,也该有饮茶,那我就属饮者之列了。今冬里,家有来客见我皆笑,说是个头小茶杯大,我笑而不答,但得大杯之趣了,是不与他人传授的。

1996 年 11 月 22 日早写

吃　烟

吃烟是只吃不屙,属艺术的食品和艺术的行为,应该为少数人享用,如皇宫寝室中的黄色被褥,警察的电棒,失眠者的安定片。现在吃烟的人却太多,所以得禁止。

禁止哮喘病患者吃烟,哮喘本来痰多,吃烟咳咳嘎嘎的,坏烟的名节。禁止女人吃烟,烟性为火,女性为水,水火生来不相容的。禁止医生吃烟,烟是火之因,医是病之因,同都是因,犯忌讳。禁止兔唇人吃烟,他们噙不住香烟。禁止长胡须的人吃烟,烟囱上从来不长草的。

留下了吃烟的少部分人,他们就与菩萨同在,因为菩萨像前的香炉里终日香烟袅袅,菩萨也是吃烟的。与黄鼠狼子同舞,黄鼠狼子在洞里,烟一熏就出来了。与龟同默,龟吃烟吃得盖壳都焦黄焦黄。还可以与驴同嚎,瞧呀,驴这老烟鬼将多么大的烟袋锅儿别在腰里!

我是吃烟的,属相上为龙,云要从龙,才吃烟吞吐烟雾要做云的。我吃烟的原则是吃时不把烟分散给他人,宁肯给他人钱,钱宜散不宜聚,烟是自焚身亡的忠义之士,却不能让与的。而且我坚信一方水土养一方人,是中国人就吃中国烟,是本地人就吃本地烟,如我数年里只吃"猴王"。

杭州的一个寺里有副门联,是:"是命也是运也,缓缓而行;为名乎为利乎,坐坐再去。"忙忙人生,坐下来干啥,坐下来吃烟。

1996年11月26日夜戏笔

治 病 救 人

我第一次认识张宏斌,张宏斌是坐在我家西墙南边的椅子上,我坐在北边椅子上,我们中间是一尊巨大的木雕的佛祖。左右小个子,就那么坐着,丑陋如两个罗汉。对面的墙上有一副对联:相坐亦无言,不来忽忆君。感觉里我们已经熟了上百年。

我们最先说起的是矮个人的好处,从拿破仑、康德,到邓小平、鲁迅,说到了阳谷县的那一位,两人哈哈大笑。我们不忌讳我们的短,他就一口气背诵了《水浒》上的那一段描写。我说你记忆力这般好,他说你要不要我背诵你的书?竟一仰头背诵了我一本书的三页。我极惊奇,却连忙制止:此书不宜背诵!问他看过几遍就记住了,他说三遍。我说你还能背诵什么,他说看过三遍的东西都能记住。就又背诵起《红楼梦》的所有诗词,让贾宝玉和金陵十二钗全都到我家办诗会了。

但我请张宏斌来,并不是因为他是记忆的天才,他的本行是医生,要为我的一个亲戚的儿子治癫痫病的。我差点迷醉于他的记忆力的天赋而忘却了他是医生。他看了看亲戚的那个患病的儿子,笑了笑,说:"药苦,你吃不吃?"儿子说:"我爱吃糖!"大家都乐起来。我将那小子拉过来,在他汗津津的背上搓,搓下污垢卷儿让他看,几个大人立即向我翻白眼,以为当着医生丢了面子。

张宏斌留下了几袋丸药,开始详细吩咐,什么时候吃什么大丸,什么时候吃什么小丸,极讲究节气前后的时间。我要付他的钱,他不收,提出能送一两本我的书。我的书都在床下塞着,他似乎不解:我把配制的药丸是藏在架子上的瓷罐里的,你怎么把书扔在床底?我说:"你那药是治病的。"他说:"书却救人啊!"我笑了笑,救谁呢?一本送了他,一本签上"自存自救"放到了我的床头柜里。

他的这些药丸极其管用,亲戚的儿子服后病遂消解,数年间不再复犯。

医生我是尊敬的,而这样的奇人更令我佩服,以后我们就做了朋友。他住在岐山县,常常夜半来电话,浓重的岐山口音传染了我,我动不动也将"入"念成"日",一次作协研究要求入会的业余作者,讨论半天意见不统一,我一急说道:有什么不高兴的么,人家要"日"就让人家"日"嘛!

他常常被西安的病人请了来,每次来都来我家,我没有好酒,却拿明前茶,请,请上坐,就坐在佛祖旁的椅子上。我们就开始说《红楼梦》,说中医,说癫痫,说忧郁症,说精神分裂,这现代生活垢生出的文明病。

张宏斌说,医生最大的坏处,是:不能见了别人就邀请人家常去他那儿。这是对的,监狱管理员邀请不得人,火葬场也邀请不得人。中国人有这么个忌讳。但我给张宏斌介绍了许多有病的人和没病的人,还有许多名人和官人。谁的头都不是铁箍了的,名人和官人也是要患病的。作家可以拒绝,医生却要请的,没病也要请,这如在家里挂钟馗像。

同张宏斌打交道的几年里,我也粗略识得什么是癫痫和精神分裂病,什么人易患这类病和什么人已潜伏了这类病。并且,看他治病,悟出了一个道理:病要生自己的病,治病要自己拿主意。这话对一般人当然是自然而然的事,但对一些名人和官人却至关重要,名人和官人没病的时候是为大家而活着的,最复杂的事到他们那里即得到最简单的处理,一旦有病了,又往往就也不是自己患病,变成大家的事,你提这样的治疗方案,他提那样的治疗方案,会诊呀,研究呀,最简单的事又变成了最复杂的事,结果小病耽误成大病,大病耽误成了不治之病。

张宏斌治病出了名,全国各地的病人都往岐山去,他收入当然滋润,而且住宅宽展,他说你出书困难了,我可以资助你,西安没清静地方写作了到岐山来。我很感激他。年初,我对他说:你教我当医生。他说:我正想请你教我写文章哩。两人在电话里呵呵大笑:那就谁也不教谁了!

现在,我仍在西安,他还在岐山,十天半月一回见面,一个坐木雕佛祖的南边,一个坐木雕佛祖的北边,丑陋如两个罗汉。

1997 年 1 月 20 日晚

壁　画

陕西的黄土原,有的是大唐的陵墓,仅挖掘的永泰公主的,章怀太子的,懿德太子的,房陵公主的,李寿、李震、李爽、韦炯、章浩的,除了一大批稀世珍宝,三百平方米的壁画就展在博物馆的地下室。这些壁画不同于敦煌,墓主人都是皇戚贵族,生前过什么日子,死后还要过什么日子,壁画多是宫女和骏马。有美女和骏马,想想,这是人生多得意事!去看这些壁画的那天,馆外极热,进地下室却凉,门一启开,我却怯怯地不敢进去。看古装戏曲,历史人物在台上演动,感觉里古是古,我是我,中间总隔了一层,在地下室从门口往里探望,我却如乡下的小儿,真的偷窥了宫里的事。"美女如云",这是现今描写街上的词,但街上的美女有云一样的多,却没云那样的轻盈和简淡。我们也常说:"唐女肥婆",甚至怀疑杨玉环是不是真美?壁画中的宫女个个个头高大,耸鼻长目,丰乳肥臀,长裙曳地,仪表万方,再看那匹匹骏马,屁股滚圆,四腿瘦长刚劲,便得知人与马是统一的。唐的精神是热烈、外向、放恣而大胆的,它的经济繁荣,文化开放,人种混杂,正是现今西欧的情形。我们常常惊羡西欧女人的健美,称之为"大洋马",殊不知唐人早已如此。女人和马原来是一回事,便可叹唐以后国力衰败,愈是被侵略,愈是向南逃,愈是要封闭,人种退化,体格羸弱。有人讲我国东南一隅以及南洋的华侨是纯粹的汉人,如果真是如此,那里的人却并不美的。说唐人以胖为美,实则呢,唐人崇尚的是力量。马的时代与我们越来越远了,我们的诗里在赞美着瘦小的毛驴、倦态的老牛,平原上虽然还有着骡,骡仅是马的附庸。

我爱唐美人。

我走进了地下室,一直往里走,从一九九七年走到五百九十三年,敦煌的佛画曾令我神秘莫测,这些宫女,古与今的区别仅在于服饰,但那丰腴圆润的脸盘,那毛根出肉的鬓发,那修长婀娜的体态,使我感受到真正的人的气息。看着这些女子,我总觉得她们在生动着,是活的,以至看完这一个去看那一个,侧身移步就小心翼翼,害怕走动碰着了她们。她们是矜持的,又是匆忙的,有序地在做她们的工作,或执盘,或掌灯,或挥袖戏鹅,或观鸟捕蝉,对于陌生的我,不媚不凶,脸面平静。这些来自民间的女子,有些深深的愁怨和寂寞,毕竟已是宫中人,不屑于我这乡下男人,而我却视她们是仙人,万般企羡,又自惭形秽了。《红楼梦》中贾宝玉那个痴呆呆的形状,我是理解他了,也禁不住说句"女儿是水做的,男人是泥做的"了。看呀,看那《九宫女》呀,为首的梳高髻,手挽披巾,相随八位,分执盘、盒、烛台、团扇、高足杯、拂尘、包裹、如意,顾盼呼应,步履轻盈,天哪,那第六位简直是千古第一美人呀,她头梳螺髻,肩披纱巾,长裙曳地,高足杯托得多好,不高不低,恰与宛转的身姿配合,长目略低,似笑非笑,风姿卓绝,我该轻呼一声"六妹"了!这样纯真高雅的女子,我坚信当年的画师不是凭空虚构的,一定是照生前真人摹绘,她深锁宫中,连唐时也不可见的,但她终于让我看到了,我看到了已经千年的美人。

"美人千年已经老了!"同我去看壁画的友人说。

友人的话,令我陡然悲伤,但友人对于美人却感到快意。我没有怨恨友人,对于美人老的态度从来都是有悲有喜的两种情怀,而这种秉性可能也正是皇戚贵族的复杂心理,他们生前占有她,死后还要带到阴间去,留给后世只是老了的美人。这些皇戚贵族化为泥土,他们是什么狗模人样毫无痕迹,而这美女人却留在壁画里,她们的灵魂一定还附在画上。灵魂当然已是鬼魂,又在墓穴埋了上千年,但我怎么不感到一丝恐怖只是亲切,似乎相识,似乎不久前在某一宾馆或大街上有过匆匆一面?我对友人说:你明白了吗,《聊斋志异》中为什么秀才在静夜里盼着女鬼从窗而入吗?!

参观完了壁画,我购了博物馆唐昌东先生摹古壁的画作印刷品,我不顾"六妹"千余年在深宫和深墓,现在又在博物馆,她原本是民间身子,我要带她到我家。我将画页悬挂室中,日日看着,盼她能破壁而出。我说,六妹,我不做皇戚贵族宫锁你,我也没金屋藏匿你,但我给你自在,给你快乐,还可以让你牧羊,我就学王洛宾变成一只小羊,让你拿皮鞭不断轻轻打在我的身上。

陶　俑

秦兵马俑出土以后,我在京城不止一次见到有人指着在京工作的陕籍乡党说:瞧,你长得和兵马俑一模一样!话说得也对,一方水土养一方人,一方人在相貌上的衍变是极其缓慢的。我是陕西人,又一直生活在陕西,我知道陕西在西北,地高风寒,人又多食面食,长得腰粗膀圆,脸宽而肉厚,但眼前过来过去的面孔,熟视无睹了,倒也弄不清陕西人长得还有什么特点。史书上说,陕西人"多刚多蠢",刚到什么样,又蠢到什么样,这可能是对陕西的男人而言,而现今陕西是公认的国内几个产美女的地方之一,朝朝代代里陕西人都是些什么形状呢,先人没有照片可查,我只有到博物馆去看陶俑。

最早的陶俑仅仅是一个人头,像是一件器皿的盖子,它两眼望空,嘴巴微张。这是史前的陕西人。陕西人至今没有小眼睛,恐怕就缘于此,嘴巴微张是他们发明了陶埙,发动起了沉沉的土声。微张是多么好,它宣告人类已经认识到自己在这个世界上的位置,它什么都知道了,却不夸夸其谈。陕西人鄙夷花言巧语,如今了,还听不得南方"鸟"语,骂北京人的"京油子",骂天津人的"卫嘴子"。

到了秦,就是兵马俑了。兵马俑的威武壮观已妇孺皆晓,马俑的高大与真马不差上下,这些兵俑一定也是以当时人的高度而塑的,那么,陕西的先人是多么高大!但兵俑几乎都腰长腿短,这令我难堪,却想想,或许这样更宜于作战,古书上说"狼虎之秦"。虎的腿就是矮的,若长一双鹭鸶腿,那便去做舞伎了。陕西人的好武真是有传统,而善武者沉默又是陕西人善武的一大特点。兵俑的面部表情都平和,甚至近于木讷,这多半是古书上讲的愚,但忍无可忍了,六国如何被扫平,陕西人的爆发力即所说的刚,就可想而知了。

秦时的男人如此,女人呢,跽坐的俑使我们看到高髻后挽,面目清秀,双手放膝,沉着安静,这些俑初出土时被认作女俑,但随着大量出土了的同类型的俑,且一人一马同穴而葬,又唇有胡须,方知这也是男俑,身份是在阴间为皇室养马的"围人"。哦,做马夫的男人能如此清秀,便可知做女人的容貌姣好了。女人没有被塑成俑,是秦男人瞧不起女人还是秦男人不愿女人做这类艰苦工作,不可得知,如今南方女人不愿嫁陕西男人,嫌不会做饭,洗衣,裁缝和哄孩子,而陕西男人又臭骂南方男人竟让女人去赤脚插秧,田埂挑粪,谁是谁非谁说得清?

汉代的俑就多了,抱盾俑,扁身俑,兵马俑。俑多的年代是文明的年代,因为被殉葬的活人少了。抱盾俑和扁身俑都是极其瘦的,或坐或立,姿容恬静,仪态端庄,服饰淡雅,面目秀丽,有一种含蓄内向的阴柔之美。中国历史上最强盛的为汉唐,而汉初却是休养生息的岁月,一切都要平平静静过日子了,那时的先人是讲究实际的,俭朴的,不事虚张而奋斗的。陕西人力量要爆发时那是图穷匕首现的,而蓄力的时候,则是长距离的较劲。汉时民间雕刻有

"汉八刀"之说,简约是出名的,茂陵的石雕就是一例,而今,陕西人的大气,不仅表现在建筑、服饰、饮食、工艺上,接人待物言谈举止莫不如此。犹犹豫豫,瞻前顾后,不是陕西人性格,婆婆妈妈,鸡零狗碎,为陕西人所不为。他不如你的时候,你怎么说他,他也不吭,你以为他是泼地的水提不起来了,那你就错了,他入水瞄着的是出水。

汉兵马俑出土最多,仅从咸阳杨家湾的一座墓里就挖出三千人马。这些兵马俑的规模和体型比秦兵马俑小,可骑兵所占的比例竟达百分之四十。汉时的陕西人是善骑的。可惜的是现在马几乎绝迹,陕西人自然少了一份矫健和潇洒。

陕西人并不是纯汉种的,这从秦开始血统就乱了,至后年年岁岁地抵抗游牧民族,但游牧民族的血液和文化越发杂混了我们的先人。魏晋南北朝的陶俑多是武士,武士里相当一部分是胡人。那些骑马号角俑、舂米俑,甚至有着人面的镇墓兽,细细看去,有高鼻深目者,有宽脸剽悍者,有眉清目秀者,也有饰"魋髻"的滇蜀人形象。史书上讲过"五胡乱华",实际上乱的是陕西。人种的改良,使陕西人体格健壮,易于容纳,也不善工计易于上当受骗。至今陕西人购衣,不大从上海一带进货,出门不愿与南方人为伴。

正是有了南北朝的人种改良,隋至唐初,国家再次兴盛,这就有了唐中期的繁荣,我们看到了我们先人的辉煌——

天王俑:且不管天王的形象多么威武,仅天王脚下的小鬼也非等闲之辈,它没有因被踩于脚下而沮丧,反而跃跃欲试竭力抗争。这就想起当今陕西人,有那一类,与人抗争,明明不是对手,被打得满头满脑血了却还往前扑。

三彩女侍俑:面如满月,腰际浑圆,腰以下逐渐变细,加上曳地长裙构成的大面积的竖线条,一点也不显得胖或臃肿,倒更为曲线变化的优美体态。身体健壮,精神饱满,以力量为美,这是那时的时尚。当今陕西女人,两种现象并存,要么冷静、内向、文雅,要么热烈、外向、放恣,恐怕这正是汉与唐的遗风。

骑马女俑:马是斑马,人是丽人,袒胸露臂,雍容高雅,风范犹如十八世纪欧洲的贵妇。

梳妆女坐俑:裙子高系,内穿短襦,外着半袖,三彩服饰绚丽,对镜正贴花黄。

随着大量的唐女俑出土,我们看到了女人的发式多达一百四十余种。唐崇尚的不仅是力量型,同时还是表现型。男人都在展示着自己的力量,女人都在展示着自己的美,这是多么自信的时代!

陕西人习武健身的习惯可从一组狩猎骑马俑看到,陕西人的幽默、诙谐可追寻到另一组说唱俑。从那众多的昆仑俑、骑马胡俑、骑卧驼胡人俑、牵马胡人俑,你就能感受到陕西人的开放、大度、乐于接受外来文化了。而一组塑造在骆驼背上的七位乐手和引吭高歌的女子,使我们明白了陕西的民歌戏曲红遍全国的根本所在。

秦过去了,汉过去了,唐也过去了,国都东迁北移与陕西远去,一个政治经济文化的中心日渐消亡,这成了陕西人最大的不幸。宋代的捧物女绮俑从安康的白家梁出土,她们文雅清瘦,穿着"背子"。还有"三搭头"的男俑。宋代再也没有豪华和自信了,而到了明朝,陶俑虽然一次可以出土三百余件,仪仗和执事队场面壮观,但其精气神已经殆失,看到了那一份顺服与无奈。如果说,陕西人性格中某些缺陷,呆滞呀,死板呀,按部就班呀,也都是明清精神的侵蚀。

每每浏览了陕西历史博物馆的陶俑,陕西先人也一代一代走过,各个时期的审美时尚不同,意识形态多异,陕西人的形貌和秉性也在复复杂杂中呈现和完成。俑的发生、发展至衰落,是陕西人的幸与不幸,也是两千多年的中国历史的幸与不幸。陕西作为中国历史的缩影,陕西人也最能代表中国人。十九世纪之末,中国实行改革开放政策,地处西北的陕西是比沿海一带落后了许多,经济的落后导致了外地人对陕西人的歧视,我们实在是需要清点我们的来龙去脉,我们有什么,我们缺什么,经济的发展文化的进步,最根本的并不是地理环境而是人的呀,陕西的先人是龙种,龙种的后代绝不会就是跳蚤。当许许多多的外地朋友来到陕西,我最于乐意的是领他们去参观秦兵马俑,去参观汉茂陵石刻,去参观唐壁画,我说:"中国的历史上秦汉唐为什么强盛,那是因为建都在陕西,陕西人在支撑啊,宋元明清国力衰退,那罪不在陕西人而陕西人却受其害呀。"外地朋友说我言之有理,却不满我说话时那一份红脖子涨脸:瞧你这尊容,倒又是个活秦兵马俑了!

朋　　友

　　朋友是磁石吸来的铁片儿、钉子、螺丝帽和小别针,只要愿意,从俗世上的任何尘土里都能吸来。现在,街上的小青年有江湖义气,喜欢把朋友的关系叫"铁哥们",第一次听到这么说,以为是铁焊了那种牢不可破,但一想,磁石吸的就是关于铁的东西呀。这些东西,有的用力甩甩就掉了,有的怎么也甩不掉,可你没了磁性它们就全没有喽!昨天夜里,端了盆热水在凉台上洗脚,天上一个月亮,盆水里也有一个月亮,突然想到这就是朋友么。

　　我在乡下的时候,有过许多朋友,至今二十年过去,来往的还有一二,八九皆已记不起姓名,却时常怀念一位已经死去的朋友。我个子低,打篮球时他肯传球给我,我们就成了朋友,数年间形影不离。后来分手,是为着从树上摘下一堆桑葚,说好一人吃一半的,我去洗手时他吃了他的一半,又吃了我的一半的一半。那时人穷,吃是第一重要的。现在是过城里人的日子,人与人见面再不问"吃过了吗"的话。在名与利的奋斗中,我又有了相当多的朋友,但也在奋斗名与利的过程中,我的朋友变换如四季……走的走,来的来,你面前总有几张板凳,板凳总没空过。我作过大概的统计,有危难时护佑过我的朋友,有贫困时周济过我的朋友,有帮我处理过鸡零狗碎事的朋友,有利用过我又反过来踹我一脚的朋友,有诬陷过我的朋友,有加盐加醋传播过我不该传播的隐私而给我制造了巨大的麻烦的朋友。成我事的是我的朋友,坏我事的也是我的朋友。有的人认为我没有用了不再前来,有些人我看着恶心了主动与他断交,但难处理的是那些帮我忙越帮越乱的人,是那些对我有过恩却又没完没了地向我讨人情的人。地球上人类最多,但你一生的交往最多的却不外乎方圆几里或十几里,朋友的圈子其实就是你人生的世界,你的为名为利的奋斗历程就是朋友的好与恶的历史。有人说,我是最能交朋友的,殊不知我的相当多的时间却是被铁朋友占有,常常感觉里我是一条端上饭桌的鱼,你来捣一筷子,他来挖一勺子,我被他们吃剩下一副骨架。当我一个人坐在厕所的马桶上独自享受清静的时候,我想象坐监狱是美好的,当然是坐单人号子。但有一次我独自化名去住了医院,只和戴了口罩的大夫护士见面,病床的号码就是我的一切,我却再也熬不了一个月,第二十七天里翻院墙回家给所有的朋友打电话。也就有人说啦:你最大的不幸就是不会交友。这我便不同意了,我的朋友中是有相当一些人令我吃尽了苦头,但更多的朋友是让我欣慰和自豪的。过去的一个故事讲,有人得了病看医生,正好两个医生一条街住着,他看见一家医生门前鬼特别多,认为这医生必是医术不高,把那么多人医死了,就去门前只有两个鬼的另一位医生家看病,结果病没有治好。旁边人推荐他去鬼多的那家医生看病,他说那家门口鬼多这家门口鬼少,旁边人说:那家医生看过万人病,死鬼五十个,这家医生在你之前就只看过两个病人呀!我想,我恐怕是门前鬼多的那个医生。根据我的性情、职业、地位和环境,我的朋友可以归两大类：一类是生活关照型。人家给我办过事，比如买了煤，把煤一块一块搬上楼，家人病了找车去医院，介绍孩子入托。我当然也给人家办过事，写一幅字让他去巴结他的领导，画一张画让他去银行打通贷款的关节，出席他岳父的寿宴。或许人家帮我的多，或许我帮人家的多，但只要相互诚实，谁吃亏谁占便宜就无所谓，我们就是长朋友，久朋友。一类是精神交流型。具体事都干不来，只有一张八哥嘴，或是我慕他才，或是他慕我才，在一块谈文道艺，吃茶聊天。在相当长的时间里，我把我的朋友看得非常重要，为此冷落了我的亲戚，甚至我的父母和妻子儿女。可我渐渐发现，一个人活着其实仅仅是一个人的事，生活关照型的朋友可能了解我身上的每一个痣，不一定了解我的心，精神交流型的朋友可能了解我的心，却又常常拂我的意。快乐来了，最快乐的是自己。苦难来了，最苦难的也是自己。

　　然而我还是交朋友，朋友多多益善，孤独的灵魂在空荡的天空中游弋，但人之所以是人，有灵魂同时有身躯的皮囊，要生活就不能没有朋友，因为出了门，门外的路泥泞，树丛和墙根又有狗吠。

　　西班牙有个毕加索，一生才大名大，朋友是很多的，有许多朋友似乎天生就是来扶助他的，但他经常换女人也换朋友。这样的人我们效法不来，而他说过一句话：朋友是走了的好。我对于曾经是我朋友后断交或疏远的那些人，时常想起来寒心，也时常想到他们的好处。如今倒坦然多了，因为当时寒心，是把朋友看成了自己和自己的家人，殊不知朋友毕竟是朋友，朋友是春天的花，冬天就都没有了，朋友不一定是知己，知己不一定是朋友，知己也不一定

大象多形

辛四庚寅

风和日丽水不扬波

庚寅年四月

总是人,他既然吃我,耗我,毁我,那又算得了什么呢,皇帝能养一国之众,我能给几个人好处呢?这么想想,就想到他们的好处了。

今天上午,我又结识了一个新朋友,他向我诉苦说他的老婆工作在城郊外县,家人十多年不能团聚,让我写几幅字,他去贡献给人事部门的掌权人。我立即写了,他留下一罐清茶一条特级烟。待他一走,我就拨电话邀三四位旧的朋友来有福同享。这时候,我的朋友正骑了车子向我这儿赶来,我等待着他们,却小小私心勃动,先自己沏一杯喝起,燃一支吸起,便忽然体会了真朋友是无言的牺牲,如这茶这烟,于是站在门口迎接喧哗到来的朋友而仰天呵呵大笑了。

草于1997年2月5日晚

秃　顶

　　脑袋上的毛如竹鞭乱窜,不是往上长就是往下长,所以秃顶的必然胡须旺。自从新中国的领袖不留胡须后,数十年间再不时兴美髯公,使剃须刀业和牙膏业发达,使香烟业更发达。但秃顶的人越来越多,那些治沙治荒的专家,可以使荒山野滩有了植被,偏偏无法在自己的秃顶上栽活一根发。头发和胡子的矛盾,是该长的不长,不该长的疯长,简直如"四人帮"时期的社会主义的苗和资本主义的草。

　　我在四年前是满头乌发,并不理会发对于人的重要,甚至感到麻烦,朋友常常要手插进我的发里,说摸一摸有没个鸟蛋。但那个夏天,我的头发开始脱落,早晨起来枕头上总要软软地黏着那么几根,还打趣说:昨儿夜里有女人到我枕上来了?! 直到后来洗头,水面上一漂一层,我就紧张了,忙着去看医生,忙着抹生发膏。不济事的。愈是紧张地忙着治,愈是脱落厉害,终于秃顶了。

　　我的秃顶不属于空前,也不属于绝后,是中间秃,秃到如一块溜冰场了,四周的发就发干发皱,像一圈铁丝网。而同时,胡须又黑又密又硬,一日不刮就面目全非,头成了脸,脸成了头。

　　一秃顶,脑袋上的风水就变了,别人看我不是先前的我,我也怯了交际活动,把他的,世界日趋沙漠化,沙漠化到我的头上了,我感到了非常自卑。从那时起,我开始仇恨狮子,喜欢起了帽子。但夏天戴帽子,欲盖弥彰,别人原本不注意到我的头偏就让人知道了我是秃顶,那些爱戏谑的朋友往往在人稠广众之中,年轻美貌的姑娘面前,说:"还有几根?能否送我一根,日后好拍卖啊!"脑袋不是屁股,可以有衣服包裹,可以有隐私,我索性丑陋就丑陋吧,出门赤着秃顶。没想无奈变成了率真和可爱,而人往往是以可爱才美丽起来,为此半年过去,我的秃顶已不成新闻,外人司空见惯,似乎觉得我原本就是秃了顶的,是理所当然该秃顶的。我呢,竟然又发现了秃顶还有秃顶的来由,秃顶还有秃顶的好处哩。

秃顶有秃顶的三大来由:

一、民间有理论:灵人不顶垂发。这理论必定是世世代代在大量的实情中总结出来的,那么,我就是聪明的了!

二、地质科学家讲,富矿的山上不长草。为此推断,我这颗脑袋已经不是普通的脑袋啊!

三、女人长发,发是雌性的象征。很久以来人类明显地有了雌化,秃顶正是对雌化的反动,该是上帝让肩负着雄的使命而来的。天降大任于我了,我不秃谁秃?!

秃顶有秃顶的十大好处:

一、省却洗理费。

二、没小辫子可抓。

三、能知冷知晒。

四、有虱子可以一眼看到。

五、随时准备上战场。

六、像佛陀一样慈悲为怀。

七、不被"削发为民"。

八、怒而不发冲冠。

九、长寿如龟。

十、不被误为发霉变坏。

现在,我常哼着的是一曲秃顶歌:秃,肉瘤,光溜溜,葫芦上釉,一根发没有,西瓜灯泡绣球,一轮明月照九州。我这么唱的时候,心里就想,天下事什么不可以干呢,哼,只要天上有月亮,我便能发出我的光来!

三月十五日,我和我的一大批秃顶朋友结队赤头上街,街上美女如云,差不多都惊羡起我们作为男人的成熟,自信,纷纷过来合影。合影是可以的,但秃顶男人的高贵在于这颗头是只许看而不许摸的!

1997 年 3 月 10 日晚

天　　马

　　四月二十一日,谭宗林从安康带来魏晋画像砖拓片数幅,和一色新茶。因茶思友,分出一半去寻马海舟。

　　马海舟是陕西画坛的怪杰,独立特行,平素不与人往来。他作画极认真,画成后却并不自珍,凭一时高兴,任人拿去。我曾为他的画作说过几句话,或许他认为搔到了痒处,或许都是矮人,反正我们是熟了。"你几时来家呀,我有许多好玩的东西!"他这么邀请着我,但他交代得太复杂,我不是狗,也不是司机,深为大海的都市里,我寻不着去他家的路。谭宗林领我过大街穿小巷,扑来扑去了半天,把一家门敲开了。

　　马海舟正在作画哩。大画家用小画案,我第一次见到。那么窄而短的桌子上,一半又层层叠叠堆放着古瓷和奇石异木,空出的一片毡布上,画的是一匹马,天马。马斜侧而立,四蹄有蹬踏状,但枯瘦如细狗,似有一纵即逝之架势。天上之马是不是这般模样,我不知道,马海舟是知道的,他使马鬃马尾,及四条腿上,都画成一团团丝麻,若云之浮动。我鼓掌说:好!谭宗林能煽情惑人,立即说:你叫好,何不题款几句?!我便提笔写了:

　　天上有龙马,

孤独难合群。

何不去世间？

我岂驮官人！

那日马海舟脸色红润,粗而极短的十指搓着,说:你总知我。

谭宗林顿生掠夺之意,从怀里掏出一张拓片来要送马海舟。拓片是一幅有着"飞天"的魏晋画像砖图案,明显看出马海舟是激动了,惊奇敦煌壁画里有"飞天",而魏晋时竟也有"飞天",中国美术史是要改写了。谭宗林自然就提出了交换的话来。我立即反对:此画不能送人的;拓片毕竟是拓片;既然宗林对马先生一向敬重,送一幅拓片还舍不得吗？谭宗林百般骂我,马海舟笑道:"你看了我的'飞马',我看了你的'飞天',过过眼福就是,但你的'飞天'世人难见,我看过了,送你一个更古老的东西作补偿吧。"遂拿出一幅鹰图给了谭宗林。一张大纸,赫然站有一鹰,身如峻崖,头生双角,口微微张开似有嗷嗷之声发出,题为"八万年前有此君"。谭宗林大喜。我戏谑道:宗林带他那个拓片在城里待三天,数十张画就从画家手里赚过来了！宗林只是笑,马海舟却不理会,还在讲鹰与恐龙是同代之物,我便扭头去观赏古董架上那些秦砖汉瓦唐俑宋瓷。他的收藏大多是民间工艺,但精妙绝伦,那奇奇怪怪的形状,以及古董上绘制的多种色彩图案,使我突然悟到了马海舟作品之所以古拙怪诞,他受古时的民间工艺影响太大了。

"这四幅画你俩多挑两幅吧！"马海舟送我了三件古玩后,突然说。

他从框子里又取出四幅画来,一一摊在床上。一幅梅,一幅兰,一幅菊,一幅竹。都是马海舟风格,笔法高古,简洁之极。如此厚意,令我和谭宗林大受感动,要哪一幅,哪一幅都好。谭宗林说:贾先生职称高,贾先生先挑。我说:茶是谭先生带来的,谭先生先挑。我看中菊与竹,而梅与家人姓名有关,又怕拿不到手,但我不说。

"抓纸阄儿吧,"马海舟说,"天意让拿什么就拿什么。"

他裁纸,写春夏秋冬四字,各揉成团儿,我抓一个,谭抓一个,我再抓一个,谭再抓一个。绽开,我是梅与菊。梅与菊归我了,我就大加显摆,说我的梅如何身孕春色,我的菊又如何淡在秋风。正想闹着,门被敲响,我们立即将画叠起藏在怀中。

进来的是一位高个,拉马海舟到一旁叽叽咕咕说什么,马海舟开始还解释着,后来全然就生气了,嚷道:"不去,绝对不去!"那人苦笑着,终于说:"那你就在家画一幅吧。"马海舟垂下头去,直闷了一会,说:"现在画是不可能的,你瞧我有朋友在这儿。我让你给他带一幅去吧。"从柜子里取出一幅画来,小得只有一面报纸那么大。"就这么大?给你说了一年了,就这么大一张,怎么拿得出手呢?"那人叫苦着,似乎不接。"那我只有这么大个画桌呀!"马海舟又要把画装进柜子,那人忙把画拿过去了。

来人一走,马海舟嚷道喝茶喝茶,端起茶杯自己先一口喝干。谭宗林问怎么回事,原来是那人来说他已给一位大的官人讲好让马海舟去家里作画的,官人家已做好了准备。"他给当官的说好了,可他事先不给我说,我是随叫随到的吗?"谭宗林说:"你够傲的!"马海舟说:"我哪里傲了？我不是送了画吗？对待大人物,谄是可耻的,傲也非分,还是远距离些好。"他给我笑笑,我也给他笑笑。

告辞该走了,谭宗林把魏晋画像砖拓片要给马海舟,马海舟不收,却说:"下次来,你把你的那块铜镜送我就是了,那镜上镌有四匹马,你知道,我姓马,也属马。"

1997 年 4 月 7 日

进　山　东

第一回进山东,春正发生,出潼关沿着黄河古道走,同车里坐着几个和尚——和尚使我们与古代亲近——恍惚里,春秋战国的风云依然演义,我这是去了鲁国之境了。鲁国的土地果然肥沃,人物果然礼仪,狼虎的秦人能被接纳吗?深沉的胡琴从那一簇蓝瓦黄墙的村庄里传来,音韵绵长,和那一条并不知名的河,在暮色苍茫里蜿蜒而来又蜿蜒而去,弥漫着,如麦田上浓得化也化不开的雾气,我听见了在泗水岸上,有了"逝者如斯夫"的声音,从孔子一直说到了现在。

我的祖先,那个秦嬴政,在他的生前是曾经焚书坑儒过的,但居山高为秦城,秦城已坏,凿池深为秦坑,自坑其国,江海可以涸竭,乾坤可以倾侧,唯斯文用之不息,如今,他的后人如我者,却千里迢迢来拜孔子了。其实,秦嬴政在统一天下后也是来过鲁国旧地,他在泰山上祀天,封禅是帝王们的举动,我来山东,除了拜孔,当然也得去登泰山,只是祈求上天给我以艺术上的想象和力量。接待我的济宁市的朋友,说:哈,你终于来了!我是来了,孔门弟子三千,我算不算三千零一呢?我没有给伟大的先师带一束干肉,当年的苏轼可以唱"执瓢从之,忽焉在后",我带来的唯是一颗头颅,在孔子的墓前叩一个重响。

一出潼关,地倾东南,风沙于后,黄河在前,是有了这么广大的平原才使黄河远去,还是有了黄河才有了这平原?哐啷哐啷的车轮整整响了一夜,天明看车外,圆天之下是铅色的低云,方地之上是深绿的麦田,哪里有紫白色的桐花哪里就有村庄,粗糙的土坯院墙,砖雕的门楼,脚步沉缓的有着黑红颜色而褶纹深刻的后脖的农民,和那叫声依然如豹的走狗——山东的风光竟与陕西关中如此相似!这种惊奇使我必然思想,为什么山东能产生孔子呢?那年去新疆,爱上了吃新疆的馕,怀里揣着一块在沙漠上走了一天,遇见一条河水了,蹲下来洗脸,旦地将馕抛向河的上游,开始洗脸,洗毕时馕已顺水而至,捡起泡软了的馕就水而吃,那时我歌颂过这种食品,正是吃这种食品产生了包括穆罕默德在内的多少伟人!而山东也是吃大饼的,葱卷大饼,就也产生了孔子这样的圣人吗?古书上也讲,泰山在中原独高,所以生孔子。圣人或许是吃简单的粗糙的食品而出的,但孔子的一部《论语》能治天下,儒家的文化何以又能在这里产生呢,望着这大的平原,我醒悟到平原是黄天厚土,它深沉博大,它平坦辽阔,它正规,它也保守而滞板,儒文化是大平原的产物,大平原只能产生于儒文化。那么,老庄的哲学呢,就产生于山地和沼泽吧。

在曲阜,我已经无法觅寻到孔子当年真正生活过的环境,如今以孔庙孔府孔林组合的这个城市,看到的是历朝历代皇帝营造起来的孔家的赫然大势。一个文人,身后能达到如此的豪华气派,在整个地球上怕再也没有第二个了。这是文人的骄傲。但看看孔子的身世,他的生前恓恓惶惶的形状,又让我们文人感到了一份心酸。司马迁是这样的,曹雪芹也是这样,文人都是与富贵无缘,都是生前得不到公正的。在济宁,意外地得知,李白竟也是在济宁住过了二十余年啊!遥想在四川参观杜甫草堂,听那里人在说,流离失所的杜甫到成都去拜会他的一位已经做了大官的昔日朋友,门子却怎么也不传禀,好不容易见着了朋友,朋友正宴请上司,只是冷冷地让他先去客栈里住下好了。杜甫蒙受羞辱,就出城到郊外,仰躺在田埂上对天浩叹。尊诗圣的是因为需要诗圣,做诗圣的只能贫困潦倒。我是多么崇拜英雄豪杰呀,但英雄豪杰辈出的时代斯文是扫地的。孔庙里,我并不感兴趣那些大大小小的皇帝为孔子树立的石碑,独对那面藏书墙钟情,孔老夫子当周之衰则否,属鲁之乱则晦,及秦之暴则废,遇汉之王则兴,乾坤不可以久否,日月不可以久晦,文籍不可以久废啊!

当我立于藏书墙下留影拍照时,我吟诵的是米芾的赞词:"孔子孔子,大哉孔子!孔子以前,既无孔子;孔子之后,更无孔子。孔子孔子,大哉孔子!"出得孔府,回首看府门上的对联,一边有富贵二字,将富字写成"冨",一边有文章二字,将章字写成"章"。据说"富"字没一点,意在富贵不可封顶,"章"字出头,意在文章可以通天。唏,这只是孔门后代的得意。衍圣公也是一代一代的,这如现在一些文化名人的纪念馆,遗孀或子女大都能当个纪念馆长一样的。做人是不是伟大的人,生前姑且不论,死后能福及子孙后代和国人的就是伟大的人。孔子是这样,秦嬴政是这样,毛泽东也是这样,看着繁荣富裕的曲阜,我就想到了秦兵马俑所在地临潼的热闹。

在孔庙里我睁大眼睛察看圣迹图,中国最早的这组石刻连环画,孔子的相貌并不俊美,头凹脸阔,豁牙露鼻。因父亲与一个年龄相差数十岁的女子结婚,他被称为野合所生,身世的不合俗理和相貌的丑陋,以及生存困窘,造就了千古素王。而秦嬴政呢,竟也是野合所得。有意思的是秦嬴政做了始皇,焚书坑儒,却也能到泰山封禅,他到了这里,不知对孔子作何感想?他登泰山而天降大雨,想没想到过因泰山而有了孔子,也可以说因了孔子而有了泰山,在泰山上他能祀天而求得以武功得天下又以武功能守天下吗?

我在泰山上觅寻我的祖先遇雨而避的山崖和古松,遗憾地没有找到这个景点。听导游的人解说,我的祖先毕竟还是登上了山顶,在那里燃起熊熊大火与天接通,天给了他什么昭示,后人恐怕不可得知,而事实是秦亡后就在泰山之下孔庙孔府孔林如皇宫一样矗起而千万年里香火不绝。孔子就是五岳独尊的泰山吗?泰山就是永远的孔子吗?登泰山者,人多如蚁,而几多人真正配得上登泰山呢?我站在北拱石下向北面的峰头上看,我许下了我的宏愿,如果我有了完成凤命的能力和机会,我就要在那个峰头上造一个大庙的。我抚摸着北拱石,我以为这块石头是高贵的、坚强的,是一个阳具,是一个拳头,是一个冲天的惊叹号。

杜甫讲:登泰山而一览众山小。周围的山确实是小的,小的不仅仅是周围的山,也小的是天下。我这时是懂得了当年孔子登山时的心境,也知道了他之所以惶惶如丧家之犬一样到处游说的那一份自信的。

我带回了一块石头,泰山上的石头。过去的皇帝自以为他们是天之骄子,一旦登基了就来泰山封禅的,但有的定都地远,他们可以来泰山祀天,也可以在自家门前筑一个土丘作为泰山来祀,而我只带回一块石头——泰山石是敢当的——泰山就永远属于我,给我拔地通天的信仰了。

进山东的时候,我是带了一批《土门》要参加签名售书活动的,在济宁城里搞了一场,书店的人又动员我能再到曲阜搞一次,我断然拒绝了。孔子门前怎能卖书呢?我带的是《土门》,我要上泰山登天门,奠地了还要祀天啊!我站在山顶的一截石阶上往天边看去,据说孔子当年就站在这儿,能看到苏州城门洞口的人物,可我什么也看不见,我是没有孔子的好眼力,但孔子教育了我放开了眼量,我需要一副好的眼力去看花开花落,看云聚云散,看透尘世的一切。

怀着拜孔子、登泰山的愿望进山东,额外地在济宁参观了武氏祠的汉画像石,多么惊天动地的艺术!数百块的石刻中,令我惊异的是最多的画像竟是孔子见老子图。中国最伟大的会见,历史的瞬间凝固在天地间动人的一幕,年轻的孔子恭敬地站在那里,大袖筒中伸出两只雁头,这是他要送给老子的见面礼。孔子身后是颜回等二十人,四人手捧简册,而子路头有雄鸡,可能是子路生性喜辩爱斗的吧。这次会见,两人具体说了些什么,史料没有详载,民间也甚不传说,而礼仪之邦的芸芸众生却津津乐道,于此不疲,以至于这么多的石刻图案。老子在西,孔子在东,孔子能如此的去见老子,但孔子生前为什么竟不去秦呢?这个问题我站在泰山顶上了还在追问自己,仍是究竟不出,孔子说登泰山而赋,我要赋什么呢？我要赋的就只有这一腔疑惑和惆怅了。

1997年5月10日夜记

记五块藏石

红蛙：红灵璧石，样子像蛙，不多一分，也不少一分；是站在田埂欲跳的那一种，或许是瞧见了稻叶上的一只蜻蜓的那个瞬间，形神兼备。它的嘴大而扁，沿嘴边一道白线。眼睛突鼓，粉红一圈，中间为红中泛紫色，产生一种水汪汪的亮色。通体暗红，颚下以至前爪红如朱砂。来人初见，莫不惊讶，久看之，颚下部似乎一呼一吸地动。我名凹，蛙与凹同音，素来在宴席上不食青蛙和牛蛙，得之此石，以为是生灵回报，珍视异常，置于案上石佛的左侧，让其成神。

乌鸡：家人属相是鸡，恰生日前得此葡萄玛瑙石，甚为吉祥。玛瑙石本身名贵，如此大的体积又酷像鸡就更稀罕。脖子以上，密集葡萄珠，乌黑如漆，翅至尾部色稍浅，光照透亮。我藏石头，一半是朋友赠送或自捡，一半是以字画换取，一幅字可换数件石，而此石来自内蒙古，要价万元，几经交涉到八千元，遂书四幅斗方。

小鬼：灵璧石，完整无损的小人形状，有双目，有鼻有口，头颅椭圆。身子稍倾斜，双手相拱。有肚脐眼和下身。极其精灵幽默。买时围观者很多，都说此石太像人，但因双目深陷如洞，像是鬼，嫌放在家里害怕。我不怕鬼，没做亏心事，而且鬼有鬼的可爱处，何况家里画的有钟馗像哩。

珊瑚:这是一块巨大的珊瑚化石。我喜欢大的,搬上楼的时候,四个人抬的,放在厅里果然威风得很。整个石头是焦黑色,珊瑚节已磨平,呈现出鱼鳞一样的甲纹。珊瑚石许多,但如此大的平石板状的珊瑚石恐怕是极少极少的吧。我题词:海风山骨。唯一担心的是楼板负重不起,每次移动莫不小心翼翼。

胡琴:以前我有个树根,称谓美人琴,后来送了别人。又曾得到过一个八音石,敲之音韵极好,但没有形状。这块石头下是一椭圆,上是一个长柄,像琵琶,但比琵琶杆儿长了许多,且长柄梢稍弯,有几处突出的齿,我便称之为胡琴。此胡琴无弦的,以石敲之,各处音响不同。朋友送我的时候,是在酒席上,他喝多了,说有个宝贝,你如果说准琴棋书画中的一个就送你。我不假思索说是琴。他仰天长叹:这是天意! 我怕他酒醒反悔,立即去他家,到家时他酒醒了,抱了这石琴一边作弹奏动作一边狂歌,样子让人感动,我就不忍心索要了。但他豪爽,一定要送我,再一次说:这是天意,这是缘分啊!

人与石头确实是有缘分的。这些石头能成为我的藏品,却有一些很奇怪的经历,今日我有缘得了,不知几时缘尽,又归落谁手?好的石头就是这么与人产生着缘分,而被人辗转珍藏在世间的。或许,应该再换一种思维,人与自然万物的关系不仅仅是一种和谐,我们其实不一定是万物之灵,只是普通一分子,当我们住进一所房子后,这房子也会说:我们有缘收藏了这一个人啊!

龙　柏　树

龙是柏树,树长堰塘,塘在成都西的一个山坳里。我去看它的时候已经中午,天不晴不雨,油油地小船在长溪摇了一小时,人上岸,溪里的一群鸭子也上岸,竟一直导游到塘边。

塘实在的小,像一口游泳池,塘边的土崖上去就是人家,孤孤的一家,那个红袄绿裤的姑娘站在一堆柴火前望着我,红肥绿瘦般地鲜艳。龙树螺旋形地横卧在塘的上空,让人担心要倒坍下去,亏得这土崖,以及土崖上的孤屋和姑娘压住了树根。我想,龙是从这一家农户出来的,或是龙从天上来,幻变了农人在这里潜藏。

天气已在三月,树梢有了嫩叶,稀稀落落不易见,而由根至梢,凤尾蕨附生茂盛。尾随从溪岸而来的一个汉子,热情解说这凤尾蕨只能在岸畔长的,谁也弄不清怎么就长在树上,长得这般密。"这是龙衣,一年一换的。"四川的口音,第一声特别的用力。"龙换衣不是冬季,而是盛夏!"龙之所以是龙,毕竟有它的神奇。

这棵树原是一对的,左右把持在塘上,塘面就被罩住,养鸭养鱼,放水灌溉坳里的几十亩稻田。那一年屋里的老头死了,夜里一棵树就"嘎啦啦"塌倒。将塌倒的树锯开来,颜色红得像血。剩下的这棵树,从此每到天要下雨,整个树就一团水雾,坳下边的农民一见到树一团雾气了,就知道天要下雨了。周围的农民吃水到塘里担,水清洌甘甜,最能泡茶,每年到土峁的孤屋里去看望那一位鹤首鸡皮的老太太,害怕老太太过世了,这一棵龙树也就要塌倒吗?老太太依然健在,爱说趣话,能咬蚕豆。

树长为龙形的,可能很多,我是到安徽见过龙拓树,在平地扭着往空中冲,那里出了陈胜吴广;也到陕西灞河源头见过龙松树,沿一山坡逶迤几十米,那里李先念曾住过三年,后来李先念担任了三年国家主席。龙形的树都附着伟人的传说,这柏树却躲在山坳中,土峁上的人家都是农民,这龙该是布衣龙。

但龙就是龙,它是潜龙。

解说的汉子喋喋不休地解说龙柏树的奇妙,末了让我站在一个方位看树根部是不是像个牛头,又让我站在另一方位看树干上的疙瘩像不像个狗,又让我站……说像马像鸡。说毕了,他伸手向我讨解说费,他原来是要挣钱的,我付了他一张纸币,却批评他解说不好:大方处不拘小节,龙就是龙,哪里又有这么多鸡零狗碎的东西呢?龙潜是为了起飞,而不是被猪狗所欺啊?!

我爬上土峁去拜望那位老太太,红袄绿裤的姑娘却谢绝了,说:"我奶午睡哩!"终未能见。

敲　门

人问我最怕什么？回答：敲门声。在这个城里我搬动了五次家，每次就那么一室一厅或两室一厅的单元，门终日都被敲打如鼓。每个春节，我去郊县的集市上要买门神，将秦琼敬德左右贴了，二位英雄能挡得住鬼，却拦不住人的，来人的敲打竟也将秦琼的铠甲敲烂。敲门者一般有规律，先几下文明礼貌，待不开门，节奏就紧起来，越敲越重，似乎不耐烦了，以至于最后咚地用脚一踢。如今的来访者，谦恭是要你满足他的要求的，若不得意，就是传圣旨的宦官或是有搜查令的警察了。可怜做我家门的木头的那棵树，前世是小媳妇，还是公堂前的受靴人，罪孽深重。

我曾经是有敲声就开门的，一边从书房跑步走，一边喊：来了来了！来的却都是莫名其妙的角色，几乎干什么的都有，而一律是来为难我的事，我便没完没了地陪他们，我感觉我的头发就这么一根根的白了。以后，没有预约的我坚不开门，但敲打声使我无法读书和写作，只有等待着他们的走开。贼也是这么敲门的，敲过没有反应就要撬门而入，但我是不怕贼的，贼要偷钱财我是没钱财，贼是不偷时间的，而来偷我时间的人却锲而不舍，连续敲打，我便由极度的反感转为欣赏：看你能敲多久？！门终于是不敲了。可过一会儿，敲声又起，才知敲者并没有走，他的停歇或许是敲累了，或许以为我刚才在睡着或上厕所,如此敲敲停停,停停敲敲,相信我在家中,须敲开不可。我只有在家不敢做声,越是不敢做声,喉咙越发痒想咳嗽,小便也憋起来,我恨我成了一名逃犯了。

狡兔三窟,我想,我不如只兔子。这么大的城里广厦千万间,怎么就没有一个别处的秘密房子让我安静睡一觉和读书写作呢?我当然不敢奢想有深宅大院,有门子在前可以挡驾;有那么一小间放张桌子和小床即可,但我不能,以至于我到任何地方去上厕所,都设想有这么个地方,把蹲坑填了,封了天窗,也蛮好嘛。我的房间从来是一室一厅或一室两厅,前无院子,后没后门,什么人寻我,都是瓮中捉鳖。

事实是,我并不是个不需要朋友的人,读书写作之余,我也要约三朋四友来喝酒呀,谈女人,博弈搓麻将,但往往是想念的朋友不来,来的都是不想见的人。我的坚持不开门,挡住了几次我的从老家来的亲戚,他们是忙人,敲几下以为我不在家就走了,过后令我捶胸顿足,我挡不住的是那些要我写条幅去送他的上级的人,是那些有什么堂会让我去捧场的人,或是他们什么事也没有,顺脚过来要解闷的,他们有的是闲工夫,上午来敲不开门,下午又来敲,今日敲不开明日再来敲,或许就蹲在门外和楼下。他们是猎人,守在那里须等小兽出来。

明代的陈继儒说过:闭户即是深山。闭户哪里又能是深山呢?

或说,那这是你红火啊。可我并不红火,红火能住这么小的房子吗?如果我是官人家,客来必有重礼,所求之事谈完即走,走时还得说:不打扰了,您老辛苦,需要休息。找我的双手空空,只吸我的烟,喝我的茶。如果我是歌星影星,从事的就是热闹工作,大粪世事不怕不卫生,可我热闹了能写出什么文章?又是读陈继儒的小品,陈先生恐怕在世时也多骚扰,曾想去作隐,但他说:"隐者多躬耕,余筋骨薄,一不能;多弋钩,余禁杀,二不能;多有二顷田,八百桑,余贫瘠,三不能;多酌水带索,余不耐苦饥,四不能。"我同陈继儒一样,我可能者,也是"唯独处淡饭著述而已"。但淡饭几十年一贯,著述也只是为了生计和爱好,独处竟如此不能啊。想想从事写作以来,过几年就受冲击,时时备受诽谤,命运之门常被敲打,灵魂甚时有过安妥?而家居之门也被这般敲打不绝,真是声声惊心。小儿发愿,愿明月长圆,终日如昼,我却盼永远是在夜里,夜里又要落雪下雨,使门而不被敲打了。

但这怎么可能呢?我还要活的,我还有豪华的志向,还有上养老下哺小,红尘更深,我的门恐怕还是不停地被人敲打。我的命就是永远被人敲门,我的门就是被人敲的命吧。有一日我虽死了,墓碑上是可以这样写的:这个人终于被敲死了!

1997 年 5 月 15 日午

动 物 安 详

我喜欢收藏,尤其那些奇石、怪木、陶罐和画框之类,且经发现,想方设法都要弄来。几年间,房子里已经塞满,卧室和书房尽是陶罐画框乐器刀具等易撞易碎之物,而客厅里就都成了大块的石头和大块的木头,巧的是这些大石大木全然动物造型,再加上从新疆弄来的各种兽头角骨,结果成了动物世界。这些动物,来自全国各地,有的曾经是有过生命,有的从来就是石头和木头,它们能集中到一起陪我,我觉得实在是一种缘分,每日奔波忙碌之后,回到家中,看看这个,瞧瞧那个,龙虎狮豹,牛羊猪狗,鱼虫鹰狐,就给了我力量,给了我欢愉,劳累和烦恼随之消失。但因这些动物木石不同,大小各异,且有的眉目慈善,有的嘴脸狰狞,如何安置它们的位置,却颇费了我一番心思。兽头角骨中,盘羊头是最大的,我先挂在面积最大的西墙上,但牦牛头在北墙挂了后,牦牛头虽略小,其势扩张,威风竟大于盘羊头,两者就调了过。龙是不能卧地的,就悬于内门顶上。龟有两只,一只蹲墙角,一只伏沙发扶手上。柏木根的巨虎最占地方,侧立于西北角。海百合化石靠在门后,一米长的角虫石直立茶几前。木羊石狗在沙发后,两个石狮守在门口。这么安排了,又觉得不妥,似乎虎应在东墙下,石鱼又应在北边沙发背顶上,龙不该盘于门内顶而该在厅中最显眼部位,羊与狗又得分开,那只木狐则要卧于沙发前,卧马如果在厨房门口,仰起的头正好与对面墙上的真马头相呼应。这么过几天调整一次,还是看着不舒服,而且来客,又各是各的说法,倒弄得我不知如何是好。一夜做梦,在门口的两个狮子竟吵起来,一个说先来后到我该站在前边,一个说凭你的出身还有资格说这话?两个就咬起来,四只红眼,两嘴茸毛。梦醒我就去客厅,两个狮子依然在门口处卧着,冰冰冷冷的两块石头。心想,这就怪了,莫非石头凿了狮子真就有狮子的灵魂?前边的那只是我前年在南山一个村庄买来的,当时它就在猪圈里,当时发现了,那家农民说,一块石头,你要喜欢了你就搬去吧。待我从猪圈里好不容易搬上了汽车,那农民见我兴奋劲,就反悔了,一定要付款,结果几经讨价还价,付了他二十五元。这狮子不大威风,但模样极俊,立脚高望,仰面朝天,是个高傲的角色,像个君子。另一只是一个朋友送的,当时他有一个拴马桩和这只狮子,让我选一个,我就带回了这狮子,我喜欢的是它的蛮劲,模样并不好看,如李逵、程咬金一样,是被打破了头仍扑着去进攻的那种。我拍了拍它们,说:吵什么呀,都是看门的有什么吵的?!但我还是把它们分开了,差别悬殊的是互不计较的,争斗的只是两相差不多的同伙,于是一个守了大门,一个守了卧室门。第二日,我重新调整了这些动物的位置,龙、虎、牛、马当然还是各占四面墙上墙下,这些位置似乎就是它们的,而西墙下放了羊、鹿、石鱼和角虫石,东墙下是水晶猫、水晶狗、龟和狐,南墙下安放了石麒麟,北墙的沙发靠背顶上一溜儿是海百合化石、三叶虫化石、象牙化石、鸵鸟、马头石、猴头石。安置毕了,将一尊巨大的木雕佛祖奉在厅中的一个石桌上,给佛上了一炷香,想佛法无边,它可以管住人性也可以管住兽性的。又想,人为灵,兽为半灵,既有灵气,必有鬼气,遂画了一个钟馗挂在门后。还觉得不够,书写了古书中的一段话贴在沙发后的空墙上,这段话是:碗大一片赤县神州,众生塞满,原是假合,若复件件认真,争竞何已。

至今,再未做过它们争吵之梦,平日没事在家,看看这个瞧瞧那个,都觉顺眼,也甚和谐,这恐怕是佛的作用,也恐怕是钟馗和那段古句的作用吧。

说《天狗》

一位读者来信,控告天狗是违犯了婚姻法的。是的,婚姻法上是没有那么白纸黑字的规定过。我在山地里初遇天狗时,也曾同样有过这种愤怒。但经过深入地了解,原来这行为是默认的,民情如此,法律亦如此:谁要让我们的天狗托生于那么个贫穷偏僻的地方呢?所以,天狗不是跳墙的狗,师娘也不属犯了重婚罪。贫穷偏僻使他们不幸,贫穷偏僻又使他们有幸。文明社会和文明的性的生活或许会使人变成动物,而落后贫瘠的环境的性的生活却使天狗、师娘完成了人的价值。

又一位读者来信,责备我太残酷:井把式是条硬汉,他不应该死去的。这实在没办法,完全是他的选择,绝非我的强迫。正因为他是一条硬汉子,他的自杀也正是他的秉性决定;硬汉子对于死并不认做是委屈,是恐惧,而是一种解放,一种完满,是视死如归。诚然死得不是伟大,其悲壮也可足以惊心动魄。

再一位读者来信,询问为什么老写一群"好人"呢?这问题以前就有人提过,我的回答是:生活如此。作为人,人人都是一样的,不易区别的,而往往在事情关键之时,或是一瞬间里,真、伪、丑、美才能凸现。人在这个世界上,不仅仅是征服着外界而爆发出光辉,而出奇的是在征服着自己本身时才显示了人的能量。天狗是山地人,忠厚能干,又灵性乖觉,他不是英雄人物,但也不是下流坏子;井把式是一个硬汉子,天狗也该算做一个硬汉子吧?

还有一位读者来信,竟感兴趣叙述语言中人物角度的变化。这实在错爱。叙述语言,尤其交代事情过程的语言,一向令我头痛,写起来总觉得还未说清,别人读起来却感到太啰唆冗繁。我吸收当今颇为流行的一些方法,但不想生搬硬套,亦不想自己跳出来议论,便这么不停地变化人物角度,以其身份发感慨,又全然是以其感觉为依据。这样,没想则有了一些淡淡的味道,或者说有了一点小小的冷的幽默,令我阿弥陀佛。

再又有一位读者来信,说他读时感受到了诗的东西,却又说不出诗在哪里。这似乎令我难以启口。我一直认为人并一定非要写诗,但弄文学的人却一定要心中充溢诗意;诗意流动于作品之中,是不应提取的,它无迹可寻。这是不是一种所谓的"气"呢?文之神妙是在于能飞,善断之、善续之,断续之间,气血流通,则生精神。

《中篇小说选刊》的同志打来电报,说要选载《天狗》,天狗将到沿海城市去,那是极开放的地方,我惶恐,天狗也惶恐,那里的人们会不会嘲笑天狗呢?我感激选刊编辑部的同志,欣然让他去。天狗要见见大世面了,或许对他的婚姻感到更满意,或许也会感到一种难言之苦吧。那么,以后这个家庭前景如何,阴曹地府中的井把式保佑不了,我也把握不了,想:任其发展,一切无言则好。

1985年7月3日为《中篇小说选刊》转载而作

一封荒唐信

××兄：

收到你的信已是上月天气，时时想给你回复，却不知道如何写起。你说了那么多好话，这我当然是会引起高兴的，但说实情，这暂短的高兴之后，一个人静静地坐在窗下，隔竹帘看着对面楼下那一户已半老徐娘又风姿犹存的女人所经营的花坛（这女人听说是一位地位颇高的领导的夫人，经常有一辆"上海牌"的卧车在花坛边停着），花虽然开得很红火，但又有什么用呢？我这样说，会不会惹起你的生气？我的意思希望能得到你的谅解，以后不要说我的小说怎样、散文怎样、诗歌怎样，多泼泼凉水最好。

不妨这样说，在我的胸中常常涌动着要写的欲望，这欲望如同要吃饭一样，要恋爱一样，要喝酒吃辣子、抽烟一样。作品的质量高不高，当然作者不必妄说，"自我感觉良好"，这很是一种干事业的气魄，但往往却要导致一种悲惨。我自知很小，于人道文道大不通，这种欲望付之于方格纸上，免不得有了"以作品丰富自悦"的嫌疑，这实在有天大的冤情和求告大青天大老爷做主的愤怒。作品的产生，全是这个涌动的欲望的释放结果。有了爱情，便要为所爱的人受孕，大肚子，生产，自爱自受，它不是痛苦的，而是一种宗教式的幸福。若以作品丰富求自悦去著作，做人何必那么傻呢，累呢？夜晚了,陪同小爱人去遛遛大街,也于路边小树林子的黑暗中学学那些情人,你浪漫,我浪漫,咱们都浪漫,那日子也才是十二分快活。总之,写书于我,是作用于社会,作用于时代,也同时是为了我自己的受活!鸡有蛋在肚子里,你能不让它生下来吗?报纸上常有"曹雪芹二十年磨成《红楼梦》"的例子,似乎每一个作品只要写十年几十年就可以做曹雪芹了,半年或者一年作出一篇东西来,就必是创作态度不"严肃",这未免离辩证法有了一点距离。

我是写了好多小说、散文、诗歌的,那当然都是些屁样的文字,作家的帽子好赖是戴了一顶,却戴得面红耳赤,常常觉得在大街上走,身后有指指点点的指头,墙角处有白多黑少的眼睛。但我还要继续写下去,且又有一个不大不小的野心:一想继续写商州那一块野山野地;二想写到那泾河和渭河上去,也就是那泾渭分明的岸边,那黄土高原和关中平原交接的厚土上的古风古俗;三想再写写西安古城方方正正井字形的街巷里的市民。姑且不论还要再写写别的,仅这三个方面,我想足可以令我了结往后的三十年、四十年的写作日子。如果话说回来,今辈子不是玩笔头子,让我不上大学,不识方块字,只辨得出人民币的数目,我的庄稼活一定不会比村人差,五黄六月的胡基壕里,让老婆提一瓦罐清花泉水来喝了,她供土,我擂础子,其速度和质量使邻居的老头很有些小嫉妒。或者让我去干一名弹棉花的,这营生很有些艺术的味,一张大弓背在身上,用棒槌弹得大弦嘈嘈,小弦铮铮,接过一碗饭蹲在房阶上吃了,夜里睡在主人的门道里,久久地看着主人的媳妇在堂屋窗上的剪影,而含笑入睡。乡上的这种有手艺的和没手艺的活计,却极合我的心境,也因此常常使我想起现在弄文学是不是有些那个?门第里既然没有书香,幼时更记不得祖母或外祖母曾讲过天上地下的美丽的故事,这有先天性的不足。且现在的作家颇有一种理论,要见识很多大世面,要接触很多大人物,这又格格不入我的性格。一位读者完全处于一种好心地劝我,说我不识时务,写小说应该写些那些难以言衷的高雅女子死死活活地恋爱着一个有权有钱的年迈老头等等之类的故事。我给他回了信,信写得很长,告诉说,这类故事的确不错,蛮可以惹起那些四十、五十、六十岁的性变态的男人和那些情窦初开、其想象和身子却成熟得如七月的桑葚一样碰碰就流紫水的少女的动心,但我不会。说来也令你贱看,我甚至看到了一篇小说,是说一个女人最大的不幸是因为穿了一件她不愿意穿的衣服,我就先大惑不解,继而抛开那文章去,说:"这小说不是让咱看的。"我过后也曾经检点着我,反省我是一个山里人,有着小民经济的思想,但无论如何,这种德性浸得很深沉,我读不懂那类小说,置身于很热闹的地方,面对着那高扬着头端端走进来的风度女子,我就赶忙低了眼,侧身让过她去,我自惭形秽,显得很呆,觉得很累,就想起那充满浆水菜味的乡间土屋,那些满身臭汗的男人和男人的婆娘,能抽一口那呛得咳嗽的草烟多好!

商州的山地很野,随处可见到峭崖上凿石孔、栽石柱的栈道遗痕,和作土匪的与受土匪害的逃生安身的山寨古堡、石洞地穴。泾渭的黄土很古,十三个封建王朝的真龙天子,王后娘娘,文臣武将,陵墓一个连着一个,老牛木犁在田里耕走,翻上来的常常是商朝的磬,周朝的樽,秦砖汉瓦。这两个地方,奇特的山水形成了奇特的风尚,色彩拙朴,神秘莫测,文化的积淀,使那里的强悍的男人和柔媚的女人,以及与人同生的狼虫虎豹,飞隼走兔,结构着这两个地方的世界。这世界的芸芸众生如蚂蚁一样多,为衣食住行忙碌着,争斗着,死去一批,新生一批,生命之力,繁殖之强,举世罕见。作为他们的作家,首先应该是他们中的一个,同他们一样;再就是因为是他们的作家,又不能同他们一样。他们的苦,苦在何处,是外界的还是自身的?他们的乐,乐在哪里,是应该乐还是不应该乐?这就是我的责任,我的责任是为了他们,也是为了我自己。我的作品或许他们读了,让他们在明白这个世界的同时,也明白他们自己;或许他们从来就不读书,斗大的字他们只装了几篓,但那些闹市里的好吃好喝又有好时间的大肚子男人和束腰身的女人看了,他们虽然嘲笑我写的东西的落后、野蛮、鄙俗和写东西的我的蠢笨、可怜,但我将无限欣慰,因为他们毕竟知道了在他们之外,还有那么一群落后、野蛮、鄙俗的地方和人群。他们或许会到这些地方去,趁机用几张人民币买得农家厕所墙角堆放的几件汉代陶罐和瓦当,买一条金黄的狐狸皮毛,赚一幅七色线纳就的枕顶,装在玻璃框里,悬挂墙上,诚然这也是一种新的高雅的时兴。

现在做一个作家似乎很热闹,每年都有许许多多的笔会,游胜地、上电视、演说和吃请,且各地又兴起文学茶座,听音乐、嗑瓜子、品茶谈天,每一次不乏有一些很位重的人物和一些打扮得很美丽的女人。有一次我被人拉去,那大厅的门柱上贴有一副对联,是老对联改造的,一边为"出入无白丁",一边为"谈笑皆高雅"。我怯怯地进去,呆在那里,茫然四顾,傻相可笑。后来跳舞,有几个令人动心的演员,传说是诗琴书画俱佳的女才子,邀我下池,我大出洋相,竟不会,一再声明极想下池子但着实不会。结果使我的朋友大加嘲弄我,说我不开化,又帮助分析原因是"心理上有障碍"。不开化,我承认,我是决不干涉别人自由的,我也可以同这些人交朋友,彬彬有礼地请到舍下去吃饭吃酒,但那种场合,那种气氛,我着实有心理上的障碍,这也正是我的没出息和当作家的低能处。

话不能说死,或许有一日,我心理上的障碍居然消除,那将是我再也不能用老笔调能写出商州山地和泾渭岸上,那我第一个能狂,如一头有一身好皮毛和奇香的獐子一样的。

1985 年 7 月 11 日

答《文学家》编辑部问

一九八五年十月二十六日,《文学家》编辑部负责人陈泽顺就有关方面的问题同贾平凹进行了磋谈,内容涉及贾平凹的商州之行以及关于商州的系列作品,小说的技巧与观念,当前一些引人注目的文艺理论与现象,等等。现根据录音整理出来,在此发表。

为了使读者便于了解贾平凹的创作思想,整理时,我们改原来的谈话方式为回答式,删去了我们认为不太重要的言论。整理后,我们请贾平凹做了订正。

——编者

一、你是如何产生去商州进行考察的想法的?商州给了你什么?

商州是生我养我的地方,那是一片相当偏僻、贫困的山地,但异常美丽,其,山川走势,流水脉向,历史传说,民间故事,乃至天上飞的,地上跑的,构成了极丰富的、独特的神秘天地。在这个天地里,仰观可以无其不大,俯察可以无其不盛。一座高山,一条丹水,使我度过了整个童年和少年。直至背着行囊到西安求学,我整整在那里生活了二十年。如今,我的父母弟妹还在商州,我的祖坟在

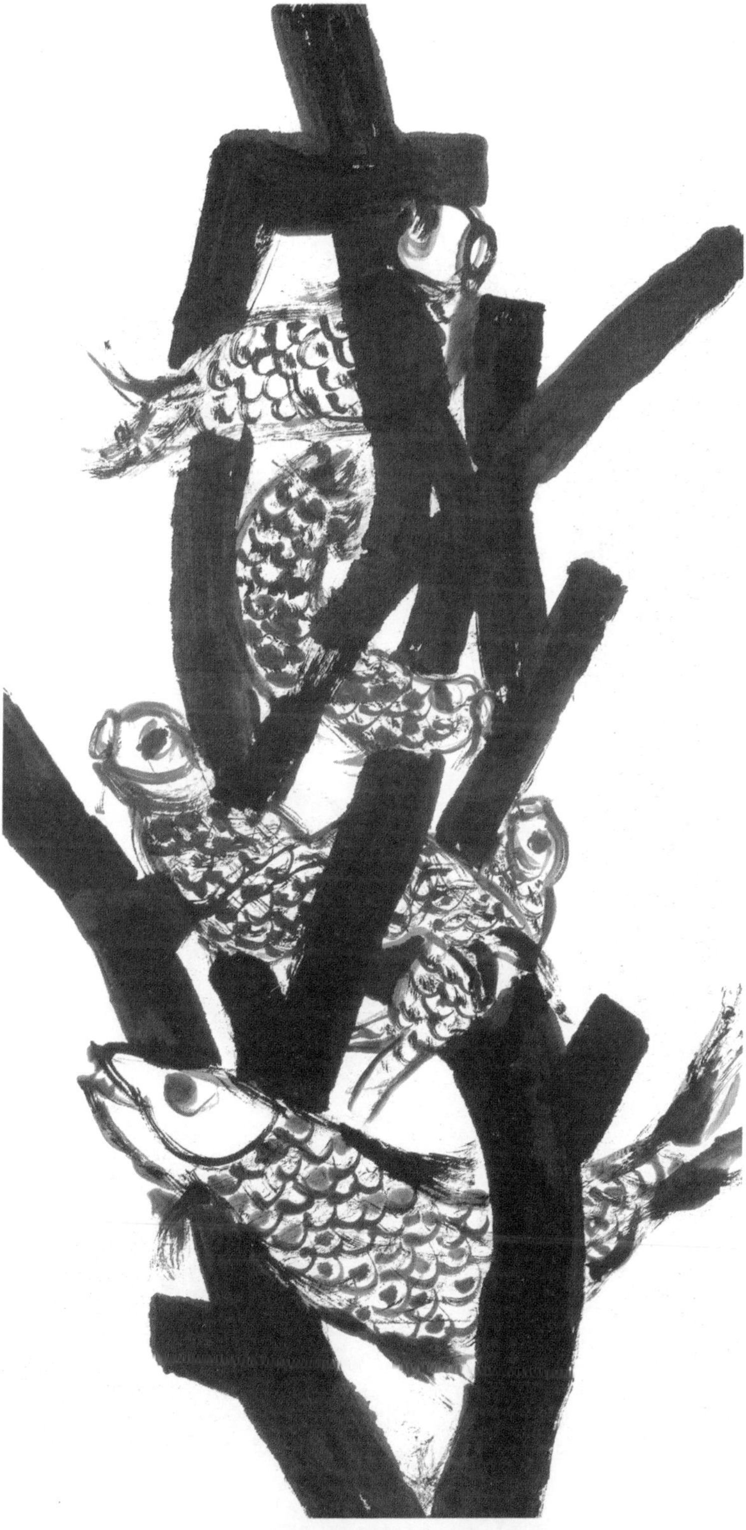

辛巳丑冬

阴阳先生用罗盘细细察看之后,认为风水已满,重新移辟了新地,我每年都要回去祭祀的。我早年学习文学创作,几乎全是记录我儿时的生活,所以我正正经经的第一本短篇小说集就取名《山地笔记》。确切说,我一直在写我的商州,只是那时无意识罢了。到了一九八二年,陕西的文学评论家,主要是"笔耕"文学评论组的评论家,对我的作品进行过一次大的、全面的评说,他们的用心良苦,态度积极,虽然有些观点令我一时消化不了,甚至接受不了,但评论家之所以是评论家,并不是为了投合作家而活着,他们有他们的理论体系,有他们的独立见解和评论自由,于是,在我经过一段时间的冷静和思索之后,我对这些评论家怀上了连我自己也都吃惊的感激之情!他们的批评,在重新正视之后,我深感震动。我明显地知道了自己思想浅薄和生活积累的严重不足。这期间,我是沉默了,几乎再没有写小说,到了一九八三年,社会上、文艺界清除精神污染,我的一些小说自然属清除之列。但我此时倒很冷静。不管外界如何议论纷纷,我的目标已相当清楚,我知道了我应该怎么办,在这时促使我尽快地行动的另一个因素是,当时文学界在对我近两年所写的散文作评价时说:"贾平凹的散文是可以留下来的,小说则是二流、三流的。"这就是说,我的散文比小说好。这话倒使我甚为不服:我写散文,是我暂不写小说后写的,你说散文好,我偏不写散文了,你说小说不好,我偏再写写让你看!我甚至产生这样一个念头,以后再发表小说就不标贾平凹三字,另起笔名,专来抗争抗争。这种意气用事可爱倒可爱,却大大的幼稚可笑了。但当时真的是决心很大,决心写小说,写中篇小说。可是,怎样去写?

去写什么？我认真总结了以往的经验教训,分析自己的优势和劣势,针对自己生活阅历的不足和认识生活的能力不强之短处,我只能到商州去丰富自己,用当时的话说:"再去投胎!"为什么不到别处而去商州？商州我是比较熟悉的,我在那里获得的感受要比去别的地方一天可以抵住十天乃至一个月的。

到了商州,丰富自己的目的是明确的,但具体要写什么却很茫然,我开始一个县一个县游走,每到一县,先翻县志,了解历史、地理,然后熟人找熟人,层层找下去,随着这些在下面跑着的人到某某乡、村、人家,有意无意地了解和获得了许许多多的人和事。第一次进商州,对我的震撼颇大,原来自以为熟悉的东西却那么不熟悉,自以为了解的东西却那么不了解。当我每一晚在农家土屋的小油灯下记录我一天来的见闻时,我异常激动,懊悔自己下来得太迟了;当我衣服肮脏,满身虱子,头发因长离开商州时,就想到再一次进商州,应该再到什么地方去,可以说,是商州使我得以成熟,而这种成熟主要的是做人的成熟。城市生活和近几年里读到的现代哲学、文学书籍,使我多少有了点现代意识,而重新到商州,审视商州的历史、文化、传统的和现实的生活,商州给我的印象就相当强烈!它促使我有意识地来写商州了。这就是我写《商州初录》的最初心境。在写《商州初录》以前,文学作品中是很少有人提名叫响地来写这块地方的,而且即使写,也都是写做"商洛","商洛"是现在的真正地区名,"商州"则是商洛的古时叫法。而如今"商州"才慢慢被重新使用了,尤其文学界。

二、在你的商州系列作品中,可以感觉到在新的时代背景下人物的精神、心理上的极大变化,这是先入为主的观察呢,还是生活中实实在在的发现?

可以说,无论商州怎样偏僻、贫困,地理如何复杂,风俗如何独特,但它毕竟和整个世界同被一颗赫赫洪洪的太阳照耀,同整个中国任何一个省、地区同受共产党的领导。它是陕南的一部分,严格地讲,它是陕南与关中平原的过渡地区。它所生养的人民绝大多数是汉民族,距曾有十三个封建王朝建都的西安古城四五百里,它的文化属于中原文化。这就是说,商州的文化结构,其民族心理结构从整体来看是和别的地方同在一个地平线上,对世界的感知,因袭的重负,历史的投影,时代的步履,与别的地方大致相同。因此,在新的改革年代,商州引起的骚动,其人的精神上、心理上的变化是不可能同别的地方反律的。但是,商州之所以是商州,正因为它偏僻、贫困,而又正好是距十三个封建王朝建都的古城西安四五百里远,这就形成了它区别于别的地方的特点。从历史上讲,当古西安成为全世界文化、经济名城时,商州还是荒蛮之地,它乱崖裂空,古木参天,著名的四皓东园公、夏黄公、绮里季、甪里先生就隐居商山。秦以后,乃至清朝,商州有过四次大的移民到此。天下名关武关在此,它是东南进入关中的唯一要道。虽有过龙驹寨和赫显过一时的水旱大码头,但衰而盛,盛而衰,几度荒废。在近代史上,它民风古朴,却人性剽悍,脚夫成串,但武术流行,出美女,出土匪,各地有写得一手魏汉隶书的老古董,更有凶残暴戾的山大王,国民党在这里清剿得最残酷,游击队在这里革命得最活跃,这相辅相成和相正相反的各种奇特现象,构成了这片山地复杂而神秘的色彩。

新中国成立三十多年来,大深山里有相当多的人未见过汽车,更未见过火车,甚至连县城也未去过。但县城里却充斥着当今社会最时髦的商品和习气,每每西安城里一流行什么奇装,县城就出现异服,其速度之快令人惊骇。常常是一种时兴从西安先到商州各县城,再由商州各县城慢慢回缩,方由远而近影响到关中平原及西安近郊各地。如果有幸参加一次商州各县城的集会,看到立体声双卡录音机和野藤编织的粪笼同摆在一起出售,看到戴着贴有商标的蛤蟆镜的小伙和一边走一边用抓手搔痒的老头一块拥挤在商场的出入口,你就会忍俊不止而大发感慨!在我未去商州深入生活之前,我对现实农村的变化,粗略有所了解,但对商州这个特定环境下的农村却知之甚少,经过那日日夜夜,耳闻目睹许多人和事,商州山地农民的精神、心理上的变化便引起了我的兴趣。可以说,先入为主的观察是有的,但真正引起触动,产生强烈的创作欲的则是生活中实实在在的发现。我第一次到柞水,很想吃吃当地的土特产,但在县城街道上竟发现仅仅在车站附近有三四家饭店,且大都出售馒头、面条和凉粉,而别的任何杂食、小吃几乎没有。一了解,原来此地历来没有做生意的习惯,到山村去,地上长的,树上结的,要买是不卖的,要吃则尽饱吃。可第二次再到柞水,到了凤镇,那里却出现了一件轰动挺大的新闻:三个复退军人返回家乡后,不安心在几亩山地上撒籽、收获,然后无事做而去游逛、喝酒、赌博和寻玩女人,他们联合筹办了一座针织厂。听别人传说,与他们交谈,才知在办针织厂的过程中,他们充满了喜怒哀乐,这件事提供的关于土地观念、家庭观念、道德观念的信息量是相当大的。将这一切变化放入整个中国农村的大变化中加以比较、分析,深究出其独特处、微妙处,这就为我提供了写出《商州初录》之后的一系列中篇小说的创作素材。

三、在你所写的有关商州的作品中,你对哪一部较为满意?为什么?

到现在为止,还没有一部使我满意的。这绝不是一种矫情!

我是很佩服外国作家的自信的,记得有一次接待一个外国作家代表团,问到一个作家,你们国家谁的小说最好?他立即说:我的小说最好!遗憾我未读过他的小说,但听了他的回答,却令我十分激动!老实说,每当我在构思一部作品时,我是很自信的,直到作品草稿拉出,我激动得要对一些要好的朋友夸口:这部小说太好了,是我最好的小说!但往往发表之后,我就在暗地里大骂自己,别人当面一提起那部小说,就羞愧得以话岔开。我是一个得意时颇得意,自卑时极自卑的人。截至目前,我写过的作品没有一部写出了我心中要达到的水平,所以常常过了一阵子,立意、结构就想变一变,这也正是力图想写出较满意的作品的。我愿意把我的试验期放长些,更愿意我的试验期能够缩短,我是多么盼望有一天我会说:啊,这一部我最满意!

四、在你的作品中,对于商州的山川地貌、地理风情的描绘很引人注目,构成一种独有的艺术上的美。请谈谈你的想法。这是如目前一些人所说的"寻根"的结果吗?

对于这种赞美,我首先要说:谢谢!人总是爱听好的嘛。但是我要指出这是一种过奖。对于商州的山川地貌、地理风情我是比较注意的,它是构成我的作品的一个很重要的因素。一个地区的文学,山水的作用是很大的,我曾经体味过陕北民歌与黄土高原的和谐统一,也曾经体味过陕南民歌与秦巴山峰的和谐统一。不同的地理环境制约着各自的风情民俗,风情民俗的不同则保持了各地文学的存异。我在商州每到一地,一是翻阅县志,二是观看戏曲演出,三是收集民间歌谣和传说故事,四是寻吃当地小吃,五是找机会参加一些红白喜事活动。这一切都渗透着当地的文化啊!在一部作品里,描绘这一切,并不是一种装饰,一种人为的附加,一种卖弄,它应是直接表现主题的,是渗透、流动于一切事件、一切人物之中的。正如中国戏曲一样,如果拆开来看,它有歌、有舞、有画、有诗、有武术、有杂技、有光、有音乐,但哪一样不是直接地服务于整个戏曲的需要的?能分出谁主要谁次要吗?若不是从这个观点出发,那一切只是皮相的、外在的,花拳绣腿无用而可笑。目前,文学界议论很热闹的有一种"寻根"说,虽然各家观点甚是不同,所指的范畴也差之颇远。依我小子之见,我是极赞同这种提法的,但却反感一窝蜂。之所以一些优秀的作家提出"寻根",都是有针对性的,只要看看韩少功、阿城等人的文章,答案是很明白的。"寻根"并不是一种复旧和倒退,正是为了自立自强的需要。中国的文化悠久,它的哲学渗透于文化之中,文化培养了民族性格,性格又进一步发展、丰富了这种文化,这其中有相当好的东西,也有许多落后的东西,如何以现代的意识来审视这一切,开掘好的东西,赋予现代的精神,而发展我们民族的文学,这是"寻根"的目的。当然,对于山川地貌、地理风情的描绘,只要带着有意"寻根"的思想,而以此表现出中国式的意境、情调,表现出中国式的对于世界、人生的感知、观念等等一系列美学范畴的东西,这当必然是"寻根"的结果。但是,这只能是一个方面,而不是"寻根"的全部内容,绝对不是。至少,我是这样认为的。

五、你是否还准备去商州,是否还要写有关商州的作品?

这一点是肯定的。写了几部商州的小说,外界以为我对商州十分熟悉了,这实际是一个大大的错觉。我虽然在那里土生土长了二十年,离开商州后每年还几次回到商州,近年而且多次去那里考察体验,但,我跑动的地方还很少很小,不知的东西还更多更大。当然,我这一辈子不可能目光老盯在商州,老写商州,但不论以后再转移到别的什么地方,转移到别的什么题材,商州永远是在我心中的,它成为审视别的地方、别的题材的参照。广州的孔捷生曾给我来信,邀我到他那儿去一趟,说:"你来走走我们的雷州,就更明白你们的商州了。"这话说得太好了!目前,我正在写我的第二部长篇,取名《浮躁》,主写一条州河,所谓州河,是我的家乡人对于流经商州的商县、丹凤县、商南县境的全州最大的丹江河的俗称。所以说,这又是一个"商州货",写完这个长篇,我将去陕西正南的安康去作"流浪",再到渭河和泾河的上游黄土地去跑跑,然后就集中一段时间将我现在居住的古城西安作深入的了解。但无论如何,商州我是随时要去的,因为那是我的大本营、根据地,是我的"老家",回家是迫切的、愉快的,随随便便而不要打什么招呼。

六、你所理解的小说应当是什么样子的?在当代,应当首先在哪些方面显示出这一体裁区别于其他体裁的特性?

一位医生在给我治病时说:"当你感觉到你身体的某一部分存在的时候,那一部分就是生病了。"这医生简直是一位了不起的哲学家,是诗人!而在我的写作中,有时才一动笔,就踌躇了,自问:按这个构思写出来,像个小说吗?往往就力求写得像小说。但是什么才是小说?无非是社会上流行的那类格式,或是别人已写过的样子,结果,越是想写得像小说,写出来越不像个小说了。我现在的理解是,小说应当是随心所欲。小说小说,就是在"说",人在说话的时候难道有一定的格式吗?它首先是一种感情的宣泄,再就必须是创造。当然这并不是说一切无章无法,而恰恰这是有一个极大的各自限制。霍去病墓前的石雕,或虎、或羊、或卧牛,随便将一块不规则的丑石凿几下,一件精美无比的艺术品就产生了,但它正是在一块石头上完成的!从中外的文学史上看,每一个时期,对小说的理解都是不同的,所采用的方式方法也是不同的。我们现在流行的小说的概念,大都是十九世纪外国小说的写法,可中国古人做小说却是另一回事,而外国,一个地区与一个地区又不一样,十九世纪与二十世纪更不一样。历史既然在否定之否定中前进的,一切框死的东西都是要消亡的。树枝枯死了方显出僵硬,树叶呈现了鲜艳的红色,那将是它落脱的时候啊!当代中国的小说,已经出现了新的趋向,即越写越怪,越写越新,有些小说几乎是四不像了。这正好!只要把我们感动了,只要把我们激励了,能够悦目,能够赏心,我们就承认它是好的小说。那么,在当代,应当首先在哪些方面显示出这一体裁区别于其他体裁的特性呢?这一问题使我太狼狈了,我只能坦白地说:我说不清。我似乎感到有些体裁恐怕在不久的将来将要被淘汰的。古人有一种散文和韵文的分法,这分法是很大度而狡猾的。也基于此,我是不主张把什么都分得那么细,仅在小说一项里,现在就有农村题材小说、工业题材小说、军人题材小说、知识分子题材小说,而农村小说里又分山民小说、知青小说、法制小说……现在又翻出新的花样:报告小说、纪实小说、诗小说、散文性小说,等等。这有必要吗?在国外,这种新花样多极,有的是有一定的理论体系,有的是为着某种文学现象的反动,有的则仅仅是标新立异。中国目前的这些花样,据我所知,有好些名目是草率为之,多少有点哗众取宠。为什么提出报告小说、纪实小说、诗小说、散文性小说,这不是正好对我们将体裁越分越细的一种讽刺吗?如果再发展下去,怕还要出现社论小说、绘画小说、音乐小说吧。社会发展到了今天,题材已不能单一划分,各个艺术门类互相渗透,如果愈是细分,愈是最后连自己都糊涂了。我的观点是只要我能用的,我都可以拿来用,写出来,你说是什么,那就是什么,人吃杏子,人肉永远也不会像杏一样酸,人吃羊肉,永远也不会长出羊角来。

七、在陕西省长篇小说创作促进会上,你曾谈到在创作中要树立"现代观念"的问题,请解释。

陕西长篇小说创作促进会是一次极有成效的会议,大家各抒己见,谈了许多很启发人的观点。轮到我发言,因为时间关系,每人只给半个小时,我只简单地谈了谈我的一些看法。其中谈到"现代观念"问题。具体讲"现代观念"到底是什么东西,包括哪些内容,我从理论上也说不完全。我是针对陕西小说创作情况有感而发的,尤其是对我自己有感而发的。我们陕西的小说作者,大都是从农村来的,就是现在从事专业创作的几位中青年作家,也都是从农村到文化馆或中小学,再到作协,一步步走出来的。社会阅历丰富,生活积累厚实,可以说是陕西作家得天独厚的一点长处,这是一个作家的很重要的条件。但是,我们却存在着另一种先天不足,这就是缺乏系统的理论和艺术上的修养。我们都经历过"文化大革命"的动乱年代,在对于中国古代文学艺术的继承上和对于外国现代文学艺术的借鉴上,都十分浅薄。我们一开始学习创作,凭借的是我们生活和可怜的一点文学知识,而把这种生活的表象写出来罢了。这种文章的发表,刺激了我们,以此才慢慢走上作家之路。我们曾经给文学界造成了一个"陕西作家群"的概念,但随着文学运动的发展,我们不能不看到我们现在越来越赶不上了。那些外省的作家,论其生活积累并不比我们强多少,可人家的作品一经和我们的作品相比较,就比我们明显地高出一筹。这是什么原因?我感觉有一个"观念"问题,一是我们的气派不够;二是我们有小农经济思想,也就是农民意识的束缚;三是我们缺乏理论上的修养;四是我们知识陈旧。我们写我们脚下的这块土地,对这块土地并没有从历史、文化、政治、经济甚至地理上加以透彻的研究,没有哲学和美学的眼光。就事论事,令我们吃尽了苦头。我们要心胸阔大,目光放远,在深入到生活之中后,再坐上飞机来俯视这种生活。这首先需要我们从哲学上入手,建立我们对世界的认识,再是吸收借鉴中外古今文学作品中的精华,研究他们的表现形式。这样,我们重新回到生活中去,获得的就是更丰富的更本质的更深刻的东西了。

八、最近,拉美文学成了人们谈论的热点,你怎样看?你喜欢马尔克斯吗?

拉美文学是了不起的文学,它成为人们谈论的热点,那是必然的。我特别喜欢拉美文学,喜欢那个马尔克斯,还有略萨。但说实话,因为许多条件的限制,我读拉美文学作品是极有限的,好多东西弄不来。有的作品是读了,有的作品是听别人介绍的,但都蛮有兴趣。读他们的作品,我常常会想到我们商州。在我的想象中,拉美那块地方有许多和商州相似之处,比如那山呀,河呀,树林子呀,潮湿的空气呀。我首先震惊的是拉美作家在玩熟了欧洲的那些现代派的东西后,又回到他们的拉美,创造了他们伟大的艺术。这给我们多么大的启迪呀!再是,他们创造的那些形式,是那么大胆,包罗万象,无所不有,什么都可以拿来写小说,这对于我的小家子气简直是当头一个轰隆隆的响雷!可是话说回来,拉美文学毕竟是拉美文学,那里的历史、地理、政治、经济、民族、风俗与我们不同,在向他们学习、借鉴之时,我们更要面对我们的文学。我接触过许多作者,其信息很灵,学习的热情很高,但遗憾的是好多学问都是赶一种时髦,一会热这样,一会热那样。前几年对于苏联文学热得要命,最近开什么会,在什么场合,又是口必称《百年孤独》,我每见他们夸夸其谈,倒怀疑是否认认真真读了人家的作品?读大师们的作品,只能是借鉴而不能仿制。有一个材料介绍,诸葛亮读书是"吸"其大义,毛泽东读书也是在"吸",吸精,吸神,吸髓。这是政治家的读书之法,我辈是臭文人,小小草民,但从大人物的读书方法中也可以得到启迪的啊！

九、你怎样看川端康成？你是否从他的作品中借鉴到了些什么？

从四五年前第一次接触到川端康成的作品时，我就喜欢上这位日本作家了。记得那时每次到书店，总寻他的书。为了得到他的一个短篇，竟花很多钱去将那本厚书买来，甚至还给一位日文翻译家去信，希望他多翻译些川端康成的作品。我喜欢他，是喜欢他作品的味，其感觉，其情调完全是川端式的。但他的作品最令我头痛，因为寻不到他写作的轨迹。我不止一次发这样的感慨：世界上的作家可以分为两种，一种是人，一种是神。读有的作家的作品，如果系统读他的长、中、短篇，读他的散文、随笔、诗、剧乃至理论文章，慢慢便可从中摸出其规律性的东西。但有的作家则不能，你简直无法捉摸，你只能望洋兴叹。中国的庄子、屈子、苏东坡；马尔克斯、泰戈尔、海明威，再加上这个川端康成，你就是专心仿制，出来就走了味儿！我这个人生性孤独、卑怯，每遇见任何名人，总想去看看，但绝不敢当面去交谈的。我之所以去看看名人，一是想一睹尊容，二就是听人家说一席话，捉摸这些人的思维方法。我读川端康成的作品，也就像去看那些名人一样，受益只是那一点，也只能是那一点。能不能学来某一个作家的精髓，我觉得首先是你是否喜欢，如果喜欢，你精读了他的作品之后，就要研究这位作家的生平、气质，看有没有同你类似的、相近的方面，而他的风格凭什么形成，如何形成，你有没有可能性？这番工作做完后，你才有可能学到他的一点精神。川端康成的感觉我是无法学到的，但川端康成作为一个东方的作家,他能将西方现代派的东西,日本民族传统的东西,糅合在一起,创造出一个独特的境界,这一点太使我激动了。读他的作品,始终是日本的味,但作品内在的东西又强烈体现着现代意识,可以说,他的作品给我的启发,才使我在一度大量读现代派哲学、文学、美学方面的书,而仿制那种东西时才有意识地又转向中国古典文学艺术的学习。到了后来,接触到拉美文学后,这种意识进一步强化,更具体地将目光注视到商州这块土地上。

十、你觉得中篇小说创作很得心应手吗?

要是很得心应手就好了。但可以说并不怎么痛苦。我曾经说过,文学作品当然是作用于社会的,但还有一点,起码是受用于自己的。每一个作家,在他开始创作之时,并不像有人说的那样"我是为革命写作,为共产主义事业写作"的,它首先是一种爱好,是兴趣、是快乐,像抽烟一样。只是写起来了,越写越多,才慢慢落得一个作家的责任,对艺术的责任,对社会的责任。北京有一位评论家,在读过我的长篇、中篇、短篇和散文后,来信说:你是宜于写散文和中篇,而中篇尤宜于写小中篇。他这话很有趣。我想,宜于不宜于不敢说,但写小中篇确实舒服一些。我写东西的时候,别人以为很苦,其实在写时并感觉不到,倒很快活,苦的只是构思期,再就是抄写期。我的提纲是要经过三次五次来作的,抄写时像上杀场一样,不想到桌子边上去,中国字太复杂了,得一个一个去写,中国的作家之所以没有外国作家作品多,抄写怕是一个重要原因。写作时不怎么痛苦,并不等于写作时就得心应手。时常在写作时感到这样不是,那样不够,但又无可奈何。这也就是我对我的作品总不满意,不停地变来变去的原因。我也检点过:这是不是我写作时不怎么痛苦而导致的结果?我也说不清。

十一、从作品气质上讲,你是一个更多地受到东方美学思想影响的作家,那么,对你产生最大影响的文学家是谁?

若要提名,则有庄子、陶潜、苏轼、司马迁、蒲松龄、曹雪芹、泰戈尔、川端康成。我要解释的是,如果要再提,还可以提到很多。我说不清谁对我产生最大影响。我是一个时期突然爱上一个作家,读过他一段作品后,我就又爱上另一个作家。中国古代的文学,每一个时期的,我都多少浏览过,每一个时期都有我爱的人和作品。属于东方美学范畴的外国作家,我没有条件系统地去了解。读得是支离破碎的。我在学习上喜新厌旧,朝三暮四,不是一个十分忠诚的人。最近一个女友到我这儿,要我给她写写毛笔字,最好写写自己学习上的见解,我随便写了四句:"读书不甚解,习文忌随它,心静乃生神,观察于太极。"这观点是胡扯,但说到读书,也多少透露了我以上的毛病。

十二、你是否喜欢老子?道家美学对你是否有影响?

是喜欢,但可惜很难收集到这方面更多的书籍、材料,只听过几次道士的言谈,读过一本《道德经》。不仅是老庄的喜欢,也喜欢佛学方面的东西。儒家的东西接触得多,从小家庭教育这方面多。对于佛、道,看的东西不多,看了也不全懂,但学会了"悟"。他们的一些玄理常常为我所悟,悟得与人家的原意相差甚远,但我却满足了。反正只要我悟出了对我有用的东西,便不管它原本是什么。在这方面的学习,我也吃了不少苦头,遭到许多非议。其实,了解这方面的知识,并不是要去做和尚、道士,要了解中国民族传统的东西,对中国的儒家、道家、佛家的了解是很重要的,这样才能弄懂中国的国民性,了解中国的文学发展史。

十三、三十年代的作家中,深得你喜爱的是哪一个?

不是哪一个,而是一群人。比如散文方面,有朱自清、丰子恺、周作人。小说方面,有鲁迅、沈从文、郁达夫。

十四、你这个人性情平和,很超脱,这种性格在你的作品中也表现出来了,你承认这一点吗?

一般来讲,文如其人,作家的性情是可以从他的作品中表现出来的。但具体到我,你认为性情平和,很超脱,那是你的看法,别人或许又是另一种看法。我的作品是否也表现出了这种性情,那也只好完全由你去认为了,请原谅,我最好什么也不要说。

十五、除文学之外,你对绘画、音乐、书法、戏剧等是否也有爱好?请分别谈一谈你从这些门类的艺术中汲取了些什么?

我毫不谦虚地说,我对于绘画、音乐、书法、戏剧的爱好、热情并不比文学低,其有些见解和对文学的见解有过之而无不及。我平日读的书中,相当多的则是这方面的书。当然,既然现在是以文为主,对绘画、音乐、书法、戏剧诸方面是空谈的多,实践的少,理论上可以应酬,技法上等于零。了解、学习这诸方面的知识,于文学创作万分有益。如果有人说我的作品中多少有一点东方美学思想的影响,那很大程度得力于中国的文人画、民乐、书法和中国戏曲,我有意识地将中国的古代哲学与西方的现代派哲学作过比较,然后就分别将中国文人画和西洋画作比较,将中国戏曲和话剧作比较,从中获得我们民族文化长期以来所形成的美学方面的东西。简单地说,说是对世界和人生,中国人是用什么方式方法感知和把握的? 要从具体谈起,不是一句两句能说得清的。一九八五年年初,我当时怕别人耻笑,写了一篇文章,其中正好涉及你所提及的问题,我不妨让你再看看这篇臭文章吧。

附《我的诗书画》

所谓文学,都是给人以精神的享受,但弄文学的,却是最劳作的苦人。我之所以作诗作书作画,正如去公园里看景,产生于我文学写作的孤独寂寞,产生了就悬于墙上也供于我精神的受活。即是一种私货,我为我而作,其诗其书其画,就不同世人眼中的要求标准,而是我眼中的、心中的。

基于此,很多年来,我就一直做这种工作;过一段,房子的四壁就悬挂一批;烦腻了,就顺手撕去重换一批。这种勇敢,大有"无知无畏"的气概;这种习性儿,也自葸我发笑,认为是文人的一种无聊。

无聊的举动,虽源于消遣,却也有没想到的许多好处。

诗人并不仅是作诗的人,我是极信奉这句话的。诗应该充溢着整个世界,无论从事任何事业,要取得成功,因素或许是多方面的;但心中永远保持着诗意,那将是最重要的一条。我试验于小说、散文的写作,回到生活中去,或点灯熬油笔耕于桌案,艰难的劳动常常会使人陷入疲倦;苦中寻乐的,只有这诗。许可以使我得到休息和安怡,得到激动和发狂,使心中涌动着写不尽的东西,永远保持不竭的精力,永远感到工作的美丽,当这种诗意的东西使我膨胀起来,禁不住现于笔端的,就是我平日写下的诗了。当然这种诗完全是我为我而作,故一直未拿去发表。这如同一棵树,得到阳光雨露的滋润,它就要生出叶子,叶子脱了,落降归根,再化做水、泥被树吸收,再发新叶;树开花,或许是为外界开的,所以它有炫目悦色之姿,叶完全是为自己树干生存而长,叶只有网的脉络和绿汁。

诗要流露出来,可以用分行的文字符号,当然也可以用不分行的线条的符号,这就是书,就是画。当我在乡间的山荫道上,看花开花落,观云聚云散,其小桥,流水,人家,其黑山,白月,昏鸦,诗的东西涌动,却意会而苦于无言语道出,我就把它画下来。当静坐房中,读一份家信,抚一节镇尺,思绪飞奔于童年往事,串缀于乡邻人物。诗的东西又涌动,却不能写出,又不能画出,久闷不已,我就书一幅字来。诗、书、画,是一个整体,但各自有不可替代的功能,它们可以使我将愁闷从身躯中一尽儿排泄而平和安宁,亦可以在兴奋之时发酵似的使我张狂而饮酒般的大醉。

已经声明,我作诗作书作画并不是取悦于别人的欣赏,也就无需有什么别人所依定的格式,换一句话说,就是没有潜心钻研过世上名家的诗的格律、画的技法、书的研究。所以,编辑同志来我这里,瞧见墙上的诗书画想拿去刊登,我反复说明我的诗书画在别人眼里并不是诗书画,我是在造我心中的境,借其境抒我的意,无可奈何,又补写了这段更无聊的文字,以便解释企图得以笑纳。

十六、目前,人们正在谈论"文化断裂带"问题,你是怎样看的?

我是一个极一般的作家,且对文艺理论方面的知识很浅薄,故每每对文坛上出现的什么争论,我都是退在一边,老实地静静听别人说话。听完了也暗地里想一想,有时想出点什么,大多数什么也没想出来,只是又去照看自己的创作了。所以关于"文化断裂带"问题,也没资格去争论,硬是要问,我可以说说我曾经遇到过的一件事情。一九八一年到一九八二年的时候,外界对我的散文和小说评价截然不同,说我的散文很美,说我的小说太怪,缺陷很大。当时我很彷徨,不知所措,为什么同一个时期的同一个人,在立意甚至笔调都一样写东西,仅仅由于体裁稍有不同,得到的评价就如此悬殊呢?我去请教我的一位老师,他对于中国古典文学研究很深,又十分关注当代文学和我的创作,我们是无话不谈的。在交谈中涉及这个问题,他说,在中国,散文和小说相比,散文的历史是悠久的,成绩是辉煌的,小说虽有《红楼梦》,但像这样的作品很少,其小说的理论没有形成体系。这样到了三十年代,一大批作家在散文创作上基本上继承了散文的传统,而小说方面则完全向西方学习。也正因为当时是文学的开放年代,外国的小说发展已形成完整的理论体系,确实小说作品比当时中国的强。而你读中国古代文学作品多,受的影响较大,你按传统的散文写法从事散文创作,很自然读者能接受,而你借鉴唐人传奇小说和笔记小记的写法,则使现在的读者觉得好像太那个了,因为现在的读者接受的小说一般是从三十年代开始的,而三十年代的小说严格讲大量学的是外来小说的写法呀!这次谈论,使我想了好多问题,比如,三十年代的作家大多都是自小读四书五经的,古文水平是极其深厚的,为什么小说创作却更多地转向外国学习?从此使中国小说的理论再没有连接下来,这是可幸的事呢,还是遗憾的事?作为我们现在的年轻作家和年轻的评论家以及年轻的读者,接受的小说理论完全是外来的,而要进一步使我们的小说成熟,能自立自强,需要不需要挖掘中国传统小说中有用的东西呢?事情奇怪就奇怪在,三十年代的作家向外来的小说学习,而到了以后的几十年,我们的小说却又没有继续向外学习,我们所沿用的可以说仅仅是十九世纪的东西,现代的东西几乎一无所知了。这便是我的看法。所以,当今文坛争论"断裂带"问题,无疑是一件好事,无论准确还是偏颇,都将会使我们清醒地来"面对永恒和没有永恒的局面"(海明威的话),有意识地继承传统文化和吸收外来。文学创作上的大度,兼容并蓄,广泛吸收,才可能有好的作品、大的作品出现。

十七、你是否有意识地在"寻根"?你认为目前中国文学着眼点应当在哪里?是寻根呢,还是加强现代意识、更加准确地反映我们这个时代?它们两者的关系如何?

"寻根"是中国文学界新近产生的一种提法,但做类似内容的工作,我可以说是有意识的。对于目前中国文学的着眼点是寻根还是加强现代意识,我觉得这是一个问题,不能将它们剥开。在回答前边的几个问题时,也谈过这层意思。要成熟我们民族的文学,这是目的,目的是一,要做的工作是二,这便是一分为二;寻根是在现代意识之下进行的,以现代意识去寻根,这便又是合二为一。

十八、你是否有意使自己的作品在政治上超脱一些？

政治是无法超越的，完全没有政治的文学作品是没有的，也是不可能有的。我们不能狭隘地理解政治。文学艺术有它的自身规律，只能忠实生活，忠实艺术，我反对的是就事论事，别的并没有想得太多。

十九、你怎样理解小说家的历史责任感和使命感？

作为一个作家，都是时代的作家，他必须为这个时代而写作。怎样为所处的时代写作，写些什么，如何去写，这里边就有了档次。

二十、平时，你是否很注意文艺理论战线上所发生的情况和变化？作为一个作家，你对理论家有何建议？你期望文艺理论如何发展？

我是十分关注文艺理论战线上所发生的情况和变化的，因为我是一个各方面知识都很浅薄的作家，又身处在较偏僻的地方，我得力争站在一切信息的前头，想方设法提高丰实自己。对于文艺理论家我是极尊重的！一个作家写出东西，都希望评论家说说话。如果听些很好听的话，将会给这个作家想象不到的刺激，所获得的力量是极其之大的。我的情况也是这样。但是，当这个作家的作品渐渐地多了，他就不一定光爱听好听的话了，甚至对那些不符合实际的好话有些反感，需要的是有好说好，有坏说坏，在分析研究中受到启发。当前，中青年文艺理论家十分活跃，他们思想锐敏，见解独到深刻，读他们的文章很受启发。我盼望我们的文艺理论能形成自己的体系，多关注文坛上的创作，在评价任何作家、作品时，要实事求是而不要就事论事。创作和评论同样需要自由、自立、自强。

二十一、你对你将来的创作有什么想法?

我不知道我生前为何物所托生,亦不知道我死后又会托生为何物。我将来的创作我想还是创作吧。

二十二、要把主要精力放在小说创作上来吗?

说不定。

二十三、你通常什么时候写作?每天大约写多少?

我虽然是专业作家了,但创作的时间还只能是业余的。我的房子太小,而每天的来人又太多。人来了就打门,打得好响,不开门吧,那敲打声不断,四邻反感,我在里边又写不成,人家就坐在门口,你连咳嗽也不敢咳嗽了,只好开门。来人有的是有重要事,有的则闲聊,我心软,既来之,就陪着聊,聊一晌,聊半天,他才走,我就又去写。所以,我没有一些人的所谓"最佳写作时间"。每天能写多少?这更说不来,有时写几千,有时写几十个字,有时好长时间一个字也写不出。

二十四、你最近在读什么书?

又读了一遍《史记》,正在读《金瓶梅词话》。因为在病中,也读了一些中医书籍。看中医书太好了,中国文论的许多东西全在里头。因身体不好,就梦想武功,看了《武经七书》,极有意思。

二十五、你喜欢交朋友吗?和朋友在一起,你谈些什么?

我认识的人多,好朋友不多,我一生吃过许多亏,全在那些"朋友"之中。当然,好的是大多数,我们在一起什么都谈,谈得多的还是文学和艺术。

二十六、你是一个十分会讲故事的人,这种交际活动是否也与你的创作热情有关?

那都是瞎扯。在特定的环境下,别人不说透的话我来说透,有时故意作践我让大家快活。大家快活了,我也就快活了。除此之外,没有别的目的。

二十七、在人生事业上,你有没有一种宏愿、一种目标?是什么?

请允许我不要说。

二十八、你还有什么要说的吗?

十分谢谢你能到我这儿来,我们又谈了这么多问题!但我声明:我是信口胡说的,未经过深思熟虑,一定错误百出,请多批评。文责自负,也话责自负,若有谬处,那是无知所致,请万不要上到什么纲上去啊!哈哈!

1986 年 11 月

致 友 人

××兄：

好！

因我出外一月，回来才收到您的信。长时间虽未通信，而我依旧注视您的文迹，读了许多大作，颇有启示。上海一群批评家，文章很犀利。又各有特色，皆不人云亦云。也读过吴亮几篇短文，很是为其兴奋。台湾有姓龙的，读其文，就难令人忘记作者。您的感觉好，这是批评家一般所缺乏的。今办"上海文论"（指《文学角》），"文论"二字，最宜你们之格趣。您说要我曾让您看的那本"读书笔记"，我想，那仅是上大学时或才毕业后的随笔，毕竟浅薄，还是不发的好。昨夜读林语堂一本书，上有一节为"写作艺术"。其中一些观点，极是畅美，读之则不能忘。我觉得，当今的创作和评论，最好都不必长，写小文不一定是小家。无论什么派系，关键看其作品之境界大小，底蕴深浅如何，创作实在是没有什么技巧，而只有个性。当今人多谈文体，文体也不是强为，也是个性的表现，个性表现的需要。这也正是形式即内容一说的根源吧。创作同评论一样，都需要有天才，需要有生活。中国的文论传统是片言只语，但总体把握如能渗入西方那些东西，才可能站住脚，出大家，您注意到没有，看中国戏曲中的那些作功戏，有没有当今先锋派作家作品的味道呢?当今文坛,热闹的都是怪才,大才没有真正出现,或出现还未成熟,正都在劳其心志。请您多注意那些不露声色的孤独之人,看人首先看出其人的风格来。

　　颂
大安!

贾平凹
1987年12月2日午

观看二〇〇二年世界杯足球赛

一

我不会踢足球,但足球需要观看者。感谢科学发明了电视机,坐在家里可以直接面对了日韩赛地。我的秉性是不习惯太热闹,平日不大亲赴现场,看电视又不愿意吆三喝四,六月,神祇降临的日子啊,我将稳稳地坐在家里,把老婆孩子都隔离开,独自要享受足球了。

亲爱的读者,从今天起我借《华商报》的一角开辟我的专栏,请你们容忍我的秃笔。这是因为我是作家,写作是我永远改不掉的一种病。还有一个原因,是人类生活的富裕产生了足球运动,足球带给我们了欢乐,而我坚信世界杯的欢乐肯定是巨大的,在满足了我卑微的身心之后仍有剩余,就只有再用笔写出文字了。

文字让我更容易自由,它本身就是目的。

二

进入世界杯,中国人终于捅破了窗户纸,原来成功与失败、荣与辱,竟就在毫厘之差啊!它的意义并不在于中国队在决赛期能走得多远,而是改变了我们的心态:不再浮躁,从此沉着;不再偏激,从此雍容。

朝圣就要到圣殿去。上过大学和没有上过大学绝对有文野之分。

曾经有人问道:谁将是这届世界杯的冠军?米卢说:现在的中国队已经是冠军了!我在报纸上读到这则消息的那天,一个朋友拿着远方的女儿发给她的传呼留言给我看,留言是:不是在放纵中变坏,就是在沉默中变态。这位女孩子是已经在爱了,但她太需要一次成功的爱。

久旱的夏季,我们眼巴巴盯着天空上飘过一朵又一朵的云彩,怨恨过,无奈过,甚至暴戾着打过孩子和摔过茶杯,突然哗哗哗的一场大雨,所有人都会到雨地里欢呼。试想想,如果没有这场雨,农村的田里要减多少产,城市的空调机要耗多少电,一场雨省下来的是亿万的资金,更慰藉了多少人心使天下安定啊。

三

人类生存于不同的地域形成了民族,各民族过日子的方式产生了他们的文化。我们遗憾不能走遍地球,有幸却在球场上看到了一切。

揭幕赛上的法塞之战,是一场穷人对富人的胜利。法国人是高贵而华丽的,这从他们国歌里就能领略到。对于这样的强队,获得亚军就是失败。他们或许轻视着塞内加尔,或许考虑更远的战程,所以他们害怕受伤,不积极拼抢。而塞内加尔呢,一条光棍,拼一场就是一场,正如赛后他们总统的话:我们已经够了,可以回家了!爆冷能带给我们欢乐,人性的弱点就是喜欢反动。但是,历来的世界杯赛,黑马都是颜色易退的。我们不指望从塞内加尔队的身上看到中国队的影子,他们除了天生的身体条件外,你听听他们的国歌,看看他们那一张张丑而极能表现的脸,我们有那一种轻松和活泼吗?

昨天夜里,那一伙围着球衣舞蹈的黑孩子让我们激动,今天早晨,我们却不必为法兰西而哭泣。

四

球迷迷的并不是球,而是自己,和与自己有关的球。在家看爱尔兰和乌拉圭的比赛,因为雷科巴长得像中国人,就倾向了乌拉圭,可惜乌拉圭却输了。去"皇城老妈"吃火锅,正吃,人乱起来,嚷嚷楼下的"圣淘沙"茶社电视上转播德国队对沙特队,忙丢了筷子往下跑。中国队还未出场,沙特毕竟是亚洲的,当然得给他们鼓劲了。可怜的沙特人,住在沙漠里偏要穿绿衣,又黑又瘦,像一群蚂蚁,不断地被撞翻在地。当德国人踢进了三个球,我们是同情的,同情得几乎要流下眼泪,开始骂德国佬在欺负人了。但是,随着沙特的球门一次又一次被洞穿,同情已无法再同情了,滑稽的场面使我们大笑了。实力不够肯定是要挨打,沙特人战术的错误和战斗意志力的缺乏,只能是失败再加上羞辱。沙特人是有钱的,但钱与精神无关。

乌拉圭虽然输了,我却喜欢这支球队,一是喜欢那些长发飘飘的男子,他们长得很帅。中国的男人一帅就女性化了,南美的帅男人却更像男人。二是电视上不止一次出现过这样的镜头:当球射偏后,抬头仰望着,眼里充满了一种向天上神灵祈盼的神色。人是需要敬畏的,需要宗教感,即使失败了,我们也会为悲壮而感动。

五

对足球的认识,也是对生命的认识。费新我的右手残了,只能用左手,他发展了自己的左书艺术;任哲中的嗓音沙哑,他在沙哑中形成了独特的唱法。欧洲人和南美人因其身体和性格的差异,他们对于足球的观念就完全不同。

英格兰与瑞典的对阵,使我想起文学界的所谓"主流文学",呆板是呆板,甚至粗糙不堪,但雄壮而煽情。他们类似于野战军,场面令人生畏,容易让我们为中国队丧失自信。阿根廷和尼日利亚的对抗则使我领略了什么是足球的天才,尼日利亚人几乎全是光头,阿根廷又都是长发,他们是一群艺人,表演着如文学上的"有意味的形式",胜负当然是首位,可从某种意义上讲,形式也就是目的。

历史是人民群众创造的,历史记录下来的,却常常是帝王将相才子佳人。足球靠整体,而没有球星的球队将是平庸的。没有欧文和贝克汉姆,英格兰还算强队吗?缺少了巴蒂,我们还看阿根廷什么?球迷永远是在注视着英雄和没有英雄的局面啊。

六

巴西人可以在预选赛上一输再输,可以在决赛场上让别人先进球,但不能怀疑他们的胜利。巴西用不着谁赞扬或者诋毁,它如同大山,你添一块石头它是那么高,你搬一块石头它还是那么高。罗纳尔多长得像一只兔子,小罗纳尔多又像一条狗。都说罗马里奥是独狼,其实里瓦尔多才是一副狼相。他们如果不是一群精怪,就一定是天之骄子。同情了丑人,我们总是在丑中寻出一点美来安慰丑人也安慰我们,羡慕着美人,却极力要找美人的一些缺陷。巴西队的好让我们常常生出小小的坏心,盼望他们闪失;但若是巴西队失败了,即使胜利者是中国队,我们也会沮丧的。

土耳其人是我们中国队的对头,他们的任何不幸或许对我们都是好消息,但是,他们的失败是一场玉碎。土耳其人没有读过中国田忌与齐王赛马的故事,不会以下驷对上驷、以上驷对中驷、以中驷对下驷的阴谋,结果必然地没有胜过巴西,反倒得到两张红牌。我想,如果 C 组首先是中国队对巴西队,中国队绝不会拿鸡蛋硬碰石头的,不是吗,传来的消息中,中国队还未针对巴西演练什么,而是将一切力量用在死拼哥斯达黎加。中国人是狡猾的,但这种狡猾会使中国队在很长的时间里将只能是弱者。

七

中国队和哥斯达黎加的战术思路差不多,这是两个皆为弱队的原因。双方都踢得很狠,但不精彩。

中国队容易动作变形,因为我们是苦难的民族,足球又处于自卑地位,功利性强,压力大。但这次中国队并不紧张,紧张的倒是我自己。中国队的不紧张是米卢的功劳,他的快乐足球带给了我们新的思维。它的启示是:对于中国人,任何技艺都要建立新的思维。

但是,我们输了。我们输得并不丢人,我们的队员都尽了力,米卢的变化也智慧,只是我们的实力有限。不必垂头丧气,我们应该幽默起来,说:我们所攻的大门是太大了。

永远支持中国队。孩子们在考场,我们在考场外,孩子考得不好我们能怎么样呢,瞪一眼,还得拍拍孩子的脑袋给予安慰和鼓劲,毕竟还要考几场。

前几天,电视上有个镜头:全球都在为足球欢乐的时候,印巴正仇恨着要战争,而一个孩子在废墟里寂寞地颠着足球。我们还是幸运的。

八

看过了中国队与哥斯达黎加队的比赛,突然间没有了要看下一场赛事的急迫;我知道我做球迷不纯粹,只是个狂热的爱国者。

但球还是要看下去,就和朋友一边"挖坑"一边看吧。俄罗斯和美国是世界上最强大的国家,俄罗斯的足球曾经了得,但现在没落了;美国人喜欢上足球的时间不长,却干什么事情都那么自信,太自信了,就自信得不可一世。六四不是个好日子,中国队输了,美国队却在大批保安的护卫下赢得了胜利,他们胜利的是他们的那种霸气。

球场是神秘的,主宰者是神或者是魔。美国队和葡萄牙队的比赛是魔在值班,它导演着好莱坞电影。

九

因为有侵华的历史,又因为近年来日本右翼的猖獗,我对日本人好感不多,但在世界杯中,我尊重了这个民族。他们血性里的狠和犟使其从来都有野性,他们更能让我们自愧不如的是能很快很好地吸收外来的东西而贯注自己的精神。瞧这个队的所有队员都染了黄毛,似乎他们已不愿意承认自己是亚洲的,或者说,他们想成为亚洲的巴西和法兰西。

同是亚洲队,日本和韩国的比赛可以说是职业拳击,而中国队与哥斯达黎加的那场,则成了中年妇女的打架。中年妇女的打架狠是狠,只是抓脸和揪头发的乱打,乱打是最费力气的。

没有感觉是中国队与日本队、韩国队的差距。有感觉有如神助,人就是超人;没感觉便是笨人,笨人干活就累。

日、韩比我们强大了，这要承认，虽然承认是痛苦的。我们需要卧薪尝胆。人是需要服的，不服一人或见人就服那都是妄人。

十

如果球员在场上动作变形，或者急得像没头苍蝇一样乱撞，这不是自卑的表现，也是少见世面。乡下的孩子和城里的孩子差异不在于智慧，而在于经见世面的多少。葡萄牙队企图以菲戈的威名让美国队丧胆，美国队却说：菲戈是谁？美国人的自信使他们的想象力生出了翅膀。你或许说这是魔鬼在作祟，但魔鬼确实导演了一场好莱坞电影。

塞内加尔精彩了揭幕战后，小组赛第二轮又踢了一场好球。与丹麦队的较量，双方并不在比速度，而在看谁能控制。整个场面如河流，但河流得不畅，只是在卷漩涡儿。会骑自行车的骑得最慢，能歌唱的能唱出低音。黑黑的塞内加尔人为非洲长了脸，我们不能不为他们鼓掌。

法国队成了落难的公子，看着站在场外一脸木呆的教练，我为他感到了可怜，更不知因伤不能上场的齐达内在怎样地叹息？这或许是天意吧。如果说将军辈出的年代人民的苦难愈多，那么，一个球队出现了一个伟大的球星，是这个球队的幸运，也是这个球队的灾难。

馬的日子

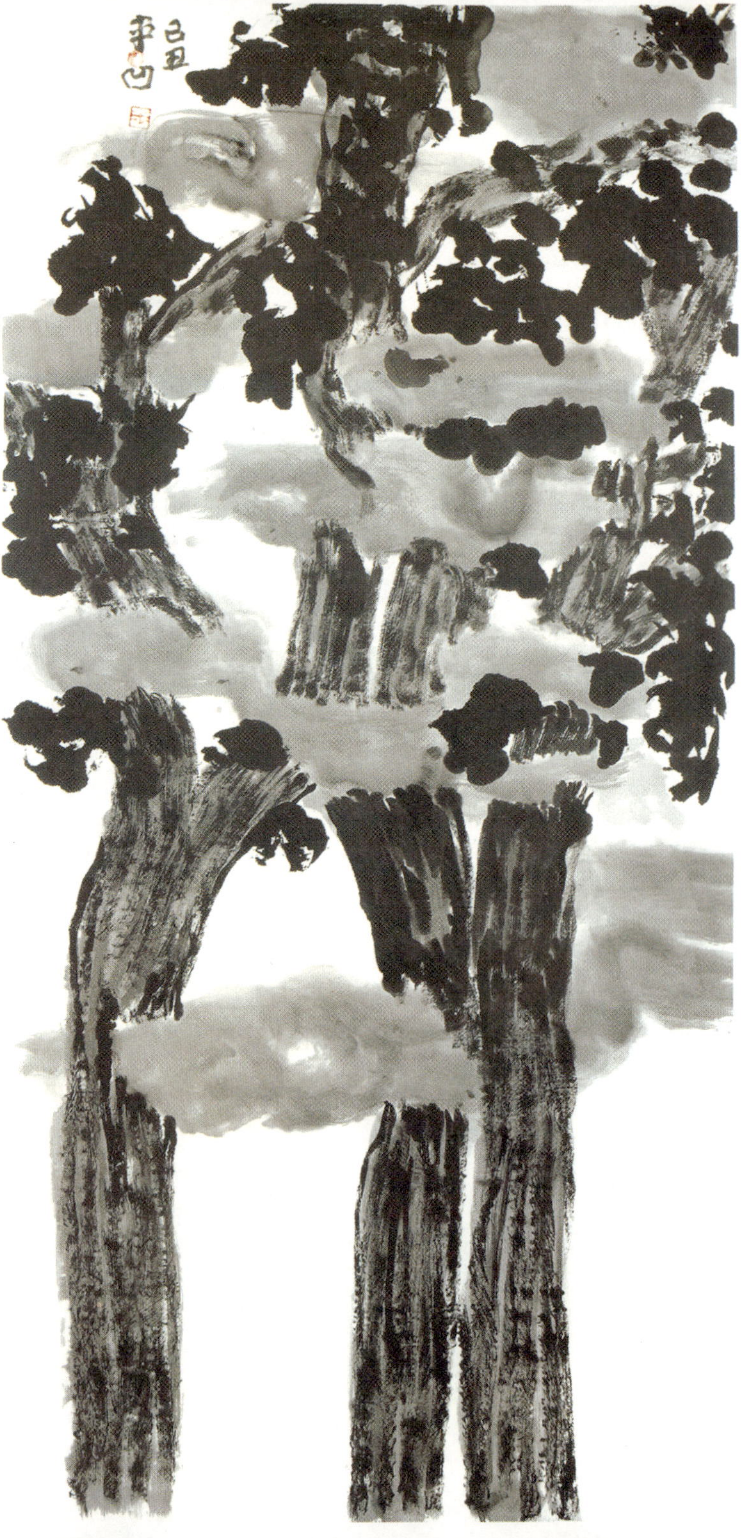
己丑
平山

十一

有一句古语:持其志毋暴其气。当法国队和乌拉圭队踢了一场很粗野的球后,尼日利亚队和瑞典队却是文明之师,激烈而少犯规。观看这样的比赛,如我们吃一顿美餐,没有出现汤里有苍蝇,也没有石子硌牙。但尼日利亚输了,输在那门柱上。球场上是神秘的,对于尼日利亚人来说,这回比赛是魔鬼在门柱上值班。十六强后我们再也不能见到这群黑人,尤其梳着小蒜苗辫的如中国戏台上小丑的那个后卫,但他眉骨开裂,当场缝合又冲入球场的形象将长久地让我们敬而亲之。

三十七岁的门将奇拉维特是巴拉圭队的灵魂,曾经多么暴躁的一头老虎!与西班牙队的对抗中,老虎的脾气安静了,可没有了暴躁的老虎也就没有了威风,或许他真的是老了。年龄对于足球如同对于女人一样可怕。

有竹风才显形,阿根廷人的长发飘起来,象征着他们的速度。阿英之战,我为巴蒂发出了周瑜之叹:天啊,既生巴蒂,何必又生欧文?!

英格兰是胜利了,但我不喜欢他们。保守的美国人真能守,如果他们的个头都不是那么高就好了。

十二

我们肯定是要死的,所幸遇到了大英雄而不是街头泼皮;牡丹花下的鬼,毕竟还风流。

如果指望赢,那是我们看球人的错。

输给了哥斯达黎加队,我们可以骂。巴西踢赢了我们,我们很平静,还可以喝酒,还可以说笑。在赞叹着罗纳尔多和卡洛斯的技艺高强时,也为李玮峰李云龙的防守叫好,为马明宇称道。

当第一场球输后,国内指责声不绝,又开始否定米卢,这是我最看不起的。输了就是输了,明摆着实力不够。输了,又输不起,这就是我们的丑陋。我们到世界杯上来应该是以输来的,种下麦子,收获了麦草,而收获了麦草也就明白了以后怎样才不至于仅收获麦草。

和我在一起看球的朋友说:与其这样,真不如不出线的好。我说:不出线就如同那些一辈子没去过县城的山村老太太,不失败就永远不会胜利,宁在家门外痛快地死一回,也不要在门背后妄自做霸王。

我们不能进入十六强,很可能实现不了既定的目标,但中国队做了一次逐日的夸父。

十三

我们都关注日本和俄罗斯的对抗时,又观看了世界拳王之战。六月九号,是我们眼睛的生日。

我知道有许多人一直在咒着泰森的消失,但这个野兽般的人物又出现在了拳坛。西方人的价值观和我们不同,实力是决定一切的,或者说,金钱是决定一切的。泰森这次没有赢,在刘易斯的重拳下,他的眉棱开裂,两只眼变成了四只眼,他的失败如马拉多纳一样令人惋惜又解气。上帝把这样一些带着邪气的英雄降生于人类,我们真不知是爱他恨他,还是爱憎交加。

任何技艺在熟练了其基本功力后,能不能成大器就看意识了。日本人正是凭这两点走在亚洲各队的前面。中国队号称速度最快,但中国队在场面上的速度却远不如日本。中国队得意的是个人突破速度,日本队讲究的是整体推进速度。球是人踢动的,但人是被球带动的,所以日本的足球事业进步了。

当我们屡战屡败的时候,有人哀叹亚洲人不宜于足球。而日本队连连战胜世界强队,我们该从中学些什么呢?虽然我的心情很复杂,有高兴,有沉思,还有那么一点嫉妒。

十四

中国队无望进入十六强了,心倒安然下来,冷眼看球场上风云,领悟人生中的一些东西。韩国队和美国队都是首场的胜利者,两队对垒,极其激烈,每次球员身体冲撞,都似乎能听见金属声。韩国人有机会取胜,但运气往往不够。作为职业球员,仅凭能力的话,并不等于就能成功,运气是足球的一部分。比如齐达内,他平时绝少用头攻门,上届世界杯决赛却头球梅开二度,成就了法国队也完满了自己的英名。比如张玉宁,多么有才华的球员,却每次需要他的时候他都状态不佳,结果临阵遭弃,回家的路上冷寂得只有他和他的身影。状态奇佳,球迷欢呼;发挥失常,球迷骂娘。想想,球员实际上在为球迷踢球。事实是,什么叫职业球员,职业球员就是为球迷踢球。而为自己踢球的,就可能为钱呀,为见女友而深夜不归呀,去吸烟酗酒,在球场没有忘我的投入。为自己踢球的球员不可能成功,也绝不会有快乐可言。但是,当一场球踢开来,导演者却是上帝,上帝在安排着成败。至于上帝在哪里,我们不知道,我们只能说实力是自信的母亲,运气却是自信的孪生兄弟。

任何行当都有一批天生就是从事这一行当的人物,世界杯踢到现在,所有的足球天才都亮相了,有些让球迷欢声雷动,有些让球迷嘘声四起。其实天才人物都是不可思议的,他们的出色和失常在瞬间发生互换,往往成也萧何,败也萧何。天才球员可以有各种特点,但最相同的一点是对足球的热爱和在球场上的热情。我们对足球热爱的时间太短,且人员太少,所以我们没有出现大的天才球员。这次世界杯中国队得以参与,激起了国人空前的对于足球的关注。从这一点讲,中国队的成绩是次要的,意义却重大。首先穿过雷区的人肯定要牺牲,但他们的牺牲为后人蹚开了一条前进的路。

十五

法国人被淘汰了。法国人不是输在后两场,而是输在了揭幕战上。古语说:人有一事不妥,后来必受此事之累,如器有隙者,必漏也。法国人或许有些傲慢,首场当头一棒后,后边的反扑必然急躁(人是会急的,大人和小孩打架,大人也会急的)。但愈是要胜利,愈是失败,这就形成了恶性循环。和丹麦一战,是快结巴和慢结巴的争吵,慢结巴越想快越说不出话了。球不是打在门框上,就是踢空,简直是撞了鬼了!门框是球场运气的测试器,凡是球踢在门框上的队十有八九要输的。球场是神秘的,它可以让乌鸦变凤凰,也可以令猛虎如家犬。我们没有经过楚霸王在垓下失败的场面,却看到了法国队是怎样地死去。

看着英雄如何死去,是残忍的,但观者却云集。当解说员以轻松的口气不断戏谑法国人,这如同刑场边的围观者在说:瞧,头砍下了腿还动哩!我对解说员不满。想想,这也不怪解说员,人性的缺点就是喜欢有人死得很难看,尤其这人曾经是个强者。

乌拉圭也死去了,但乌拉圭死得很壮烈。我想,胜利了的塞内加尔人一定会夜里做噩梦,他们差点被颠覆,甚至还有以狡猾骗得的那个点球,他们将在很长时间里有冤屈鬼来索命的阴影。

十六

英格兰与尼日利亚之战波澜不惊,而阿根廷和瑞典却杀得天昏地暗,不幸的是,阿根廷倒下了。巴蒂斯图塔蹲在球场上泪流满面,我也眼圈红了。虽然说离开谁地球都是要转的,但没有秃顶的齐达内和长发的巴蒂,绿茵场肯定空阔了许多。

请不要以胜败论英雄,尤其在球踢到如中国春秋战国一样局势的时候。

在街上见到和尚道士,我总觉得他们是古人;巴蒂每次出场,我老恍惚间认为他是天神。这天神一定是在天上犯了错误而逃往人间的,天王终于惩罚了他。

我不明白阿根廷为什么不穿传统的蓝白条纹球衣,而是那么凝重的深蓝色?不明白球这般野性,怎么也不肯进球门?阿根廷人咆哮成了一群狮子,又粗又高鼻子又大的瑞典人却如大象一样,笨是笨,横在门口刀枪不入。

转播的镜头上再没有出现球员吐痰时的肮脏,闪现的多是阿根廷人射偏了球后双手抱头的画面,多让人揪心啊,他们是在懊悔没有用脑子去踢,也是在恨不得把头颅摔进门网里去。

当时间一分一分过去,一次次机会与阿根廷人擦身而过,瑞典人射中了一个定位球,这不是球,是一颗原子弹!我看见阿根廷人头顶上的光焰骤然削弱,从此乱了章法,如背上插着箭的兽往前闯,但瑞典人的门前是一片沼泽地……

我急得大叫,肠胃觉得很饥(看激烈的球赛不利于心血管,却有助于消化功能),旁边的朋友嘲笑我:瞧你这样子,皇上不急太监急!我说:法国队殁了,阿根廷也要殁了?!

阿根廷真的殁了。

世上有十全皇帝如乾隆的,也有兵败身亡的项羽。成功者有成功者现世的荣誉、地位和富贵,可以谱写关于自己的神话,但失败者如果是真英雄,却往往在死后尊为神圣。本事和命从来两回事。刘备是汉王,如今只是个爱哭的象征,关云长仅是刘备的兵,可是呢,各地都有了"关帝庙"。

观看着丹麦和法国、瑞典和阿根廷的比赛,一句古话总在脑子里出现,那就是:白眼观尘世,金刚养道心。

十七

我虽然一直在为中国队说好话,以维护和提高我们的自尊,但看完同土耳其队的比赛,我说,我是悲哀了。看中国队比赛,简直可以说,如去医院看望患了绝症的朋友,明明知道他是不行了,但还得说:你会好起来的!我们在欺骗着病人,也欺骗着自己。我的悲哀没有眼泪,也没有想骂谁,这悲哀应该叫悲凉。悲凉的当然不仅仅是足球,它让我联想到了我们国家综合实力的各个方面,也包括我为之奋斗的文学。我们落后大家都承认,也正因此,我们才要民族复兴,才进行着改革,而当改革取得了一定的成就后,我们应当清楚,我们仍是在追赶别人,还没有赶上。我有这样的经历,有许多东西,在家里的时候感觉很好,等拿出去和别人的一比,才知道逊了色。我是现在才稍稍明白了一些文章该怎么写的道理,而我的年龄却大了,于是常常恨恨不已。所以,我看见中国队郝海东一批队员脸上的神情,我理解他们,他们是在懂得了足球到底为何物的时候,他们再也无法在以后的世界杯上来证明自己了。是啊,世上的各类事业中有多少有志之士就这么饮恨着!

这场比赛,中国队太想赢,或者说太想进一球了。

进一球的目的或许是为了止住下滑,是为了捅破一张纸寻到感觉鼓舞士气,这种情况我们都理解,我们平日玩麻将、玩"挖坑"

也是这样的。我要说的是,进一球的目标虽很可怜,它的错不在于目标的大与小,而在于我们自觉不自觉地又给足球增加了负担。米卢给我们最大的贡献是还原了足球为足球,但我们的足协、我们的球员以及我们球迷稍不留神又滑到了原有的已经习惯了的辙道里。所以,我们心太切,没有先稳住,只图快速,以至于仓皇不及被土耳其钻了空子,让自己处于了被动。中国人习惯给任何事情提升政治高度,增加负担。问题是,有着苦难历史的中国人往往难以承受负担,最后适得其反。一旦适得其反,其打击更加重了,陷入恶性循环。

三场球俱遭失败,我听见我们许多人,包括球员,都在说:我们是来学习的。这话没错,但我反感有人将"学习"二字作为失败的掩饰和自我解脱。这样的话我似乎听得多了,中国队以往失败一次说一次,我真不知道什么时候才是学习好了的时候,难道永远不总结不提高到老了还是个小学生?社会上一些干部总是犯错误总是检查,检查了又犯错误,这种丑陋的秉性我多么希望不要再发生在我们的球队身上。

这届世界杯,再也没有中国队的身影了,我的《观看世界杯》的文章再也不可能写到我们的球员了,所以,我评价一下我们的球员:我们对范志毅、孙继海寄予了最大的期望,他们却以受伤的形象让我们失望,这是在考场上生病的学生,让家长恨不能恨,但绝不会爱。郝海东和杨晨没有进球,当然有战术上的限制,但他们所持的长矛虽不是银蜡做的,却也不是纯钢。李玮峰是好的,他是中国队门前的一座峰,这峰若是巍峰就太好了。李云龙和杨璞,我念

"杨璞"名时总念成"杨虎",这一龙一虎表现得不错。曲波和杜威我以前喜欢过他们,可在同土耳其一战中,该怎么说呢,我只能说:看他们以后吧。

十八

日本和韩国是"人来疯",人来了就踢疯了,所以他们都以小组的头名出线。我们一边为亚洲队能进入十六强而高兴,一边却也嘀咕这是不是小人得志?看着日本同突尼斯的球场上,几乎所有的球迷脸上都贴了印有太阳旗的纸片如贴了膏药,我就羡慕着人家的欢乐。中国队和沙特队丑是丑些,日本队和韩国队仅比我们长得端正,但这一回,是我们的丑衬托得他们漂亮了。

电视转播的镜头上,一支一支战败者都离开了,他们没有留下继续看球或者去观光,欢宴上的美酒从来就是为胜利者准备的。受伤的兽,即便是狮子老虎,也只有躲进洞穴去默默地舔伤口上的血。东边日出西边雨,新人笑必有旧人哭,尘世就是这么势利和残酷。

小组赛的最后四场球,紧张而并不精彩,如果日本人是赢在了自信上,韩国人的胜利却因狠毒得手,可怜的葡萄牙人以为同韩国人可以默契打一场平局了,但韩国人的一脚进球将他们日弄了。球场上有阳谋也有阴谋,有君子也有小人。这又能怪谁呢,革命不是请客吃饭,足球是战争的象征。

看着葡萄牙队的教练挂着双拐从场边走过,我想起了阿根廷队的教练在整场比赛中不停走动的身影。教练实在不是好的职业,我们一般人一生或许只有一次两次在产院和手术室外等待我们亲人的熬煎,但足球教练却每一场比赛都在受着难。

十九

进入第二阶段的十六强淘汰赛,如人生进入了中年,都已经是好日子的人家,有富又有贵,长相也相对稳定,但是,工作、生活、身体的负荷量增大,前途的路越发是一条钢丝。提着鸡蛋篮子在人窝里走,你不挤,走不过去;你要挤,随时都有别人撞碎你的鸡蛋。有个哲人讲:"一只兔子在前边跑,后百人逐之,不是一只兔子可以分为百只,因名分未定。"为了名分,队与队之间都是坟墓。

越是有了巨大的荣誉,越是有着巨大的危险;越是接近辉煌,越是争斗惨烈,这也是所谓的"高处不胜寒"。往往在不胜寒的高处,实力的作用呈示出来,球星的作用呈示出来。当都在幼小的时候,鸡比鹰可能飞得高,但长到一定程度,鹰就之所以为鹰了。英格兰对丹麦的胜利,说白了,就是贝克汉姆和欧文的胜利。大将军在街头饭馆打群架的时候,他或许被打趴在地,当大将军在一场战争中,他却可以让千军万马的敌方灰飞烟灭。

中国队已经回国,也给我们鞠躬感谢和致歉了,这很好,没有了功利心的我们就可以静静地看以后的比赛了,如看动物世界,如看影视,如看小说,为他们的进球高兴而高兴,为他们的失球惋惜而惋惜,可以说,我们是有意味地起哄。

德国队与巴拉圭踢,踢得沉闷不堪。为什么沉闷?怎么个沉闷法?沉闷又是如何进行的?这就是一个看点,也就理解了鲁迅先生"墙外有两株树,一株是枣树,还有一株也是枣树"的句子。人生其实很多时间里是沉闷的,无聊和寂寞的。不在沉闷中变态,就在沉闷中放荡,德国队和巴拉圭队在给我们演绎着。

看球看到这个地步,我多么希望看到全景俯瞰式的转播镜头,那样可以看清两军对垒的战术配合,但这样的镜头几乎没有。我们是电视机前的球迷,电视将我们培养成了目光短浅、没有整体感的人。也正是这样,我们只能谈我们的偏颇,至于足球专业方面的话,说不得,说了就暴露我们的无知和蠢笨。糊涂在某种意义上是快乐,我们是快乐的球迷,如我们就是芸芸众生的一员一样。

二十

瑞典人高大壮白,塞内加尔人黝黑瘦小,一个队如一个队的影子,但影子吞噬了身子。解说员戏称塞内加尔队面对了全叫着什么什么森的瑞典队将成为伐木者,这伐木者其实是一群兔子,他们灵活地穿梭于树与树之间,然后将一片森林伐掉了。一直忧郁而沉稳的马特苏教练最后是笑了,上帝往往将灿烂的笑赐给忧郁而沉稳的人,而不是那些阴毒或张狂的人。

其实瑞典人踢得并不差,他们的战术讲究,又最不浪费,不浪费体力,不浪费时间,不浪费机会,他们是首先进球了。他们在加时赛期间是踢得最得意的阶段,却吃了得意忘形的亏,瞬间的疏忽给了塞内加尔人针孔大个洞,人家就钻进来了筛子大的一团风。

黑人的技术好,太好了,有这样好的技术若有好的战略战术,或者说先进的足球观念,必然由弱要变强的。马特苏教练是法国人,他调教了塞内加尔队,其成功如文学上的马尔赫斯。中国队也请的是洋教练,米卢的本领可能比马特苏还大,米卢的失败在于中国队的技术太差。国家队的教练是不管技术的,这如同大学的教授不教学生怎样起床穿衣服和吃饭如何使用筷子。所以,我们不能怪米卢,只能为他悲哀。

二十一

依我,或许更多的人的感情,并不希望美国队赢,因为他们国人并不狂热足球,又是因为他们什么都强大,难道任何重大的国际活动都离不开美国人的身影吗?但是,美国队还是进入了八强。一条裙子,对于贵夫人无所谓,贫苦的农妇就可以穿上出门了,上帝偏就把裙子给了贵夫人。

美国队的胜利,是上升期的气势之胜,虽然它没有大的球星,技术又很粗糙,但他们蓬勃向上,有生和野的冲劲。他们同墨西哥的比赛使我想到了中国文学史上的著名作家废名和沈从文。沈从文初期是学废名的,废名的作品成名于有强烈的个性特点,个性特点又限制了他以后的写作只维护自己的特点,结果他的作品气就内敛。沈从文学习了老师的特点,却不拘泥于特点,其气扩张喷发,最终成为一代文学大师。

很多人已经说过,足球是最能体现民族文化的,但是,它的基础必须是球队有了一定的水准,这如同初学写作者是谈不到风格问题的。干任何事,蠢笨是不行的,太烂熟太讲究则浮华靡丽,理性过之而混沌不足,混沌最具力量。现在的一些老牌球队随着他们辉煌的历史走向了技巧战术的精致,这当然是应该的,却对强悍之气的逐步消失估计不够。中国古书上记载着混沌原是一个厉害得不得了的生命,但没有七窍,有人就开始要为它凿,一日凿一窍,凿到第七天,七窍是有了,混沌却死了。

现实生活中也是这样,太爱修饰的女人,这女人一定是年龄大了。大人物是在处处小心,但大人物之所以为大人物,他是不裹缠在小事情上的。

* *

三十二支球队虽然为着各自国家的荣誉而战,但足球的真正意义并不在此,当一些球星随着球队的失败离开之后,足坛的天空已不灿烂。假若没有了巴西,最少是巴西没有进入决赛,这届世界杯将变得平庸。看戏为的是看名角,看踢球就是冲着球星的表现。巴西人战胜比利时我们并不激动,激动的是又有眼福欣赏了罗纳尔多、里瓦尔多、小罗纳尔多、卡洛斯、德尼尔森展示的艺术。什么是神话,什么是天兵天将,幻景变成了现实,我们在平凡而琐碎的日子里可以受活一回了。

二十二

六月十八日,日本在下雨,满场的球迷都穿了白色的雨衣——

这是个不祥的预兆,白雨衣穿着如孝服——日本队在排山倒海的鼓噪声中输了。

这是一场正常的比赛,双方都发挥了应有的水平,结果在告诉我们,日本队除了还未真正具备谁也不怕的本领外,幸运之星并没有光照他们。天还在下雨,天空的眼泪早早已经落下。特鲁西埃,那个自负的法国人教练,九十分钟内一直在嚼口香糖,嘴唇嚅动着如他的心脏在跳动,他可能想到了这样一个问题:是日本队取得了长足进步后膨胀了日本人惯有的野心,而犯下了摆不正位置的错误吗?是的,进入了大户人家的头道门可以,进了二道门也可以,但要进入正堂就有"回避"牌子在那里竖着,更不要说想到人家的卧室里去。欧洲和拉丁美洲的强队如果是丰乳肥臀,那是从人家的奶奶起就丰乳肥臀了,靠吃激素一时的肥胖,毕竟还有着质的差别。

在韩国,天是晴天,整个球场一片红色,像是燃烧起了大火。韩国人果真是赢了。韩国人以其顽强的意志,充沛的体力,也是以希丁克战术上的豪赌,球迷的支持以及那个不苟言笑的裁判的关照取得了胜利。我们盼望着韩国队进入八强,它给了亚洲一份安慰和那么一点信心,但倒霉的意大利队多么令人同情啊。在韩国人昼夜狂欢的歌声里,我们能听到意大利人对"黑哨"的诅咒。

二十三

终于等到巴西和英格兰的对抗了,这不仅是一山容不得二虎,要目睹一场血污之中谁是王谁是贼,更是从某种意义上讲,冠亚军比赛提前进行了。

强队与强队的强是差不多一样的,只有弱队各有各的弱。轻量级拳击最为好看,重量级拳击并无过多的观赏性。这场球赛亦是如此。开场以后长时期的沉闷可能让许多人要昏昏如睡,他们的谨慎却使我想起了一句古语:圣贤庸行,大人小心。越是弱队,越是莽撞,为的要出其不意。初学象棋的人喜欢当头架炮,高手才来回相士,以卒探取消息。老虎的态度是慵懒的,常常卧在那里不挪动,但老虎绝没有睡着,一旦猎物出现,它便迅雷不及掩耳地扑过去。欧文就是这样,罗纳尔多就是这样。他们似乎不是在比谁更好,而是比谁有失误。外国的故事里,说贵夫人之所以贵,是在十多层棉褥下放一颗豌豆她能垫得睡不着。强队与强队的天平上,某方落一粒尘土就会将对方翘起来的。

佛书上讲:做车子的人盼别人富贵,做刀子的人盼别人伤害,此不是爱憎问题,是技术本身的要求。我们盼望巴西和英格兰能一起出现在本届世界杯的最后赛场,但他们偏偏过早碰上,从来文无第一武无第二,比赛又为的就是胜负。上帝派下来了贝克汉姆和欧文在英格兰,派下来了罗纳尔多、里瓦尔多、小罗纳尔多在巴西,他们的宿命里就是厮杀。英格兰队是输了,巴西队是赢了,或许今晚在英格兰是一片哭声巴西一片欢笑,但对于全球的看客,这些都不关痛痒,而激动的仍是那些球星。

在牛顿出生的房间墙上刻着这样两句诗:自然与自然规律在黑夜中隐藏着。上帝说,让牛顿去搞吧!于是一切都光明了。

我们生活得太琐碎和无聊了,上帝给了足球和一批踢足球的人,我们就快乐了,别的都不再去管吧。

二十四

韩国队又赢了。韩国人是可怕的毒蜘蛛,将网结在门口,所有的飞蛾来一个擒一个。这厉害得有些邪乎,有些流氓,有些过分了。

我见多了有关政治经济文化艺术评奖中的龌龊,很难再听谁说"神圣"了。我羡慕着体育界,以为它们的竞争是最公正的,但这一回场场不漏地观看世界杯,才明白人类有人类的病,那是无法根除的。

如果换一个位置,韩国队是中国队,我们会是怎么样呢?我们肯定就不认为是裁判的错,肯定要歌颂我们的奇迹。

尘世上原本就是是非非,欢乐和苦恼就在是非中,既然活人,这一切都是享受。

那么,抛开了裁判,就说韩国队吧,我们应该敬重人家。两年前,中国队几乎同韩国队差不了上下,我们以为从此不"恐韩"了,谁料两年来韩国队已经用枪用炮了,中国队还在耍大刀长矛。过去,我们常在说"形势一片大好"的时候正是面临了糟糕的局面,中国队一直强调"态度决定一切",也说明中国队的态度有问题。光看重集体的利益容易导致政治压力过大或者个人消极怠工现象,而在看重集体利益的前提下追求个人的荣誉感,韩国人和日本人在这方面做得的确比我们好。米卢的"快乐足球"改变了我们的思维,但对于一个足球运动并不发达的国家,稍不注意,"快乐"又软化了我们的精神。

对于足球的"恐韩"并不可怕,重要的是在民族精神上不至于也"恐韩"。

二十五

进入半决赛,我们没能见到像一群骏马一样的英格兰人和阿根廷人了,浪漫的足球已去。但德国人和韩国人,两队靠身体和意志的激烈对抗,使这一场比赛纯粹而精彩。

天下大乱终于演义到了封神的时候,是神就该归其位,一切事情都有应有的宿命。

我们已经说了许多对韩国队不恭的话,现在可以闭嘴了。这场球在严肃了球场纪律后,在韩国队体力已严重不济的情况下,输是肯定的(贝利并不是乌鸦嘴,他一直在说反话,他不说巴西赢是盼巴西赢,他极力说韩国好话,其实在咒韩国)。但韩国队表现出来的,除了精神,还有战术及队员的素养,他们应该是亚洲的英雄。回顾前边的几场,可以说他们有些"懒"。可想想,即便裁判要偏护我们的球队,我们能坚持到加时赛吗?对于赛场上的不公当然我们要有不平的声音,觉得韩国人"过分"了,但若反复地嚷嚷不已,却正反映了我们的自卑和小气,也有些"过分"了。韩国队踢得好,好就好在哪怕是在偏护下一路走到了四强,这一过程就锻炼了他们。可以这样说,从这次世界杯赛后,他们是成熟了,将站在强队之列,起码可以雄视亚洲各队了。中国的国策长期以来以韬晦为主,中国足球队需要的是静下来,好好卧薪尝胆了。

战争是人类的天性,为了不至于人类的毁灭,上帝给了一个足球,战争便分成了两种:一种悲惨的和一种欢乐的。这届世界杯因裁判的问题为我们看客提供了各种说法的机会,恰正是欢乐战争的欢乐。当我们为上一场球吵吵闹闹着又急切地关注着这一场球,上帝一定是在笑着。

眼看着全部比赛只剩下三场了,我们突然感到了一种失落,不晓得决赛之后日子怎么打发,尤其我们做男人的,虽然"三八"节只给妇女们放半天假,男人节却足足一个月啊。

二十六

在日本崎玉的赛场上,巴西队和土耳其队上演了最有观赏性的一场艺术剧,包括精彩和失误。两支球队像有了默契一般,既文明,又放松,尽情地表演。如果说前边的赛事有些野,还有些不尽如人意,这一场就是戏曲舞台经过了故事情节的交代后的一幕令人如痴如醉的唱段:唱段是最能表现演员才情的,戏迷也最过瘾。

不能不再说说巴西人了。看过了这么多球队踢球,又看过了巴西的踢法,我疑惑了什么是先进的足球观念?对于足球的认识,许多人都有一套,但都是根据自己球员的实际来建立的。比如巴西,他们绝不全攻全守,进攻时后卫不动,防守时前卫不动,但他们攻能攻进球,守能守住门。任何理论它都是实践的产物,它没有所谓的先进和落后,胜利就是全部的意义。当然,巴西的天才球员太多了,大天才是无拘无束的,这如小和尚整日敲木鱼念经,大德大师则是修来的,只讲法布道。想想罗纳尔多的六个进球的不同的方式吧,想想里瓦尔多、罗纳尔迪奥尼的所有传球,想想卡洛斯、卡福、德尼尔森的脚下功夫,这些人真是为足球而生的,假如这届世界杯他们没有走到最后,我们的眼睛就太贫困了。

我们喜欢看意志型的足球,因为我们缺少激情,我们更愿意看艺术型的足球,因为我们需要诗意。正是这样,上帝让巴西队四次在世界杯上夺冠,这一次也极可能。伟大的巴西足球,是人类福祉的象征。

二十七

我们急切等待冠亚军的决赛,对于三四名之争并没有抱多大的热情,可看可不看吧,然而,这场比赛却使我有了更多的感慨。

韩国队没有踢好,有些像中国队,心急要吃热豆腐,越是想吃越烫了嘴。韩国人不是缺乏了旺盛的斗志,攻势依然是急风暴雨,他们除了没有那一份幸运外,就是土耳其的哈坎·苏克尔的复活。苏克尔原本是世界足坛屈指可数的前锋之一,而他在这场比赛之前竟还未进一球,似乎许多人在轻视了他,甚至连他的国人都在哀叹他江郎才尽,"一个苏克尔的时代结束了"。但是,苏克尔又复活了,他的复活是那样的可怕,土耳其的三个进球都与他有关,他的迅疾的进球和绝妙的传球,令坐满韩国球迷的整个赛场瞬间变成死海,也令一切诋毁他的人从此闭上了嘴巴。当火堆在不停地冒烟的时候,那绝不是死灰,火堆在憋劲,一旦砰地出焰,那焰就足可以烧焦一切的。所以,永远不要嘲笑那些背时的英雄,而被讥为固执的居内什教练则不是他用错了人,正是他识才的准确和胆量。

我怎么也无法对法国的那个光头门将产生好感,他叫巴特兹,他的张狂令人觉得滑稽而丑恶。但我喜欢像猎豹一样的德国门将卡恩和土耳其的门将鲁斯图·瑞克伯。鲁斯图·瑞克伯一直在他的眼睛下画上两道黑,不知他想增加眼下的两道眉毛还是为了再多出两只眼?中国有马王爷三只眼之说,如果一个门将有四只眼,他会看清每一个来球的方向,也会使每一个对手在射门时胆寒。我想起了一位老书法家教授他弟子的方法,他并不要求弟子一开始就整日临某某古人的法帖,而是让弟子读某古人的传记,了解某古人的生活习性、服饰、癖好、做派,学得很像了,自我感觉就是某古人了,然后再练某古人的法帖。这种教授办法似乎有些荒唐,但这位老书法家的弟子的书艺却确实在突飞猛进了。球场上我们常常惊叹有些球员的神奇,往往忽视了他们的怪异装扮,以为那仅是个性的表现,其实那是呼唤神和魔的力量。神和魔是存在的,它的力量就在我们人的身上,个性总是神魔通过的门口,而我们,包括我们球队的队员却常常缺少了这点。

二十八

走过了千山万水去拜佛,到了目的地,原来只有一座破庙。这就是世界杯决赛上半场给我们的感觉。从来的决赛都不精彩,但却分分秒秒让观者提心吊胆。再破的庙,庙里却是有神的,神毕竟伟大和灵光。进入了下半场,戏果然唱得回肠荡气了。两队使尽了手段,以长攻短,以短避长。一边是生死一卡恩,一边是存亡三"尔多"。最终巴西人胜利了,他们有罗纳尔多。

每届世界杯都有足坛的"圣人"出,上一回是齐达内,这次轮到罗纳尔多了。罗纳尔多是不可思议的,罗纳尔多是苦难的,在他有了名后他的存在就是别人的威胁。他在球场的任何地方,都有对手狼一样地围着,撕他,踢他,他得以更大的度量去容忍,得以更强的力量去冲破。"圣人"就是这样产生的。

德国人输了,总得有人要输的,他们拙笨的打法、粗糙的技术,纵然人高马大、一身力气,足球场上毕竟不是挖土打屋基。

当那个精瘦怪异的光头科里纳(我怀疑他是十八罗汉中的一个)吹响了最后一声哨音,我没有随着里瓦尔多和罗纳尔多相拥相抱在一大群摄像机前的镜头而大呼小叫,我被三个镜头震动了,呆坐在沙发上流下热泪。一个镜头是巴西的三名队员趴在草地上长久地祷告,一个镜头是巴西的门将跪在了网门内口里念念有词,而另一个镜头则是红着鼻子的卡恩像受伤的兽一样窝在那里暗自沮丧。多么有宗教感的人!面对着这样一群勇猛而才艺超凡的人,又如此敬畏天地,敬畏生命,今日的球场上,赢了的输了的他们都不是失败者,都是英雄,值得我们向他们致敬!

二〇〇二年的世界杯终于结束了,突然间像是做了一场梦,似真似假,犹如坠入了《红楼梦》里的太虚幻境。我推窗望着夜空,夜空是看不见云的,到处闪烁着星星。我知道那些际会的风云已散,球星们都到了天上吧。看着这些星星,心身慢慢回到了现实,是的,明天是星期一了,该要早早起床去买菜,送孩子上幼儿园,去上班,为我们的柴米油盐酱醋忙活了。

敲门的是三个朋友,紧急通知我明天去开个重要会,他们也是刚刚看完球赛,对我说:人为什么要踢足球呢,咱们为什么要看球呢?我说:这谁说得清呀,反正一个月就这么踢球的踢疯了,看球的看傻了。但是,我最后还是给我的朋友念了一首诗,诗是宋时针对蹴鞠(也就是现在的踢足球)写的:

> 八瓣尖皮砌作球,
> 火中燀了水中揉。
> 一包闲气若常在,
> 招踢惹拳卒未休。

观看二〇〇六年世界杯足球赛

一

往鼻子上涂一片白,我又来了,因为世界杯足球赛要开始了。

世界杯足球赛永远是人类的节日,已经憋了四年,就等着这个六月。六月的天上滚动的不是太阳,那是足球,我们将要流更多的汗,熬更多的眼,大呼小叫,做一回疯子。

一届一届的世界杯,戏是不停地变换,但舞台不变,精彩依旧,庆幸的是我还是看客。我这个看客,无论多认真,其实是个外行,外行只看热闹。日子太整齐,生活又沉闷,图的就是个热闹。

上一届让我开专栏,我胡说乱道了一个月,只说是玩儿呢,没想那些文章会有那么大的影响,我是个人来疯,这次一招呼又来了。

来了就来了,反正是任何人看球都不会一语不发,我是把自己要说的话写出来就是了。

2006 年 5 月 24 日

二

揭幕战使我们领略了什么是强者。人牵着球,球牵着人,红白相间的色彩如水如雾移动,德国人控制了节奏。克林斯曼在大喊着:向前向前!向前的德国人到了前场却极其沉着,细针密线地倒脚传递,然后是一剑封喉。强者是从容的,从容得几近温柔,弱者才使强用狠,才强调一种精神;精神是弱者唯一的武器,但强调精神而往往踢法粗野则让我们看到了人性中的恶劣。狗可能会疯,狼可能会狂,老虎从来给我们的是沉稳的身影。

万乔普当然迅猛,瞧他那双小耳朵啊,小耳朵的兽都是迅猛的,但一棵大树毕竟不是森林,而德国队却让我们记住了更多的名字,如克洛泽,如拉姆,如施奈德和弗林斯。当今再也不可能有马拉多纳了,如果一个球队还打一个人的战术,他可以成名却难以成功。

作为看客,世上有太多的东西逗着我们兴趣,但"9·11"太恐怖,街头吵架又太恶心,只有足球让我们快乐。再来一瓶啤酒吧,怎么叫好怎么臭骂都行,就连电视上一闪那个叫吉马良斯的一张严峻的马脸,我们都要乐了。

6月9日深夜

山林雲霧　庚寅

江湖久將行凜冽著孤松發將天地對不與人世同嚴自添寂意劍吟泣秋風矣悟何處房寒窟停冰峰 林谷芳 孔子困於陳蔡晦語子貢曰吾道邪吾何為于此子貢曰夫子之道至大也故天下莫能容夫子 丁亥夏大熱牟四書之上壽房山

三

如果说德国队和哥斯达黎加队那是玩球,英国队和巴拉圭队真是在踢球了,你大脚过来,我大脚过去,那一晚,球是最痛的。

现代足球产生于英国,英国人却永远不变那种踢法,也永远踢得不好看,这或许是老贵族的傲慢与固执的意识作祟。

但是,英国队仍然是我热爱的球队,因为有贝克汉姆。一个女人要是漂亮了男人喜欢女人嫉妒,但这个女人太漂亮了,男女就都喜欢。帅气的男人也是这样。贝克汉姆是天生的帅样和天生的球技集于一身的人,所以他有资格成为偶像。你看他那跑姿,你看他那传球,当镜头对准了他向你看的那一双长眯眼,我看转播的那个酒吧的电视机前所有人瞬间电击,静寂无声。我是丑男,但我并不惊恐我们的那些美男子,怪得很,中国的男人一美常常就女性气了,那么高大的身子偏要穿又短又窄的紧领花衫,我就把脸背过去了。

足坛上那些出类拔萃的人真像《水浒》里的一百零八将,各有各的特征,各有各的绝技。或许很多很多的角色我们已忘记和即将忘记,但马拉多纳不会忘记,贝克汉姆不会忘记。

6月10日夜

四

网球场上我们看过了俄罗斯那么多的什么娃,而足球场上来了塞黑人,就看这些某某奇了。但壮实如牛一样的奇们并没有创造奇迹,恰恰是对阵的荷兰人精彩发挥,把三分拿走了。荷兰人必须拿走三分,因为这个组还有阿根廷,那可是狼虎之师。

大多数球迷都似乎倾向荷兰队,喜欢那橙色,喜欢那一张张头发微卷的娃娃气的脸,更喜欢的是他们从来没得过冠军却开创了足球新的天地,真正体现了足球的大道。这有点像我们爱项羽不爱刘邦。世俗越来越实际,但英雄到底有庙宇,如果让我给这个庙宇挂联,我就写:披褐而怀玉,道德可久身。

歌颂了荷兰队,我还得歌颂一个叫凯日曼的塞黑人(他是塞黑队不叫奇的三人之一)。就是这个凯日曼,他明明是荷兰人的对手,竟是那样的崇拜范巴斯滕,赛前说如果他进了球,这个球就献给范巴斯滕。哇啊,世上有许多人和事,你该服时必须服,心服了口也服,如果气量狭窄,诽谤诋毁,那是没用又影响自己形象。恭维女性可以使男人高尚,尊重英雄也才可能成为英雄。

得说那个裁判了,瞪着眼睛的光头科里纳我们再见不到了,他是那样的威严又滑稽,而默克呢,作为新的金哨,他在场上一次被球踢中,一次被撞倒地,他够倒霉了。但他的准确、公正和本分与科里纳是多么不同啊,科里纳始终张扬他的存在,强调他是比赛的上帝,默克则是让人在公平的流畅的比赛中忘记他。当今的一切艺术我认为就是这两类路法,科里纳和默克又让我在足球场上醒悟了许多,真感谢这个橙色的夜晚。

6月11日夜

五

都是海中岛国,澳大利亚人那样高大,日本人却这么瘦小,真是不可思议。球场上时不时人仰马翻,一看,都是日本人。日本的一个球员发型类似鸡冠,头一旦有鸡冠的,那就是象征了好斗。这个民族是生猛的,他们身高不足,但速度极快,像是瞎子的耳朵能捕捉些微动静,硬是先进了一球。那个川口能活,这名字多好,他让日本队几次要死呀又活了过来。但日本人到底还是输了!看着日本的球迷脸上贴着他们的国旗像贴了一张膏药,我们真替他们遗憾。伊朗输了,他们也输了,作为亚洲人我们心里难过。

日本人是不该输的,但却输了,输在了碌碡曳在半坡上,输在了希丁克手上。赛前济科说:我们现在只需要成绩。这是什么话?如果我们说"我们需要钱",但钱不是需要就有的啊。而希丁克呢,在下半场的下半场,他连换三人,三人都是前锋,这种勇气和果断是一般教练不敢的,尤其是我们的教练不敢,希丁克"人有多大胆,地有多大产",他有神一样的奇,但看看他在比分落后时的紧张焦急的神情,他又在告诉我们他是人,他的成功是建立在对球场形势的洞察上,建立在丰富的指挥经验上。

6月12日夜

六

很多女性都喜欢意大利队,因为意大利队历来的队员俊朗;很多男性却支持加纳队,因为加纳队是神秘之师,希望能成为黑马。历史的经验告诉说意大利可能踢到最后,加纳的主帅放大话:我们要打到决赛。这就有热闹瞧了!如果说意大利是足坛上的贵族,加纳算是平头百姓,两厢争斗起来,看客如我们的大多数便是既羡慕贵族又盼望平民能这一回把贵族灭了。果然两队是踢得激烈,人似风行,球如流星,每一个队员都是头上下雨。

在文坛上常有这样的事,真正的大作出来了,会写文章的人看了从此觉得自己不会写文章了,不会写文章的人看了从此却觉得他也能写文章了。意大利队就类似这样的作品。历届世界杯上意大利总是温水不烫,加纳队自然要血气方刚,他们一上来也确实踢得好,那像装了弹簧一样的身体不时有杂技动作,但一来二往,来来往往,意大利队的气质和素养使他们踢得游刃有余,加纳队终于显出一点野来。一野就是输不起。黑马是输不起的,黑马之所以不能再黑原因就在这里。

6月13日午

七

韩国队和多哥队的比赛是一场拼凶,你狠,我比你还狠,如两头蛮羊(不是蛮牛)都瞪着四白眼,然后同时退后,然后同时前冲,然后砰的一声犄角相撞。这样的比赛,场面不流畅,观众也容易生心脑血管病。

实力相当的人百米赛跑只赛一步,韩国队和多哥队就看谁失误,多哥队比韩国队多(也都怪这个多字)了一次失误,韩国队赢了;于是球场看台上成了红色海洋。

韩国那么多球迷去了德国,实在让人惊讶!试想,如果中国队也去参赛,中国的球迷能去多少呢?为了生活富裕才有人去踢球,生活富裕了就去看球,但不远万里去德国,那套一句俗话说,即便有贼心没有贼钱,即便贼心贼钱都有了,还没有贼时间。据报纸上的文章说,中国记者在德国,有一个外国人问:比赛有你们的球队?回答说:没有。那个外国人说:那你们也来干什么?这话就问得没水平了。难道邻居娶媳妇我虽是光棍我也不能去图个热闹不能评说那新娘长得丑美吗?这外国也有傻×人。

无论如何,韩国队给亚洲长了脸,今年高考,别的村考上了那么多的一本,咱村考一个大专的也不亏咱操心呀,喝酒,喝酒。

6月14日早

八

总希望有搅局的,但黑马怎么都是墨染的?那就等乌克兰吧,名字这么诱惑人的。待到乌克兰和西班牙一上场,清秀的聪慧的西班牙如阿庆嫂,乌克兰整个是胡传奎么!瞧那个笨呀,看着就生气,气着气着也笑了。连西班牙队员都在笑,他们换上劳尔后,便开始玩儿了。干任何事情一有了玩儿的心态往往就成了艺术,那就欣赏西班牙人如何过人如何传接的舞蹈了,谁还再管乌克兰呢?

贼一天不偷东西手痒啊,看球的看不到黑马郁闷呀,听说有个爱告状的,这一天起来脸色又不好看,人问:咋了,情绪这么坏的?回答说:告状呀!又问:今日又告谁呀?又回答:还没想出来哩!看客就有些像这种人。

世界杯就是人类的一场游戏,游戏里爆发了人的生命力,也暴露了人的劣性。

但是人性中的善与恶其实都是创造世界的动力,黑马情结显示对格局不满的弱者的心态,所以黑马出产地总不在欧洲而在非洲和亚洲。

现在唯一的黑马就是厄瓜多尔了(虽然他还不是非洲和亚洲的),但愿他像乌鸡一样能黑在骨头里。

6月15日早

九

有些人会享受而不去奋斗,有些人肯奋斗却不会享受,阿根廷人,六月十六日夜,他们太能奋斗也太会享受了,将一个球变成了六个球,把一份快乐分成了六份快乐。

但是,这只是一场四十五分钟的精彩比赛,另外的四十五分钟,对着一个死尸还连续捅刀,已经完全没有看头了。

那就看阿根廷队员的长发吧,多漂亮的长发,像云一样在头顶上飘啊!我们的街头上也不乏这样的长发男人——现在有长舌男也有长发男——但这些长发不是染成了黄色或红色,就是油腻腻的黏成一片。老以为他们是艺术家,一问,十有八九什么都不是。阿根廷人的长发在球场上是胜利的旗帜,那些什么都不是的人的长发让理发店的老板不满也让我们觉得好笑。

再看镜头上数次照出的马拉多纳吧,他挥动双臂,大声呐喊,那嘴大得能塞进个拳头。多性情的一个人!常见那些小有名气的艺人总害怕被人看见,总要戴墨镜,总会在广众前注意抬脚动手,就感到他们的矫情。伟大的人物才是性情的,性情的人才真实而大气。

还看什么呢?那就看电视机前我们自己,各有各的说话,各有各的说话的表情。

6月16日夜

十

在别的领域,你不行,但可能有人说你行你就行了;在足球场上,众目睽睽,你若不行那肯定就是不行——伊朗便这样倒下了。伊朗对于我们而言,就像一个平庸的人极其望子成龙,但龙到底没成,是条蚯蚓。如果论分量和勇气,伊朗可以是驴和马配出的骡子;如果论技术,伊朗则是把汽车拉进了牲畜配种站,充其量只生产个手扶拖拉机。可怜的伊朗人常常丢球又拼命去抢,那就只能犯规,自个儿已受伤不起了,裁判还要再给张黄牌。

伊朗人在亚洲,那可是硬朗的代表,似乎见谁灭谁,我们也曾极力效仿过那种踢法。伊朗有力量,欧洲列强有力量更有技术呀,就说这葡萄牙,老的如菲戈,那猛得像老虎一样,而他的球传得多好!那少的如C.罗纳尔多,白牙绿眼(他真的眼有点发绿),是狼的形象,可他那盘球过人,啧啧,实在是让人眼花缭乱。伊朗遇见葡萄牙,既生瑜何生亮,输得遗憾也输得应该。

伊朗的失败告诉我们:当今世界足坛,好的球队普遍都是技术精到,都少失误,而这仅仅是基本功。这如绘画的造型和笔墨是画家基本功一样,有了基本功才能谈作品的立意格调和境界。如果基本功还不行的时候,看到了别人的新观念,就也讲究起立意格调境界之类,那往往画虎成犬,迷惑不解,便出现如我们的球队那样,一会儿选洋帅一会儿用土帅,一会儿这打法一会儿那打法,以致贩羊时牛价涨了,贩牛时羊又贵了。

6月17日夜

十一

月有阴晴圆缺,人真的有运气好坏,克罗地亚明明什么都强过日本,但就是赢不了。项羽说:天要灭我,这马也不走么?克罗地亚人比赛结束时还有人抱着球看了一下,他一定在疑惑这球认不得门了!

克罗地亚人运气不好,澳大利亚人运气也不好,几次必进的球也都飞了。巴西人是恐怖的,但六月十八日夜巴西人踢得并不好,如果澳大利亚人将那个必进的球踢进去了,澳大利亚人就不止进一个球。

日本人踢平了,我并不佩服济科,澳大利亚人输了,我仍然奉希丁克为神灵。澳大利亚人从来没有这么厉害过呀,希丁克硬是把它调整成一只雄狮!瞧他的战术布置,瞧他的临场指挥,他的每一出变化没有不生奇效的。换上科维尔是正确的,只可惜科维尔自己中邪,错失了五次将比分扳平的机会。克罗地亚的主教练在场外是那样的滑稽,希丁克却严峻威严,你觉得他浑身的气饱满得要往外冒。球场上有许多伟人,多看看这些伟人,这如同游名山、读奇书一样可以养眼养心。

6月19日早

十二

肤色对于人并不重要,不就是离太阳近的黑,离冰山近的白嘛。可生存的环境不一样,文化和性情就不一样了,这全在足球场上暴露出来。黄种人有整体观念没有个人意识,黑种人个人意识强烈整体观念淡薄,而白种人既有整体又有个人,当然他们总是胜利。他们的胜利是上帝的胜利。

但是,如果抛开胜负,难道最好看的(真正视觉上的娱乐)还不是白人和黑人的比赛吗?多哥是真正的黑人,瑞士是典型的白人,电视镜头一拉近,哇,一个白得透亮,一个黑得发光!镜头全景式俯拍了,瘦而长腿的黑人就成了蚂蚁,大而壮的白人就是肥虫了!更喜欢的是蚂蚁吧,多可爱的黑蚂蚁,神蚁那么不可思议地跑,那么不可思议地传球,他可以笨得一脚踹空,他又可以在空中横着身子钩球,每每当他们往门里顶的时候,你担心他们把自己的头顶了进去,当他们耸着肩带球,你又觉得他们的头没了,就在脚下。天哪,那是《山海经》里的刑天么!

黑人输是肯定的,所以多哥也就输了,因为多哥组织涣散,都是兽,一群散兽;而瑞士是一台机器。在当今时代,散兽焉能战胜机器?何况谋杀多哥的还有那个裁判,本该给多哥一个点球的,他说不给,也就不给了。

差不多的黑人要离开赛场了,差不多的黄人也要离开,世界杯将失去好多颜色。我们不能不反思自己的不足,当然更寄希望于下一届,而现在呢,却只有哭泣。

6月20日早

十三

打牌输了,可以说手气臭,踢球赢了却不能说脚气好;德国踢了厄瓜多尔三比零,德国人没有狂喜,连球迷看了一会儿都到过道去喝啤酒了,厄瓜多尔也不沮丧,教练坐得纹丝不动。大家都知道厄瓜多尔半支主力并没出场,他们放弃了争小组第一。其实,德国肯定赢,这不仅是厄瓜多尔放弃,他们有实力,也是天意,试想想,怎么能不让主人赢呢,主人要走得越远,这一场"过事"才可聚住人气而继续热闹呀。厄瓜多尔当然有脑子,在不影响大局的情况下死拼什么呢,他们也希望以后尽量走远些。神有各样的神,神归其位,局长做的是几时当部长的梦,科长只谋处长的位。

世上的事虽然千变万化,其中却有一定规律,如同你寿多高,官做多大,钱挣多少,都似乎有定数一样,这世界杯就不可能在十六强前重要的球队统统完蛋,也不可能十六强后又全是重要的球队,更不允许一个水平还很烂的亚洲队或非洲队就最后成了冠军。茶壶永远配四个茶杯,没见过四个茶壶供一个茶杯的。

上帝有了一个法则也同样有另一个法则,那就是让我们每一个人知道何时生不知道何时死,那就在死前的头一天也都活得满怀信心,所以任何人都认为自己的母亲是世上最好的女人,都认为自己最重要,都相信"尧舜皆可为,将相本无种"。这样好啊,这样的生命才呈现意义,生活才觉得美好。

上帝把两个法则相互运用,世事既不会大乱也不会一切停滞。

球事太多,看累了就胡想,胡想一通也有意思呢。

6月21日早

十四

五行变化,相克相生,这世界平衡的道理谁都知道,但每个人到了具体的生活中,偏偏遇到了克的一段(这一段可能是几年几十年),恐怕谁也不高兴了。英格兰是多好的一支强队,聚结了那么多巨星又勃起那么大的野心,但就是又遇上了克他们的瑞典队。柿子和萝卜同在一胃,胃就得吐酸水,难受如挠。这样遇瑞典不赢的比赛,我们自然不会因瑞典人大笑而笑,也不会因英格兰人落泪而落泪,但对世事的无奈却让我们有了一点郁闷,因为我们的生命轨迹中也常常有这样的事情发生。

换一种心境吧,把目光投向场边的球迷,看他们的脸。

脸是人与人区别的标志,也是个体生命的广告。古时候脸上有了烙印,宣告你就是囚徒,戏台上抹一个大红油脸,证明我是个忠臣。没有人不看重自己的脸!(只有抢劫者不要脸,以黑丝袜头套蒙面。)而现在,足球场边好多好多的脸上又画了国旗,国旗是脸,脸是国旗。把国旗画在脸上的风景是任何场合都看不到的,只有在世界杯这样的盛典中,这些迎风不能招展的国旗让我们看到了人类的繁荣和欢乐,也看到了各个国家各个民族的存在和尊严。

第一个把国旗画在脸上的是谁,他是个民族主义者,是个和平主义者,更是一个伟大的天才。

6月22日午

十五

当婴儿哭的时候,大人会给婴儿嘴里塞一个奶嘴;上帝创造了足球后,人类就减少了许多恶气。如果足球是个鬼,它是替死鬼。

我们平日里对我们的联赛不满,好像那儿是个疮,流脓不断,没想世界杯上别的国家队也接二连三地出事,原来吃五谷都生病,疟疾来了都发冷呀!人的秉性差不多,我们的足球我们骂,别的国家足球别的国人也在骂吧?骂吧,都骂吧。问题是这几天我们那么热衷谈论某些国家球队的丑闻呢?恐怕一是比赛一场一场看下来我们疲劳了,二是我们爱看人笑话的毛病又犯了,有些人不是总等着领导讲话时念个错别字吗?不是总希望看到美女在街上断了高跟鞋跟吗?足球不是最早在我们国家流行,至今我们的水平不高,但足球在别的国家或许就是受气包,到中国绝对又是倒霉蛋,它承载的东西除了金钱和名誉,还有更多更多。试想想,别的领域里你想怎么说就能怎么说吗?能怎么骂就可以怎么骂吗?你把对教育的、医疗的、治安的不满,甚或生了老婆的气,丢了一个钥匙,天热得没睡好等等烦恼都往足球这儿骂,足球是我们的一个大痰盂。

那么,没有了这个痰盂呢?

所以,看到国外球队出事不必津津乐道,想想我们的足球也不必骂得不堪入耳。其实我们越骂它,越离不开它。如果全世界的体育里足球是能带来最大的快乐,这种快乐就是怨骂被宣泄后的快乐。

6月23日早

十六

十六强出来了，我们有些丧气，姑且认了澳大利亚吧，却怎么瞧着这角色都不像是亚洲人。输家是允许骂人的，也可以发脾气摔酒瓶，但你得承认咱不行（咱个头矮，马拉多纳也不高呀，人家马拉多纳可是天才！没有大体格和大天才的局面那就得忍耐和等待），而至于扑起来要砸电视机，叫嚣再不看比赛了，那就是喝高了。何必呢，看一部电影，与其咱的亲戚朋友在影片中只扮了一个士兵甲，一出场就在乱枪中倒下了，还真不如亲戚朋友不当这个演员的好。

足球能兴盛于欧洲，那肯定带有欧洲自然环境和文化环境的特性，人家吃饭不用筷子而用刀叉，那是人家吃的多是牛肉。当然足球确实是好东西，我们才引进了也喜欢了，但我们再羡慕而把我们的鼻子垫高也不是人家的鼻子呀！如果能参加比赛又能比赛到八强四强当然好，参加不了比赛也可以自己玩么，梅兰芳唱戏满剧场欢呼，农村里过红白喜事请个草台班子来也热闹得很呀。足球离不开民族情结，但足球所带来的快乐却不仅仅属于政治和民族情结，水再流还是流进海里，月落了月仍然在天上。

看外国电影大片还得掏钱，现在多好，哐哐锵，哐哐锵，十六强捉对儿厮杀了，黑脸的红脸的都出来了，我们就喝啤酒的喝啤酒，嗑瓜子的嗑瓜子，看狗能咬人，人能不能也咬狗，看到底是猪黑还是老鸹黑。

6月24日午

十七

小组赛进行得太正常了,正常得似乎有些平庸,一条大河怎能不起些波澜呢?果然,十四日夜,两场淘汰赛,虽到底老虎还是老虎,却差一点猴子就称大王了。

都说德国队和瑞典队有一场好斗,但德国队十二分钟就取得了胜利。德国队靠的是年轻气盛,他们有一副好牙齿,逮住了就咬,就嚼,越吃越香,越香越吃得快,满头的淋漓大汗(吃饭能吃出汗的就是胃口好,就是吃好了)。这是男人的吃相。瑞典队或许是老了,或许是太女人气,你倒腾着牙齿嗑豆,数着面条吸溜,当你再吃的时候,盘子里什么都没有了。克林斯曼知道年轻和激情,所以他不断煽哄,每有进球他就跳起来做夸张动作,他这是要给队员看的,他清楚他们的队伍不敢受挫,刚者易折,一记闷棍可能就找不着北了。庆幸的是,瑞典队不是老谋深算者。

而阿根廷队和墨西哥队呢,要命的和不要命的怎么打?你越是不想乱了发型他偏抓了头发把你的头往墙上撞。好的是阿根廷是土命,狗被吊起来没有往口里灌水,而放到地上就又活了。阿根廷人踢进一球赢了,墨西哥踢进两球倒输了,那一球是帮人家踢的,踢进了自己的门。

突然想,足球是什么呀,是一个不爱回家也认不得自己家门的魔鬼?!

6月25日午

十八

昨天的黑夜真黑,看了两场糟糕的比赛,一场像是在烂泥塘里撵鸭子,一场更是乡下的妇女打群架。瞧么,光瞧那些脸,多难看的脸!埃里克森像泥一样瘫在那里,目光呆滞。范巴斯滕僵得如根木头,只显得颧高腮陷。斯科拉里的两片嘴都快喊掉啦。苏里雷斯在瞪谁,眼珠子差点没迸出来。菲戈和鲁尼的五官全挪位了,一个拉得更长,一个缩得更扁。还有那英格兰的门将,球射过来没有抓住球,龇牙咧嘴地倒抱住了厄瓜多尔人的一颗黑脑袋。还有那个荷兰人,球在旁边滚,他却张大鼻翼硬是往人家胯下踢。球场上像是患了高烧病,不是这儿抽筋,就是那儿痉挛,俄罗斯的裁判也是铁青脸,举着电棍打疯子,自己也疯了。

癫狂,惊恐,急躁,慌乱,欺骗,要赖,使蛮,动粗,迷茫,茫然……这是怎么啦,淘汰赛成了一个魔瓶,人性之劣全出来了?!

冷静了想想,这一定是上帝的安排,在战争和恐怖仍存在的今天,当欢乐的盛典正如火如荼,上帝有意要把足球场变一次哈哈镜,故意把人的弱点放大变形了让人看。当然上帝并不是让人只看到人的恶劣,它要推出的是另一张脸,这就是贝克汉姆的脸!让一张张脸都难看了,只为着推出贝克汉姆的脸!

贝克汉姆是年纪大了,许多声音在嘲笑着他,指责着他,但上帝知道他的价值,他必须上场,必须让他先孤独的在场地一角,然后让他展示精湛的脚法,再然后让他长时间地绽放那一脸漂亮而高贵的笑容。

贝克汉姆拯救了昨天黑夜的比赛,他的笑脸是足球场上的恶中之花。

6月26日午

十九

最后的二十五秒时进了一个球,意大利队赢了。就这样,一个老妇人要过去了要过去了,又咯的一声,活了。

意大利队是典型的一个病人呀,从没有英英武武,却也从没有消失过,每次世界杯都来了,你怎么非议他不言语,你怎么冷落他不在乎,默雷止谤,转毁为缘,只捂个心口像个妇女,让人替他操心又生一点怜惜。但是,多少个拿电灯的提马灯的都掉到沟里去了,他掌着烛,豆大的焰,在风里从山梁上硬是走远了。

一切事实都在告诉着这样的经验:牙齿一颗颗脱落了,舌头依然软和,火焰因烤炙能避,水则平和而易被淹没,历史上哪个王朝坐上龙廷的是第一个揭竿而起的豪杰呢?意大利队是阴柔派,他以柔克刚,以守为攻,伏低隐忍,他山门上的广告如果有句话,就是:坚硬如水。

这样的风格,却不是想这样就能这样,那是气脉结聚所致,可不是吗,为什么队员就都那么高而瘦,为什么就出了忧郁的巴乔,为什么有了马尔蒂尼又有了格罗索,为什么教练总是老马尔蒂尼和里皮那种老狐狸的模样呢?

你得承认澳大利亚是踢得好,那么强悍,那么扼住了意大利的喉咙,但世事见不得太张狂的,更是天行健也要地势坤,天不灭意大利,澳大利亚有什么脾气?我们只能为生命的奇迹感叹。

6 月 27 日 午

二十

加纳和巴西比赛没有悬念,向鱼要水鱼给吗?与虎谋皮能谋上吗?看就看一个弱者如何去面对强者,而强者是怎么个强法,为什么就强了?因为现实生活中我们常常要遇上强人,我们也总产生过"取而代之"的念头。

似乎从未听到过巴西队的豪言壮语吧,也从未见过巴西队剑拔弩张严阵以待的庄严劲吧,他们是什么就是什么,不嚣张自夸,也不矫情说我不行。他们是车中的奔驰和宝马,从来不装饰,只擦拭干净。

佩雷拉仍然让罗纳尔多上场,他深知天才便信任天才,山岳表面上虽石头脱落,山岳却不会倒塌破碎。也依然用卡福,虽然卡福不是天才而且年老,但浴不必去江海,要的是能去垢,马不必是骐骥,要之善走。

他们控制了大势,又极力把握细节。加纳什么都做好了,就是细节没做好。门上有针眼大的孔,就能进斗大的风。你辛辛苦苦爬上十层楼来进屋,却发现钥匙拿错了。女人把眼线画好了比用粉把脸擦得再白都显得漂亮,鞋里有了沙子刘翔也跑不快。

本来我是打攻势球的,你要攻那我就退,你要退,我再攻,你一旦是鸡蛋我就是石头,你是铁锤了我给你个棉花包,然后逼着你发急发躁犯错误,你自己绊个跟头就趴下了。

以苍茫于简淡中,以华丽于朴素中,以强硬于温和中。经书上讲:"其德文明而刚健,应乎天而时行,是以元亨。"今日的巴西队也该元亨。

6月28日午

二十一

八强出来了,七个都是老面孔,这像村里过事,坐上席的总是那几位老者。

窃喜的当然是乌克兰,以点球而"竖子成名",即便别人不下眼他,他也不思进取了。倒是德国气冲牛斗,有了野心,披着被子也想上天。至于英格兰、意大利、阿根廷、法国还有那个葡萄牙,都是些老奸巨猾,肯定在使计用谋。不用计谋的只有巴西,好饭量的挑什么食,"执一无失,行微无怠,忠信无倦,而天下自来"么,他气静神闲。

演戏的是疯子,看戏的是傻子。近二十天来最焦虑的我们在休息的这两天可以回顾一下,一回顾却就像装修房子,花了钱又累了人,而花了钱累了人还往往着气,如果花了钱累了人着了气房子能装修得满意也好,偏就不满意。

饭不吃则已,吃了一碗就要吃饱。上帝写的戏谁也不知道结局,那不满意就骂,骂了还得继续往下看。这就是"事不关心,关心者乱;人无下贱,下贱自在"。可再一想,按摩为什么舒服,不就是被敲打了一通吗,一边骂着一边还要看,边看边骂,这就是世界杯的快乐啊。

6月29日早

二十二

有这么个笑话:一个小伙盛夏里穿皮袄,旁人说你小子咋穿的皮袄? 小伙说:我有皮袄么,咋不穿?! 旁人说你这么躁呀。小伙说:我热着能不躁?! 世界杯就是给我们了件皮袄,热是热,却是见谁都亲热,热乎着说赛事。

三十多场球连着看,看得黑天昏地,现在暂休,我们倒成了牛,把吞进肚里的草料又回到嘴里反刍。

反刍很舒服也很享受。

那么就回味:足球是最平民吗,为什么像社戏社火一样把全村的人都搅和起来了? 足球是最孤傲吗,为什么比分总那么少,进得多了反倒不精彩? 足球是最能激增人的能量吗,为什么队员进了球就都兽吼? 足球是大艺术吗,为什么场上场下互动狂欢?

还可回味:有的队胜利了你只记得一场胜利,有的队失败了你却永远忘不了其中的英雄。而有人为谋生踢球,有人为爱好踢球,有人可以踢进一个球几个球做个明星,有人却是为足球生就的,他是天才和大师。

还可回味:怎么世界杯期间就可以撒野,可以说疯话,可以制造噪音邻居不干涉,喝多了酒夜不归宿老婆也能允许?

最可以回味的,是多少年多少年之后,你什么都忘了,却得意你是曾经观看过二〇〇六年的世界杯的……

6月30日早

二十三

德国和阿根廷的比赛,像是两头牛遇在了小胡同里,互不让路,你喷鼻我也喷鼻,你蹄刨地我也蹄刨地,就那么试探着,吓唬着。恐惧是谁也不敢冒险,保守是唯一的选择。然后同时头角相抵,同时四蹄倾蹬,推着进一步,被推着退一步,最后僵持在那里。

僵持如在依靠,没有观赏性。

美人的形象大致一样,丑人才是各种各样的丑。强者之间很多东西是相同的,他们的较量只有办法,使自己的办法使出来,把对方的办法扼制住。

两个进球都是瞬间闪失的结果,一个如牛腹上突然有了一个虻蝇,仅仅抖动了一下肌肉,一个也是后蹄换姿势时稍稍滑了一下。

但他们又都站住了,像撑着的人字架。如果不是以点球分胜负,他们会同时耗尽力气死去,而死尸仍是那么撑着,成为一个雕塑。

点球是让上帝来钦点,这就是宿命。

入水是为着出水,生就是为了死,点球让阿根廷死得并不难看,活着的德国还有他未完成的任务,谁又能保证他将来会好死吗?

7月1日早

二十四

无知无畏,大人小心,这似乎是一个定律。所以比赛越到后程,各队也都保守。英格兰和葡萄牙不可能踢得精彩,人在不能放松的时候,感觉迟钝,别扭而又特累,于是他们只有窝火,只有暴躁。贝克汉姆当然就受伤了,鲁尼当然要吃红牌。当菲戈也跑不动被换下场后,没有了大将,C.罗纳尔多便跑得如没头苍蝇,那个长胳膊长腿的克劳奇在门前做动作,让人似乎能听见木偶的破裂声。

写文章的人愈写愈惊恐,离过婚的人愈离愈胆小,这是他们清楚自己是怎样走过来的,走到了这一步才知道了人不能胜天。

足球此为天上物,它的另一个名字叫偶然。

具备了体能具备了技术具备了一切的一切,也一定要具备制约偶然的运气。正是这样,球场上才有人祈祷,有人变发型,有人换着另一种颜色的鞋。能指责这是迷信吗?足球场是最大的气功场,它游荡着神灵。

七月一日夜晚,神再一次以点球取舍,英格兰人患上了白内障,而偌大的球门又突然地缩小了,小得球钻不进去……

7月2日午

二十五

这是在演义一场中国的历史:如果足球是小儿皇帝,没有了平民义军的攻城,朝里的权贵必须内讧,但清君侧清到谁也不该是巴西呀,威震一时的首辅宰相就突然地被囚了!

可以用最好的言辞说巴西依然是世界上最好的球队,也可以以最沉痛的心情为巴西离开了世界杯而惋惜,但必须承认在四强争夺战中,他没有法国踢得好,即便就这一场,他确实没踢好。

法国是巴西的克星?或许是,可金能克木,木大木硬了却能卷残刀刃;怎么一而再,再而三地被同一块石头绊倒呢?

法国取胜的功臣自然还是齐达内和亨利,据报载,法国在小组赛踢得并不好,除了慢热的原因外,是齐达内和亨利闹分裂。而战巴西,他们团结了,合作得一个掏出烟一个就点火,那还能不战而不胜?!

参天者多独木,称岳者无双峰,这种崛然独立、耸然独处的人适宜于从事个体活动,而足球是群体的事,齐达内和亨利还没达到贝利和马拉多纳,他们闹分裂就是除数。一只手伤背了不能攥成拳,伤掌了也不能攥成拳。他们能在一个队里是他们的幸福,可怜的舍甫琴科不是无奈地离开了吗?

7月3日早

二十六

比赛是一座塔,王之涣说"欲穷千里目,更上一层楼",但我们越上越眼黏,到了四强争夺战,唉,云遮雾罩得什么也看不明白了。

英格兰是铁豌豆,并不怕葡萄牙的牙,就怕和葡萄牙踢点球,偏偏就又是以点球定胜负;踢点球是别的门将也还罢了,偏又是里卡多,他曾经有过挡住英格兰点球的经历,结果他竟然这次就扑住了三个!巴西是谁都能赢的就是赢不了法兰西,一次赢不了,怎么十多年来都赢不了,惹不起那就躲着吧,偏偏这时候就碰上!难道冤家一定要聚头,怕鬼鬼真的就来了?事情来得蹊跷,事情能把人怄死,看着贝克汉姆在那里哭泣,看着罗纳尔迪尼奥那疑惑的脸,似乎听得他们在说:天哪?!

天真是在起作用。

但天为什么会这样呢?仅我们的认识,阴阳在互补,五行在变化,否极乃泰来,亢龙而有悔,可弱队怎么永远还在弱着,永远有多远呢,强队不继续强了,继续又如何续呢?科学发展到了今天是仍无法解决天的问题吗,我们寄希望于那些举世闻名的科学家,但那么多的科学家却竟然都皈依了宗教。

或许宗教是可以接近天和理解天意,但在并不是人人都信教的今天,足球这个人类的玩具,仅仅是脚下的玩具,便也呈现着许多神秘而来启示我们。

7月4日午

二十七

我们只关心着半决赛二选一,至于选了谁并不重要;邻家的姑娘订婚,没人把我们叫岳父的;我们只琢磨:谈了那么多朋友,怎么就选中了这小子?

对于意大利队,喜欢的人就喜欢得喊它"万岁",不喜欢的就不喜欢得骂它是"堕落",这全然是对足球的观念差异。其实足球和别的球类最大的不同是它不仅仅是技,而足球有道,虽然技和道是连在一起的,但《易经》毕竟是哲学,它可以算卦,却不是卦签。看球的习惯带倾向看球,这如吃饭有味觉,若没味觉谁肯去做咬嚼吐咽消化排泄的辛苦工作呢?所以如果以球论球,那是教练和球员的事,而教练和球员也只是舞台上的剧的材料,我们要看的是剧情。既然世上有阴阳,可以说,足球一产生,自然要有像意大利这样的队。意大利队不可能永远得势,但意大利队肯定有得势的时候,阳盛阴衰或阴盛阳衰虽有侧重,但阴阳大体总得平衡吧。

创新并不一定就好,保守也不只是贬义词。纵观当今足坛,不能不思考另一个问题:太极图中那双鱼就那么黑白分明吗?是不是最分明处又是最模糊呢?能不能融合呢?好像要融合的早已有之,中国戏剧里让男扮女装,素食店里拿豆腐做鸡猪鸭鱼,可男扮女装比女的还女,以豆腐做鸡猪鸭鱼素得没了素味。好像这样不行,不行是质未改变。报上说阴阳一体的人能量大,声音好的杰克逊是不是二一者没有证据;但我们见过骡子,那是马和驴的后代,体格健壮最能驮运。当荷兰队还在强举着那面曾经赢得欢呼的旗子时,法国队默默地改造着他们的防线,意大利也在锻造着他们的锋刀,他们都不仅仅是阵形上改变,而从本质上化合,所以他们胜利得自然而然。

当我们喝茶还在争论龙井好还是铁观音好,老僧已经在喝茶中悟出禅,而去大殿了。

7月5日早

二十八

又是一个不眠之夜,但这一夜让我们充满了喜悦。法国和葡萄牙的比赛踢得紧张而流畅,激烈而又文明。所有的人,包括巨星也包括那些我们还不熟悉的球员,他们没有让我们不满,而绝妙的配合,匪夷所思的传球动作,一次一次让我们惊艳。当结束的哨音响起,哎呀,双方的球员在拥抱,在窃窃私语,在交换球衣,刚才还是雄狮猛虎,现在竟"两兔傍地走,安能辨我是雄雌"了!

没有人说这是一场假球吧?但肯定有人不解:怎么胜者不欢呼呢,败者不哭泣呢?那样的场面我们曾经见过,甚至我们也曾为那些哭泣者而感动。但这一夜没有。苏东坡是伟大的,他在政治上和王安石争斗了一生,却一生与王安石为友。所以胡兰成不满意林语堂的《苏东坡传》,说苏东坡不恨王安石,而《苏东坡传》里林语堂倒替苏东坡恨王安石了。在这场比赛中,双方的队员都是职业球员,虽然世界杯上他们为各自的祖国踢球,但他们更是为人类踢球,他们在展示着国家球队的实力,也在展示着人的素质和风范。

当我们为一次胜利而欢喜若狂,为一次失败而痛不欲生,输不起也赢不起,那是我们弱小。当我们在看到一些球员有了高难动作便指责:什么时候了还玩火?!这是我们燕雀不知鸿鹄。好鸟能高空飞,好鸟更会贴着水面飞。呈现出一往无前的气概是足球的境界,而在激烈中呈现和谐更是足球的境界。足球是胜利和失败的永恒。因此这样的比赛我们就淡忘了胜利和失败,只记着了那些双方的精英。历史就是这样,一切王朝转换都过去了,光辉的就是那些人物。

7月6日早

二十九

球场和剧场不一样,剧场里导演不露面让演员表演,球场里球员在表现的时候,教练在场边表演。

斯科拉里年轻时肯定很横,老了也一身邪气。他始终在咆哮,静下来也是嘟囔。他嘴唇很薄。他是挑着大粪过闹市,人人都烦他,但都得让路。

克林斯曼像富家子弟,但不是恶少,他有三国周瑜之才,但得意而忘乎所以,只能如项羽"沐猴而冠"。范巴斯滕就本分着,可又尽量的老成,极力庄严,但两次镜头泄露了他的稚嫩,一是换人时他俯身征询助手意见,一是球队陷入颓势,他僵硬如木,顿时憔悴。克林斯曼可以做很好的摇滚乐手,范巴斯滕做领导绝对大权旁落,他不会怒,不怒更没有威。

希丁克是二战的巴顿再世。此人胆大包天,如果是鱼,是条鲨鱼;如果从政,当不了副手。

最典型的老狐狸是里皮和埃里克森,他们从不张扬,站不直,坐不端,低眉垂眼,可怜兮兮,但他们常常把你卖了你还帮他们数钱。

佩雷拉似乎总在笑,怎么笑也像个挨冻的洋芋,吉马良斯老在惊恐地张望,像出了窝的兔子。

那个多梅内克呢?一头白发显示不了沧桑,坐着不动也称不上沉稳。自己的球员进球了人人都在欢呼,他似乎也激动地做了个动作,但是小动作有些羞涩和不好意思。

能当教练都不是平地卧的角色。逮猪娃看母猪,有什么样的教练就有什么样的球队。但是大相者常常出格,岳飞的书法一看就是将军写的,但左宗棠的书法却温润敦厚;张大千的形象绝对是个大画家,而十个人见了大画家吴冠中九个人以为他是老农。

足球场上我们欢呼的是那些天才的球星,足球史上铭记的仍有伟大的教练。

7月7日早

三十

比赛到了现在,如果说最不甘心的是希丁克,最郁闷的是卡恩,最遗憾的是罗纳尔迪尼奥,那齐达内和C.罗却最引人注目。

所有的人都在歌颂齐达内了,他也确实伟大,但齐达内的铁青脸成了庄严的代名词,秃头也象征了智慧的时候,让我们就觉得有趣。当年文学界热《百年孤独》,文人们读过的说好,没读过的也说好,读懂了的说好,没读懂的也说好;似乎不说好你就不文学,落后了,没水平。齐达内成了神,世界杯需要这样的神,神就供在庙里,大家一起磕头。而C.罗呢,这小子,什么时候倒成了争议人物?嗨,谁还管他什么时候因什么事受争议呢,反正他的名字已经等同于争议,人们就睁大眼睛看他的一举一动,等待着他的不是,然后放大了开始争议。比如他脚法华丽,这可以是玩弄技巧呀,他被绊倒了,虽然被绊得不太严重,但摔倒就是假摔呀,他进了球吼叫,这多狂傲呀。已经有了正面形象的齐达内,当然需要一个反面形象的C.罗。气球的命是被吹的,越吹会飞得越高,核桃的命是被砸的,砸开了仁儿才能吃上。世事真是有意思,山顶上的长松威风高高翔过,幽谷里的漆树人们采集着漆膏而千刀万刀地割下伤痕。

7月8日早

三十一

如果冠亚军比赛是战争缩影,三四名比赛就是艺术演出。

七月八日夜,教练虽然还不安静,但脸上肌肉已经活泛。裁判的哨音在减少。球员也改变了凶相。而比赛呢,正位居体,畅于四肢,认得家的球它变着花样往门里进,不愿回家的球耍着花招要溜走,中场是千条线,万条线,球门前是乱了一团黑点。

足球的起源不就是人的一种玩吗?吃饱了饭,没事干,聚在一起玩着出上一身汗,郁闷的就不郁闷了,疲劳的就不疲劳了,松了筋骨,胃也开张。因为玩得从容,艺术也于是在从容中产生。但是,不知什么时候足球就有了意义,意义越来越重,足球就成了政治和利益,足球的可玩性就减弱了。

往日球场上的观众不是挥拳呐喊就是痛哭流涕,空气都是燥的,划根火柴可能就引起爆炸,这一夜球场人浪起伏,却像风吹过六月的麦田,洋溢的是清新的香气。

我们已经习惯也极力追求人在地上行走的时候精神要去天空飞翔,但哪知在极力强调和追求的时候,我们行走的脚步却沉重得难以抬起。烦闷的生活使全世界的人都需要四年来一次杯赛而放松,可举办上一次世界杯又使多少球队多少球迷更有了四年的无法解脱的重负。

三四名比赛人人都认为最精彩,人人都认为它无关痛痒。

7月9日早

三十二

冠军产生了。也就是说,比赛比得只剩下了一个队。

看着大力神杯被意大利人高高捧起,世界杯结束了。这就结束了?!折腾了一个月就为了这么个结束吗?!面对着关掉的电视(我们面对的世界杯一直是电视),半夜里正倾盆大雨,风声雨声里更是一个巨大的寂静。

二十二支球队集中在德国,大力神杯就如同了一只兔子,兔子在前边跑,他们在后边追,不是一只兔子可以分成三十二只,只因三十二支球队名分未定。

而我们是山上砍樵的、挖药的,看见了松下有博弈者就去观棋,我们是不请自去的,是自作多情的,又多言多语自以为是。但棋下毕了,下棋的夹着棋盘走了,我们说一句:不下了?!若有所失。

世界杯虽是人类的盛典,却如同做父母的在星期天里等候儿女们回来一样,儿女们回来了,吃了喝了玩了又走了,剩下老两口和一水池子要刷的碗筷。但父母喜欢儿女们回来,他们图的是热闹的过程。

大力神杯这四年将放在意大利,四年后又不知会去谁家?人民币在我们中间流通,流通中便衍生了人间的喜怒哀乐,它经过每一个人都有一个故事。

日子太整齐也太沉闷,日子里才有了节日,就像房子里安着门和窗,世界杯是大节日,相当于一面落地窗。当然了,世界杯对于我们还是山头上的白云,爬上山头云却还远,是潭中的月,拨开了水面月却更深,但没有云就没有了天,没有月夜太漆黑,我们经历了这一届世界杯,那就又得盼望着下一届了。

7月10日午